HOLLY MILLER

Ein letzter erster Augenblick

ROMAN

Deutsch von
Astrid Finke

blanvalet

Die Originalausgabe erschien 2020 unter dem Titel
»The Sight of You« bei Hodder & Stoughton, London.

Sollte diese Publikation Links auf Webseiten Dritter enthalten, so
übernehmen wir für deren Inhalte keine Haftung, da wir uns diese nicht
zu eigen machen, sondern lediglich auf deren Stand zum Zeitpunkt
der Erstveröffentlichung verweisen.

Penguin Random House Verlagsgruppe FSC® N001967

1. Auflage
Copyright der Originalausgabe © 2020 by Holly Miller
Copyright der deutschsprachigen Ausgabe © 2021 by Blanvalet
in der Penguin Random House Verlagsgruppe GmbH,
Neumarkter Straße 28, 81673 München
Redaktion: Daniela Bühl
Umschlaggestaltung: © FAVORITBUERO, München
Umschlagmotiv: © Shutterstock.com (mamita; KatarinaF; Aristarh)
DN · Herstellung: sam
Satz: GGP Media GmbH, Pößneck
Druck und Bindung: GGP Media GmbH, Pößneck
Printed in Germany
ISBN 978-3-7645-0733-6

www.blanvalet.de

PROLOG

1

Callie

Joel, es tut mir so leid. Dich so wiederzusehen ... Warum bin ich nur in den Zug eingestiegen? Ich hätte auf den nächsten warten sollen. Es wäre egal gewesen. Meine Haltestelle habe ich sowieso verpasst, und wir kamen zu spät zur Hochzeit.

Weil ich den ganzen Weg nach London nur an dich denken konnte, daran, was auf dem Zettel stehen könnte, den du mir gegeben hast. Als ich ihn dann endlich auseinanderfaltete, starrte ich so lange darauf, dass ich schon an Blackfriars vorbei war, bis ich den Kopf wieder hob.

Es gab auch ein Meer von Dingen, die ich dir sagen wollte, musste. Aber ich hatte einfach einen Aussetzer, als ich dich sah. Vielleicht war es die Angst, zu viel zu sagen.

Aber was, wenn es das heute war, Joel? Was, wenn heute das letzte Mal war, dass ich dein Gesicht sehe, deine Stimme höre?

Die Zeit rast, und ich weiß ja, was kommt.

Ich wünschte, ich wäre geblieben. Nur noch ein paar Minuten. Es tut mir so leid.

TEIL EINS

2

Joel

Es ist ein Uhr nachts, und ich stehe mit bloßem Oberkörper an meinem Wohnzimmerfenster. Der Himmel ist klar und mit Sternen übersät, der Mond eine Murmel.

Jeden Moment wird mein Nachbar Steve die Wohnung über mir verlassen. Mit seinem wütend in der Babyschale zappelnden Töchterchen wird er zu seinem Auto gehen. Er fährt Poppy mitten in der Nacht durch die Gegend, versucht, sie durch das Brummen der Reifen und seine Playlist von Bauernhoftierlauten zu besänftigen.

Da ist er. Die schläfrig schleppenden Schritte auf der Treppe, Poppys Quengeln. Sein typisches Malträtieren unserer Haustür. Ich sehe ihn auf den Wagen zugehen, aufschließen, zögern. Er ist verwirrt, merkt, dass etwas nicht stimmt. Aber sein Gehirn hinkt noch hinterher.

Dann begreift er. Flucht, greift sich an den Kopf. Dreht ungläubig zwei Runden um das Auto.

Sorry, Steve, ja, alle vier Reifen. Eindeutig aufgestochen. Heute Nacht fährst du nirgendwohin.

Ein paar Sekunden lang ist er eine Statue, im Neonlicht der Straßenlaterne. Dann veranlasst ihn etwas, direkt in die Fensterscheibe zu sehen, durch die ich ihn beobachte.

Ich behalte die Nerven. Solange ich mich nicht rühre, muss es für ihn praktisch unmöglich sein, mich zu entdecken. Meine Jalousien sind geschlossen, die Wohnung still und dunkel wie eine Reptilienhöhle. Er kann nicht wissen, dass ich das Auge an eine einzelne Lamelle gedrückt habe. Dass ich alles verfolge.

Einen Moment lang verschmelzen unsere Blicke, dann wendet er sich ab und schüttelt den Kopf, während Poppy der Straße ein gut getimtes Brüllen spendiert.

Im Haus gegenüber geht ein Licht an. Ein heller Kegel trifft auf das dunkle Pflaster, eine genervte Stimme ertönt: »Ach, komm schon!«

Steve hebt die Hand und macht kehrt. Ich höre die beiden auf der Treppe, Poppy energisch heulend. Steve ist an unregelmäßige Zeiten gewöhnt, aber Hayley versucht bestimmt, zu schlafen. Sie hat erst vor Kurzem ihre Stelle in einer renommierten Londoner Kanzlei wieder angetreten, was bedeutet, dass sie sich nicht leisten kann, in Meetings einzunicken.

Trotzdem. Meine Aufgabe für heute ist erledigt. Ich streiche sie aus dem Notizbuch, setze mich aufs Sofa und öffne die Jalousielamellen, damit ich die Sterne betrachten kann.

Ich belohne mich mit einem Glas Whisky, denn das gönne ich mir bei besonderen Gelegenheiten. Dann mache ich einen doppelten daraus und trinke ihn zügig.

Zwanzig Minuten später bin ich bettreif. Ich bin auf eine ganz spezielle Form von Schlaf aus, und was ich heute Nacht getan habe, müsste mir dazu verhelfen.

»Er ist ja so heiß«, sagt meine über achtzigjährige Nachbarin Iris, als ich ein paar Stunden später bei ihr auftauche, um ihren gelben Labrador Rufus abzuholen.

Es ist noch keine acht Uhr, was möglicherweise erklärt, warum ich keinen Schimmer habe, von wem sie spricht. Ihr Nachbar Bill, der fast jeden Morgen mit dem neuesten Klatsch und Tratsch oder einem komischen Flugblättchen bei ihr vorbeischaut? Der Postbote, der uns gerade durchs Fenster fröhlich zugewinkt hat?

Postboten. Immer entweder albern gut gelaunt oder restlos griesgrämig. Nie ein Mittelweg.

»Zurzeit schläft er auf den Küchenfliesen, damit er es kühler hat.«

Ach natürlich. Sie meint den Hund. Das passiert mir häufiger, als mir lieb ist: zu erschöpft für eine simple Unterhaltung mit jemandem zu sein, der mindestens doppelt so alt wie ich ist. »Gute Idee.« Ich lächle. »Vielleicht probiere ich das auch mal aus.«

Sie wirft mir einen strengen Blick zu. »Damit werden Sie die Damen wohl kaum für sich einnehmen, oder?«

Ah genau, die Damen. Wer war das noch mal? Iris ist offenbar überzeugt, dass sie bei mir Schlange stehen, unbedingt ihr Leben auf Pause schalten möchten, um sich mit einem Kerl wie mir abzugeben.

»Wird ihm das auch nicht zu viel?« Sie deutet auf Rufus. »Da draußen in der Hitze?«

Ich war mal Tierarzt. Jetzt nicht mehr. Aber ich glaube, Iris fühlt sich durch meine Qualifikation beruhigt.

»Heute ist es kühler«, versichere ich ihr. Sie hat Recht damit, dass es in letzter Zeit warm war, es ist ja auch erst September. »Und wir gehen runter zum Bootsteich, eine Runde planschen.«

Sie grinst. »Sie auch?«

Ich schüttle den Kopf. »Ich ziehe es vor, die öffentliche

Ordnung erst nach Feierabend zu stören. Das macht es aufregender.«

Sie strahlt, als wären meine lahmen Witze das Highlight ihres Tages. »Wir haben so ein Glück, dass wir Sie haben, stimmt's, Rufus?«

Man muss dazusagen, dass Iris selbst ziemlich toll ist. Sie trägt Ohrringe in Obstform und hat ein Premium-Abo bei Spotify.

Ich bücke mich, um Rufus anzuleinen, während er sich erhebt. »Er ist immer noch zu schwer, Iris. Das macht es für ihn nicht leichter bei der Hitze. Wie läuft es mit seiner Diät?«

Sie zuckt die Achseln. »Er riecht Käse aus hundert Metern Entfernung, Joel. Was soll ich sagen?«

Ich seufze. Seit fast acht Jahren halte ich Iris jetzt schon Vorträge über Rufus' Ernährung. »Was hatten wir abgemacht? Ich gehe mit ihm spazieren, Sie kümmern sich um den Rest.«

»Ja, ja, ich weiß, ich weiß.« Sie scheucht uns mit dem Gehstock aus dem Wohnzimmer. »Aber ich kann seinem Blick einfach nicht widerstehen.«

Als ich im Park ankomme, habe ich insgesamt drei Hunde im Schlepptau. (Neben Rufus führe ich noch zwei andere für ehemalige Kunden aus, die nicht mehr so mobil sind. Es gibt noch einen vierten, eine Dogge namens Bruno. Aber der ist sozial inkompatibel und extrem kräftig, deshalb gehe ich mit ihm erst nach Einbruch der Dunkelheit Gassi.)

Obwohl die Luft über Nacht frischer geworden ist, halte ich mein Versprechen mit dem Bootsteich. Ich lasse die Hunde von der Leine, und meine Stimmung hebt sich, als sie wie Pferde ins Wasser galoppieren.

Ich atme durch. Rede mir zum wiederholten Male gut zu, dass ich letzte Nacht das Richtige getan habe.

Es musste sein. Denn die Sache ist die: Fast schon mein gesamtes Leben habe ich prophetische Träume. Klare, lebensechte Visionen, die mich aus dem Schlaf reißen. Sie zeigen mir, was passieren wird, Tage, Wochen, Jahre später. Und die Betroffenen sind immer Menschen, die ich liebe.

Die Träume kommen ungefähr einmal die Woche, das Verhältnis von gut zu schlecht zu neutral ist einigermaßen ausgewogen. Aber die düsteren Vorahnungen sind es, die ich am meisten fürchte: die Unfälle und Krankheiten, Schmerz und Unglück. Sie sind der Grund dafür, dass ich unentwegt nervös bin, immer in höchster Alarmbereitschaft. Dass ich mich ständig frage, wann ich zum nächsten Mal den Lauf des Schicksals umlenken, überstürzt in jemandes wohlbedachte Pläne eingreifen muss.

Oder, schlimmer noch, ein Leben retten.

Vom Ufer des Sees aus beobachte ich meine vierbeinigen Schützlinge, grüße ein Grüppchen Hundebesitzer aus wohlweislich weiter Ferne. Sie treffen sich meistens morgens an der Brücke, winken mich zu sich, falls ich den Fehler begehe, Augenkontakt herzustellen. Ich halte Abstand, seit sie anfingen, Tipps über guten Schlaf auszutauschen, und ihr Gespräch sich Hausmitteln und Therapien, Tabletten und Gewohnheiten zuwandte. (Ich verabschiedete mich höflich und verschwand. Seitdem bleibe ich für mich.)

Das Ganze betraf mich zu stark. Denn in meinem Streben nach einer traumlosen Nacht habe ich alles ausprobiert. Ernährungsumstellung, Meditation, Suggestion. Lavendel und weißes Rauschen. Milchgetränke. Schlaftabletten mit Nebenwirkungen, ätherische Öle. Ein Sportprogramm, das so krass war, dass ich mich zwischendurch übergeben musste. Mit Mitte zwanzig regelmäßig extreme Alkoholphasen in der irrigen Annahme, ich könnte meinen Schlafzyklus verändern. Aber Jahre des Experimentierens bewiesen, dass mein Zyklus unumstößlich ist. Und nichts konnte daran jemals rütteln.

Dennoch, schlichte Mathematik besagt, dass weniger Schlaf gleich weniger Träume ist. Deshalb bleibe ich dieser Tage bis in die frühen Morgenstunden auf, unterstützt vom Fernseher und einem ziemlich heftigen Koffeinkonsum. Danach gestatte ich mir ein kurzes, konzentriertes Ausruhen. Ich habe meinen Kopf darauf trainiert, damit zu rechnen, nach nur wenigen Stunden aus dem Schlaf geschreckt zu werden.

Weshalb ich auch jetzt dringend Kaffee brauche. Also pfeife ich die Hunde aus dem Wasser und laufe über den Pfad am Fluss entlang zurück. Auf der Straße rechts von mir kommt das richtige Leben allmählich in Gang. Berufsverkehr, Fahrradfahrer, Fußgänger auf dem Weg zur Arbeit, Lieferwagen. Ein Orchester, das seine Instrumente für einen ganz gewöhnlichen Wochentag stimmt.

Es ruft in mir eine eigenartige Sehnsucht nach Normalität hervor. Im Augenblick habe ich nicht viele geistige Kapazitäten für Erwerbsarbeit, Freundschaften oder Gesundheit frei. Wegen der Sorgen und des Schlafmangels bin ich ständig kaputt, fahrig, zerstreut.

Damit mich die ganze Sache nicht ins Grab bringt, halte ich mich an einige nicht übermäßig strenge Regeln: täglich körperliche Bewegung, nicht zu viel Alkohol, keine Liebe.

Nur zwei Menschen habe ich in meinem Leben die Wahrheit gestanden. Und beim zweiten schwor ich mir, dass es das letzte Mal war. Weshalb ich auch Steve nicht erzählen kann, dass ich gestern Nacht auf eine schlimme Vorahnung in Bezug auf Poppy reagiert habe: mein Patenkind, das ich so liebe wie meine eigenen Nichten. Ich sah alles vor mir, den erschöpften Steve, der mit Poppy auf dem Rücksitz an der Kreuzung zu bremsen vergisst; seinen Wagen, der mit fünfzig Stundenkilometern gegen einen Laternenmast prallt. Nach dem Unfall musste das Baby aus dem Auto geschnitten werden.

Also ergriff ich die nötigen Maßnahmen. Womit ich mir diesen doppelten Whisky verdient hatte, wenn ich das mal so sagen darf.

Ich leine die Hunde wieder an und gehe nach Hause. Steve muss ich aus dem Weg gehen, zumindest ein Weilchen. Je länger ich den Kopf einziehen kann, desto unwahrscheinlicher ist es, dass er mich mit dem gestrigen Vorfall in Verbindung bringt.

Sobald ich die Hunde abgegeben habe, werde ich mir ein Café suchen, um mich zu verkriechen, denke ich. Ein Plätzchen, wo ich still in einer Ecke meinen Kaffee trinken kann, anonym und unbeobachtet.

3

Callie

»Du kannst mir nicht erzählen, dass dir das noch nie passiert ist.« Dot und ich wischen nach Ladenschluss die Tische im Café ab und spekulieren über den Gast, der vorhin, ohne zu zahlen, gegangen ist. Das ist mein Lieblingsteil der Arbeit – durchatmen und den Tag Revue passieren lassen, den Raum wieder zum Glänzen bringen. Die Septemberluft draußen ist warm und zart wie Pfirsichhaut.

»Vielleicht war es wirklich keine Absicht«, sage ich.

Dot streicht sich durch die wasserstoffblonden Haare. »Mal ernsthaft. Wie lange arbeitest du schon hier?«

»Achtzehn Monate.« Je öfter ich es sage, desto unglaublicher klingt es.

»Achtzehn Monate, und du hattest noch keinen einzigen Zechpreller.« Dot schüttelt den Kopf. »Offenbar hast du das richtige Gesicht.«

»Er hat es bestimmt nur vergessen. Ich glaube, Murphy hat ihn abgelenkt.«

Murphy ist mein Hund, ein schwarz-brauner Mischling. Na ja, mehr oder weniger meiner. Jedenfalls führt er das Traumleben eines Café-Hunds, denn es mangelt hier nie an Leuten, die ihn streicheln und ihm heimlich Leckerbissen zustecken.

Dot schnaubt. »Das Einzige, was der vergessen hat, ist sein Geld.«

Ich habe ihn noch nie gesehen. Andererseits hatte ich viele unserer heutigen Gäste vorher noch nie gesehen. Normalerweise fängt morgens das Konkurrenz-Café oben am Hügel die meiste Kundschaft in Eversford ab, der Kleinstadt, in der ich mein ganzes Leben verbracht habe. Aber das hatte heute ohne Vorwarnung zu, deshalb strömten die ganzen Bürogänger wortlos bei uns herein, mit ihren Nadelstreifen und ihrem Aftershave und ihren blank polierten Schuhen.

Dieser Gast war allerdings anders. Offen gestanden wäre es mir ein bisschen peinlich, Dot gegenüber zuzugeben, wie stark er mir aufgefallen ist. Er kann nicht auf dem Weg in irgendein Büro gewesen sein, denn seine dunklen Haare waren ungekämmt, und er wirkte unheimlich erschöpft, als hätte er eine harte Nacht hinter sich. Zuerst machte er beim Bestellen einen abwesenden Eindruck, aber als er mir endlich den Blick zuwandte, ließ er ihn unverwandt auf mir liegen.

Wir wechselten nicht mehr als ein paar Worte, aber ich weiß noch, dass er in den Pausen zwischen seinem fieberhaften Schreiben eine stumme Verbindung zu Murphy herstellte.

»Ich könnte mir vorstellen, dass er Schriftsteller ist. Er hatte ein Notizbuch dabei.«

Dot drückt ihren Widerspruch durch die Nase aus. »Schon klar, ein armer Poet. Typisch, sogar Diebstahl musst du romantisieren.«

»Mag ja sein, aber wenn es nach dir ginge, würde bei uns eins dieser Schilder wie an Tankstellen hängen. *Wer nicht zahlen kann…*«

»Hervorragende Idee.«

»Das war nicht als Vorschlag gemeint.«

»Vielleicht niete ich ihn beim nächsten Mal mit meinem besten Roundhouse-Kick um.«

Ich bezweifle nicht, dass der effektiv wäre. Dot hat vor Kurzem mit dem Kickboxen angefangen und betreibt es mit einer Energie, um die ich sie beneide. Sie macht jeden Hype mit, stürmt wie ein aus dem Käfig gelassenes Geschöpf durchs Leben. Im Gegensatz dazu glaubt sie, ich würde vor der Welt zurückschrecken, mich in die halbdunklen Ecken verkriechen, im hellen Licht blinzeln. Wahrscheinlich hat sie Recht.

»Kein Kung-Fu bei den Gästen«, sage ich. »Café-Vorschrift.«

»Es gibt ja sowieso kein nächstes Mal. Ich hab mir sein Gesicht gemerkt. Wenn ich ihn irgendwo in der Stadt sehe, verlange ich einen Zehner von ihm.«

»Er hatte nur einen Espresso.«

Sie zuckt die Achseln. »Das ist eben unsere Gebühr für Kaffee-Flucht.«

Grinsend gehe ich an ihr vorbei ins Büro, um die Bestellung für die morgige Lieferung auszudrucken. Ich bin erst eine Minute weg, da höre ich Dot rufen: »Wir haben geschlossen! Kommen Sie morgen wieder!«

Als ich den Kopf durch den Türrahmen stecke, erkenne ich die Gestalt vor der Scheibe. Und Murphy offenbar auch, denn er schnüffelt erwartungsfroh an den Scharnieren.

»Das ist er.« In meinem Magen kribbelt es leicht. Groß und schlank, graues T-Shirt, dunkle Jeans. Haut, die auf einen im Freien verbrachten Sommer schließen lässt. »Der Mann, der zu zahlen vergessen hat.«

»Ach.«

»Eins-a-Spürnase, Sherlock.«

Mit einem Grunzen öffnet Dot den Riegel und dreht den Schlüssel herum, zieht die Tür nur einen Spalt auf. Ich höre nicht, was er sagt, nehme aber an, dass er seine Rechnung begleichen möchte, da sie jetzt die Kette aushakt und ihn hereinlässt. Murphy schlittert rückwärts, schwanzwedelnd, mit tanzenden Pfoten.

»Ich hab vorhin gar nicht bezahlt«, sagt er mit entwaffnender Zerknirschtheit. »Aus Versehen. Hier.« Er gibt Dot einen Zwanziger, rubbelt sich durch die Haare, wirft mir einen Seitenblick zu. Seine Augen sind groß, dunkel wie feuchte Erde.

»Ich hole Ihnen Ihr Wechselgeld«, sage ich.

»Nein, das stimmt so. Danke. Entschuldigung.«

»Dann nehmen Sie doch was mit. Noch einen Kaffee, ein Stück Kuchen? Als Dankeschön, weil Sie so ehrlich waren.« Abgesehen von allem anderen scheint irgendetwas an seinem Auftreten um Nettigkeit zu flehen.

Es ist noch ein Rest Drømmekage da, ein saftiger dänischer Rührkuchen mit karamellisierten Kokosflocken, zu Deutsch Traumkuchen. Ich packe ein Stück ein und strecke ihm die Schachtel entgegen.

Er zögert kurz, reibt sich unsicher über die Stoppeln am Kinn. Dann nimmt er die Schachtel, und seine Fingerspitzen stupsen dabei meine an. »Danke.« Mit gesenktem Kopf geht er, und ein warmer Hauch samtiger Luft weht durch die Tür herein.

»Tja«, meint Dot. »Der war ja mal wortkarg.«

»Ich glaube, mit dem Kuchen hab ich ihn aus dem Konzept gebracht.«

»Was sollte das denn überhaupt? *Noch einen Kaffee?*«, äfft sie mich nach. »*Ein Stück Drømmekage?*«

Ich kann mir gerade noch verkneifen, rot zu werden. »Wenigstens ist er freiwillig zurückgekommen. Was beweist, dass du schrecklich zynisch bist.«

»Wohl kaum. Bei dem Riesenstück Kuchen hast du trotzdem kaum Gewinn gemacht.«

»Darum geht es nicht.«

Dot zieht eine Microblading-Augenbraue hoch. »Das sieht unser Chef möglicherweise anders. Oder zumindest sein Buchhalter.«

»Nein, Ben würde dir sagen, dass du mehr Vertrauen in die Menschheit haben musst. Du weißt schon, anderen eine Chance geben und so.«

»Also, was hast du heute sonst noch vor?« Mit belustigt funkelnden Augen geht Dot ins Büro, um ihre Jacke zu holen. »Für den guten Zweck draußen schlafen? Spontan eine Suppenküche einrichten?«

»Sehr witzig. Vielleicht gehe ich noch mal bei Ben vorbei, sehen, wie es ihm so geht.«

Darauf entgegnet Dot nichts. Sie findet, dass ich mich zu sehr von den Sorgen um Ben belasten lasse, zu viel meinen Erinnerungen nachhänge.

»Und du?«

Sie taucht wieder auf, die Sonnenbrille in die Haare geschoben. »Wasserski.«

Ich muss lächeln. *Klar, was sonst?*

»Komm doch mit.«

»Nein, ich bin von Natur aus tollpatschig.«

»Na und? Wasser ist weich.«

»Ach nein, ich geh besser …«

Sie sieht mich durchdringend an. »Du weißt, was ich denke, Cal.«

»Ja.«
»Schon bei Tinder angemeldet?«
»Nein.« *Bitte nicht drängeln.*
»Ich kann dich auch mit jemandem verkuppeln.«
»Ich weiß.« Dot kann alles. »Viel Spaß heute Abend.«
»Das würde ich dir ja auch wünschen, aber …« Sie zwinkert liebevoll. »Bis morgen.« Und in einer Abschiedswolke Gucci Bloom rauscht sie ab.

Als sie weg ist, schalte ich die Lampen eine nach der anderen aus und setze mich wie immer noch kurz ans Fenster, um den schwachen Duft nach Brot und Kaffeebohnen einzuatmen. Aus Reflex hole ich das Handy aus der Tasche, scrolle zu Grace' Nummer und wähle.

Nein, das geht so nicht weiter. Schluss jetzt.

Ich lege auf und schalte den Bildschirm wieder aus. Sie anzurufen ist eine Angewohnheit, die ich in letzter Zeit abzulegen versuche, aber ihren Namen auf meinem Handy zu lesen, gibt mir immer Auftrieb wie ein heller Sonnenstrahl an einem schuttgrauen Tag.

Als ich schließlich den Blick durchs Fenster richte, begegnet er unerwartet den aufmerksamen, torfdunklen Augen des Notizbuch-Manns von vorher. Nach dem ersten Schreck verziehe ich den Mund zu einem Lächeln, aber ich bin zu langsam – er sieht auf den Boden und verwandelt sich in einen Schatten, der zügig in das weiche Abendlicht verschwindet.

Die Kuchenschachtel hat er nicht mehr in der Hand. Entweder hat er ihn schon gegessen oder in den erstbesten Mülleimer geworfen.

4

Joel

Mit einem Ruck wache ich um zwei Uhr nachts auf. Ich stehe leise auf und nehme mir mein Notizbuch, um sie nicht zu stören.

Das warme Wetter der letzten Woche ist vorbei und die Wohnung ein bisschen kalt. Ich ziehe mir einen Kapuzenpulli und eine Jogginghose an und gehe in die Küche.

Dort setze ich mich an die Frühstückstheke und schreibe alles auf.

Mein jüngerer Bruder Doug wird jedenfalls begeistert sein. Ich habe geträumt, dass seine Tochter Bella mit zehn Jahren ein Sportstipendium an der örtlichen Privatschule erhält. Als eine der besten Schwimmerinnen im ganzen Landkreis wird sie offenbar jedes Wochenende säckeweise Medaillen gewinnen. Seltsam, wie sich manches entwickelt. Doug bekam als Kind in unserem Schwimmbad Hausverbot, nachdem er eine Arschbombe zu viel gemacht und dem Bademeister den Stinkefinger gezeigt hatte.

Noch ist Bella keine drei. Aber Doug ist der Ansicht, dass man Potenzial nicht früh genug fördern kann. Den vierjährigen Buddy schickt er schon zum Tennis, und bei *Britain's Got Talent* holt er sich Tipps für ehrgeizige Eltern.

Wobei mein Traum andererseits bestätigt, dass es sich auszahlen wird. Ich mache mir eine Notiz, ihm gegenüber möglichst bald Schwimmvereine in unserer Gegend zu erwähnen, und unterstreiche sie dreimal.

»Joel?«

Melissa beobachtet mich aus dem Türrahmen, reglos wie eine Spionin.

»Schlecht geträumt?«

Ich schüttle den Kopf, sage ihr, dass der Traum gut war.

Melissa trägt ein T-Shirt von mir und wird es wahrscheinlich auch mit nach Hause nehmen. Sie glaubt, so was wäre süß. Ich hingegen finde es unschön, ein Inventar von meinem eigenen Kleiderschrank erstellen zu müssen.

Jetzt kommt sie zu mir, hüpft auf einen Hocker. Schlägt die nackten Beine übereinander, fährt sich durch die dunkelblonde Mähne. »Kam ich drin vor?« Sie zwinkert auf eine Art, die gleichzeitig neckisch und unverschämt ist.

Offen gestanden wäre das unmöglich, möchte ich sagen, lasse es aber. Sie weiß nicht, was für eine Art Träume ich habe, und so wird es auch bleiben.

Seit mittlerweile fast drei Jahren treffen Melissa und ich uns ungefähr einmal im Monat, normalerweise ohne viel Kontakt dazwischen. Steve hat sich schon öfter, als mir lieb ist, mit ihr unterhalten, als glaubte er, es würde sich lohnen, sie kennenzulernen. Selbst Melissa findet die Vorstellung amüsant und passt ihn im Flur ab, nur um mich zu provozieren.

Ich werfe einen Seitenblick auf die Küchenuhr. Unterdrücke ein Gähnen. »Es ist mitten in der Nacht. Geh doch wieder ins Bett.«

»Nee.« Sie seufzt träge, zupft an einem Fingernagel. »Jetzt bin ich wach. Da kann ich genauso gut mit dir aufbleiben.«

»Wann musst du ins Büro?« Sie arbeitet in der Presseabteilung der Londoner Geschäftsstelle eines afrikanischen Bergbauunternehmens. Ihre Schichten fangen häufig schon um sechs Uhr an.

»Zu früh.« Sie verdreht missmutig die Augen. »Ich melde mich krank.«

Eigentlich hatte ich gleich morgens einen Hundespaziergang mit meinem Freund Kieran geplant und wollte danach in dem Café frühstücken. Ich war jetzt schon mehrmals dort nach dem peinlichen Auftritt letzte Woche, als ich zu zahlen vergaß.

Anfangs, muss ich zugeben, empfand ich eine Art moralische Verpflichtung dazu. Aber inzwischen liegt es mehr an dem Hund und dem großartigen Kaffee. Und dem freundlichen Empfang, obwohl ich bei meinem ersten Besuch nicht gerade ein vorbildlicher Gast war.

»Ehrlich gesagt habe ich schon was vor.« Sofort zieht sich mein Magen vor schlechtem Gewissen zusammen.

Sie legt den Kopf schief. »Charmant, charmant. Weißt du, ich kapiere immer noch nicht, warum du single bist.«

»Du bist doch auch single«, gebe ich zurück, wie jedes Mal.

»Schon. Aber ich bin es freiwillig.«

Das ist eine von Melissas Theorien. Dass ich unbedingt eine Beziehung möchte, kaum erwarten kann, jemandes fester Freund zu sein. Bevor wir uns kennenlernten, war ich fünf Jahre allein, ein Umstand, an dem sie sich ergötzt wie eine Katze an einer Maus. Manchmal schimpft sie mich sogar, ich würde zu sehr klammern, wenn ich ihr nach einem Monat Funkstille eine Nachricht schreibe, ob sie Lust auf Pizzaflitzer hat.

Aber sie irrt sich. Ich war von Anfang an offen mit ihr, habe sie gefragt, ob es für sie okay ist, die Sache mit uns unverbindlich zu halten. Sie lachte und sagte Ja. Meinte sogar, ich sei ganz schön eingebildet.

»Weißt du, eines Tages schlage ich dein Notizbuch auf, während du schläfst, und lese mir genau durch, was du da reinschreibst.«

Ich lache auf und senke den Blick, traue mich nicht, darauf zu antworten.

»Könnte ich es an die Zeitung verkaufen?«

Vielleicht ja: Es steht alles drin. Ein Traum pro Woche seit achtundzwanzig Jahren, und seit ich zweiundzwanzig bin, mache ich mir Aufzeichnungen.

Ich notiere alles, falls ich handeln muss. Aber von Zeit zu Zeit muss ich zusehen, wie ein schlimmer Traum seinen Verlauf nimmt. Wenn sie nicht so ernst sind oder ich keine Möglichkeit zum Eingreifen sehe, unternehme ich nichts. Keins von beidem ist ideal für einen Mann von meinem Gemüt.

Dennoch. Wie Diamanten im Staub glitzern schönere Träume zwischen den schlechten. Beförderungen, Schwangerschaften, kleine Glücksfälle. Und dann gibt es die öden, über das Alltägliche des Lebens. Haarschnitte und Supermärkte, Hausarbeit und Schulaufgaben. Dann sehe ich zum Beispiel, was Doug zum Abendessen hat (*Innereien, echt jetzt?*). Oder ich erfahre, ob Dad auf Platz eins in der örtlichen Badminton-Liga aufsteigt oder meine Nichte ihren Turnbeutel vergisst.

Die relevanten Daten und Uhrzeiten sind in meinem Kopf präsent, wann immer ich aufwache. Sie sind dort verankert wie mein eigener Geburtstag oder Weihnachten.

Ich achte auf alles, selbst das Harmlose. Halte es in meinem Notizbuch fest. Falls sich irgendwo ein Muster, ein Hinweis versteckt. Etwas, das zu übersehen ich mir nicht erlauben kann.

Jetzt schiele ich nach dem Heft auf der Arbeitsfläche. Bereite mich innerlich darauf vor, dass Melissa es mir wegzunehmen versucht. Sie merkt es sofort und lächelt süßlich, fordert mich auf, mich locker zu machen.

»Möchtest du einen Kaffee?«, frage ich, um das Funkeln in ihren Augen zu dämpfen. Gleichzeitig tut es mir ein wenig leid. Trotz ihres selbstbewussten Auftretens hätte sie sicher nichts dagegen, wenigstens einmal herzukommen und ihre vollen acht Stunden zu bekommen wie ein normaler Mensch.

»Weißt du, bei deinem vielen Geld könntest du dir doch wohl eine anständige Maschine leisten. Niemand trinkt heute noch Instantkaffee.«

Aus dem Nichts schiebt sich ein Bild des Cafés vor mein geistiges Auge. Von Callie, die mir meine Tasse hinstellt, und von dem Blick aufs Kopfsteinpflaster von meinem Platz am Fenster aus. Das beunruhigt mich leicht, und ich verdränge es, löffle Pulver in zwei Becher. »Welches viele Geld?«

»Wie du immer tust, als wärst du arm, toll. Früher warst du Tierarzt, und jetzt arbeitest du nicht.«

Das stimmt nur zum Teil. Ja, ich habe Ersparnisse. Aber nur weil ich rechtzeitig erkannte, dass mein Job auf dem Spiel stand. Und das Geld wird nicht ewig reichen.

»Zucker?«, frage ich, um sie vom Thema abzulenken.

»Ich bin süß genug.«

»Darüber kann man streiten.«

Darauf lässt sie sich nicht ein. »Also, machst du's?«

»Was?«

»Dir eine richtige Kaffeemaschine kaufen.«

Ich verschränke die Arme und drehe mich zu ihr um. »Für das eine Mal im Monat, wenn du herkommst?«

Wieder zwinkert sie. »Weißt du, wenn du mal anfangen würdest, mich anständig zu behandeln, bestünde vielleicht die Chance, dass sich aus uns was entwickelt.«

Ich erwidere das Zwinkern und klopfe mit dem Löffel an den Becher. »Dann also Instant.«

Meinen ersten prophetischen Traum hatte ich mit gerade mal sieben Jahren, als ich mit meinem Cousin Luke so eng befreundet war, wie man nur sein kann. Unsere Geburtstage lagen nur drei Tage auseinander, und wir verbrachten jede freie Minute zusammen. Computerspiele, Fahrradfahrten, mit den Hunden durch die Gegend ziehen.

Eines Nachts träumte ich, dass Luke, als er die übliche Abkürzung über den Spielplatz zur Schule nahm, aus dem Nichts von einem schwarzen Hund angegriffen wurde. Ich wachte um drei Uhr auf, gerade als der Hund sein Gebiss um Lukes Gesicht klammerte. Wie eine Migräne pochte in meinem Kopf das Datum, an dem es passieren sollte.

Mir blieben nur Stunden, um es aufzuhalten.

Bei einem nicht angerührten Frühstück erzählte ich meiner Mutter alles, flehte sie an, Dads Schwester anzurufen, Lukes Mutter. Sie weigerte sich ganz ruhig, versicherte mir, es sei nur ein böser Traum gewesen. Versprach mir, dass Luke vor der Schule auf mich warten würde, gesund und munter.

Aber Luke wartete nicht gesund und munter vor der Schule. Also rannte ich zu ihm nach Hause, so schnell, dass ich Blut in der Kehle schmeckte. Ein Mann, den ich nicht kannte, öffnete die Tür. *Er ist im Krankenhaus*, teilte er mir schroff mit. *Wurde heute Morgen auf dem Spielplatz von einem Hund gebissen.*

Am Abend rief meine Mutter meine Tante an und erfuhr von ihr alle Einzelheiten. Ein schwarzer Hund hatte Luke auf dem Weg zur Schule angefallen. Er brauchte plastische Chirurgie am Gesicht, linkem Arm und Hals. Er hatte Glück, noch am Leben zu sein.

Nachdem sie aufgelegt hatte, setzte meine Mutter sich mit mir im Wohnzimmer aufs Sofa. Dad war noch nicht zu Hause. Ich kann mich noch an den Duft der Hühnersuppe erinnern, die sie mir gekocht hatte. Das seltsam tröstliche Geräusch meiner oben streitenden Geschwister.

»Das war nur ein Zufall, Joel«, sagte Mum immer wieder. (Heute frage ich mich, ob sie sich selbst zu überzeugen versuchte.) »Verstehst du? So was kommt vor.«

Damals arbeitete meine Mutter in Dads Buchhaltungsfirma. Sie verdiente ihr Geld wie er, mit logischem Denken, Überprüfung von Fakten. Und Fakt war, Menschen konnten nicht hellsehen.

»Aber ich wusste, dass es passiert«, schluchzte ich verzweifelt. »Ich hätte es aufhalten können.«

»Ich weiß, dass es für dich so scheint, Joel«, flüsterte sie. »Aber es war nur ein Zufall. Das darfst du nicht vergessen.«

Wir erzählten es niemandem. Dad hätte es als Wahnvorstellung abgetan, und meine Geschwister waren noch zu klein, um zu verstehen oder sich auch nur darum zu kümmern. *Das bleibt einfach unter uns*, sagte Mum. Und so war es dann.

Selbst heute noch kennt der Rest meiner Familie die Wahrheit nicht. Sie glauben, ich wäre überängstlich und paranoid. Dass meine wirren Warnungen und manischen Einmischungen unbewältigter Trauer um Mum entspringen. Doug findet, ich sollte Pillen dagegen nehmen, weil Doug glaubt, es gäbe für alles Pillen. (Spoiler: Gibt es nicht.)

Ahnt meine Schwester Tamsin, dass mehr dahintersteckt? Möglich. Aber ich bleibe absichtlich vage, und sie fragt nicht nach.

Ich kann nicht behaupten, dass ich noch nie versucht gewesen wäre, ihnen alles zu erzählen. Aber wenn ich den Drang dazu verspüre, muss ich nur an das eine Mal zurückdenken, als ich so naiv war, mich an einen Fachmann zu wenden. Der Hohn in seinem Blick und der spöttisch verzogene Mund reichten, um mir zu schwören, mich nie wieder jemandem anzuvertrauen.

5

Callie

An einem Freitagabend Mitte September bekomme ich einen typisch frustrierenden Anruf von meinem Hausverwalter.

»Leider schlechte Nachrichten, Miss Cooper.«

Ich runzle die Stirn, erinnere Ian daran, dass er mich gern Callie nennen darf – im Laufe der Jahre hatten wir genug miteinander zu tun.

Langsam wiederholt er meinen Vornamen, als schriebe er ihn zum allerersten Mal auf. »Na gut. Also, Mr. Wright hat uns gerade mitgeteilt, dass er seine Immobilie verkauft.«

»Welche Immobilie? Was?«

»Ihre Wohnung. Zweiundneunzig B. Nein, Moment, C.«

»Schon gut, ich kenne meine Adresse. Sie wollen mich wirklich rausschmeißen?«

»Sagen wir lieber, wir kündigen Ihnen das Mietverhältnis. Sie haben einen Monat.«

»Aber warum? Warum verkaufen?«

»Nicht mehr rentabel.«

»Ich bin ein Mensch. Ich bin rentabel. Ich zahle Miete.«

»Regen Sie sich bitte nicht auf.«

»Glauben Sie, der Käufer will auch vermieten? Vielleicht

freut er sich, wenn er sich nicht extra neue Mieter suchen muss?«

»Oh nein. Er will die Wohnung definitiv leer. Er muss sie aufhübschen.«

»Gut zu wissen. Nur dass ich nicht weiß, wohin.«

»Sie leben doch nicht von Sozialhilfe, oder?«

»Nein, aber ...«

»Momentan gibt es reichlich Angebote. Ich maile Ihnen ein paar.«

Die Wohnung gekündigt zu bekommen, stelle ich fest, ist unfassbar deprimierend. »Toller Start ins Wochenende, Ian.« Ich frage mich, ob er all seine Kündigungstelefonate freitagabends führt.

»Ja? Kein Problem.«

»Nein, das war ... Bitte«, sage ich verzweifelt, »könnten Sie mir was mit einem richtigen Garten suchen?« Meine Wohnung liegt im obersten Stock, deshalb habe ich zu unserem Garten keinen Zugang, aber selbst wenn, wäre es, wie sich auf einen Schrottplatz zu setzen. Er ist fast vollständig asphaltiert und steht voll mit Müll – rostige Sonnenliegen, eine kaputte Wäschespinne, eine Sammlung von vergammelten Küchenstühlen und drei nicht mehr benutzte Schubkarren. Ungepflegt stört mich nicht, ein Hauch von Chaos ist so viel besser als ein steriler Musterhausgarten, aber dieser hier ist ein ständiges Tetanusrisiko.

Ian gluckst. »Budget immer noch das gleiche?«

»Wenn überhaupt, dann niedriger.«

»Witzig. Ach, und, Callie, ich gehe mal davon aus, dass Sie das mit den Bienen geregelt haben?«

»Bienen?«, frage ich unschuldig.

Ian zögert. Ich höre ihn hektisch mit dem Zeigefinger

klopfen. »Na ja, da war doch so was. Die sind unter dem Sims neben Ihrem Wohnzimmerfenster ein- und ausgeflogen.«

Das stimmt. Ich glaube, das Paar von nebenan hat das gemeldet. Als Ian mich deshalb anrief, habe ich ihn damit abgewimmelt, dass ich einen Freund hätte, der mir helfen könne. Es überrascht mich gar nicht, dass er jetzt erst auf die Idee kommt, nachzufragen, Monate später.

Ich wollte so gern das fröhliche kleine Heim beschützen, das die Bienen sich dort bauten. Sie richteten keinen Schaden an – im Gegensatz zu ihren Denunzianten, die wenige Tage nach dem Einzug schon ihren Garten zugepflastert und sämtliches Gras durch Kunstrasen ersetzt hatten.

»Klar doch«, sage ich munter. »Alles wieder im Lot.«

»Wunderbar. Wir wollen ja nicht, dass sie dort Winterschlaf halten.«

Ich grinse. Das Nest ist mit Sicherheit jetzt leer, die Bienen längst weg. »Um genau zu sein, halten Bienen keinen ...«

»Wie bitte?«

»Ach nichts.«

Als ich aufgelegt habe, haue ich mit dem Kopf an die Sofalehne. Im Alter von vierunddreißig obdachlos. Na, wenn das mal keine Ausrede für einen Litereimer Eis ist.

Im Nachbargarten wuchs ein Weißdorn, bevor die Nachbarn ihn ausrissen, um Platz für diesen Pseudoparkplatz zu machen. Er stand zu dem Zeitpunkt in voller Blüte. Die durch die Luft fliegenden Dolden, als sie den Baum in den gemieteten Container warfen, riefen mir windige Frühlingstage aus meiner Kindheit ins Gedächtnis, an denen ich ausgelassen durch das Konfetti der Natur rannte, angefeuert von meinem Vater.

Sie erinnerten mich außerdem an den Weißdorn, den ich von meinem Schreibtisch bei dem Dosenhersteller sehen konnte, bei dem ich früher arbeitete. Ich liebte ihn, dieses einsame Zeichen von Leben auf der Betonfläche des Gewerbegebiets. Vielleicht hatte ihn ein Vogel gepflanzt oder jemand, dem so verzweifelt zumute war wie mir damals. Jahrelang beobachtete ich ihn im Verlauf der Jahreszeiten, bestaunte die Blütenknospen im Frühling, das üppig grüne Laub im Sommer und die rote Pracht des Herbstes. Ich liebte ihn sogar im Winter, empfand die Geometrie seiner kahlen Äste als genauso schön wie eine Skulptur in einer Galerie.

In jeder Mittagspause ging ich hin, manchmal nur, um die Rinde zu berühren oder in die Krone hinaufzusehen. An wärmeren Tagen aß ich mein Sandwich darunter, auf der Kante der Begrenzung hockend. In meinem dritten Sommer dort hatte jemand offenbar Mitleid mit mir bekommen und eine alte Holzbank dort abgestellt.

Doch zu Beginn meines sechsten Sommers bei der Firma wurde der Baum gefällt und stattdessen ein Raucherunterstand gebaut. Es fiel mir schwer, zu erklären, warum es mir so wehtat, dort, wo vorher Blätter und Zweige gewesen waren, einen Haufen grauer Gesichter zu sehen, die unter dieser Plexiglaskuppel ausdruckslos ins Leere starrten.

Jetzt sehe ich aus dem Fenster auf die Stelle, an der früher der Weißdorn stand. Wahrscheinlich sollte ich mich an den Computer setzen und mit der Suche nach einer neuen Bleibe beginnen. Komisch, wie leicht es für einen Menschen ist, einen anderen Menschen zu entwurzeln, wenn er am wenigsten damit rechnet.

6

Joel

Ich bin unten am Fluss und denke darüber nach, was vorhin passiert ist. Oder nicht passiert ist. Schwer zu sagen.

Es war seltsam, als Callie mir im Café meinen doppelten Espresso brachte. Unsere Blicke trafen sich, mir strich eine Hitze über die Haut, und ich hatte Mühe, die Augen von ihr zu lösen.

Iris mit braunen Pünktchen darin, wie Sonnenlicht auf Sand. Lange, unkomplizierte Haare in der Farbe von Kastanien. Ein Teint wie blasseste Vanille. Und ein hinreißendes Lächeln, das unmöglich mir gelten konnte.

Aber offenbar mir galt.

Callie deutete mit dem Kopf auf Murphy, der an meinem Knie lehnte und sich genüsslich am Kopf kraulen ließ. »Ich hoffe, er nervt dich nicht.«

Während meiner inzwischen fast täglichen Besuche im Café im Laufe der letzten Woche habe ich ein ziemlich enges Verhältnis zu ihrem Hund aufgebaut. »Der hier? Aber nein. Wir haben eine Abmachung.«

»Nämlich?«

»Er leistet mir Gesellschaft, und ich werfe ihm Kuchenkrümel hin, wenn du nicht aufpasst.«

»Möchtest du welchen?« Ein freundliches Lächeln. »Wir haben gerade ein frisches Blech Traumkuchen reingekriegt.«

»Was bitte?«

»Den Drømmekage. Das ist Dänisch für ›Traumkuchen‹.«

Ich fand den Namen grauenhaft. Aber seien wir mal ehrlich, dieser Kuchen ist das kulinarische Äquivalent zu Crack. »Ja, gern, danke.«

Sie kam fast sofort zurück und stellte einen Teller mit einem überdimensionierten Stück vor mir ab. »Guten Appetit.«

Wieder trafen sich unsere Blicke. Wieder konnte ich mich nicht abwenden. »Danke.«

Sie blieb noch stehen. Nestelte an ihrer Kette. Sie war rotgold und zart, eine Schwalbe im Flug. »Und, viel zu tun? Bist du auf dem Weg zur Arbeit?«

Zum ersten Mal seit Langem störte es mich, das nicht mit Ja beantworten zu können. Absolut nichts Interessantes über mich zu erzählen zu haben. Ich weiß nicht mal genau, warum ich das wollte. Sie hatte einfach so etwas an sich. Wie sie sich bewegte, das Leuchten ihres Lächelns. Dieses Lachen, voll und süß wie der Duft des Frühlings.

Reiß dich zusammen, Joel.

»Ich hab da so eine Theorie über dich«, sagte sie daraufhin.

Kurz dachte ich an Melissa, die schon genug Theorien über mich entwickelt hat, um eine zentnerschwere, inhaltlose Doktorarbeit zu schreiben.

»Ich glaube, du bist Schriftsteller.« Callie zeigte auf mein Notizbuch.

Wieder hatte ich das Bedürfnis, sie zu beeindrucken. Sie irgendwie zu faszinieren, etwas Gewinnendes zu sagen.

Wenig überraschend versagte ich. »Nur unzusammenhängendes Gefasel, fürchte ich.«

Sie wirkte nicht allzu enttäuscht. »Und was machst du ...«

Plötzlich rief hinter uns ein Gast nach ihr. Als ich mich umdrehte, flitzte Dot von Tisch zu Tisch und lächelte entschuldigend.

Callie lächelte. Legte den Kopf schief Richtung Theke. »Tja, ich muss wohl mal wieder.«

Er war seltsam, der Drang, die Hand nach ihr auszustrecken, als sie ging. Sie sanft zu mir zurückzuziehen, mich wieder von ihrer Gegenwart wärmen zu lassen.

Vor langer Zeit habe ich mir antrainiert, mich nicht mit flüchtiger Anziehung aufzuhalten. Aber das hier ging viel tiefer, ein Gefühl, das ich seit Jahren nicht hatte. Als hätte sie einen Teil von mir zum Leben erweckt, den ich dachte ein für alle Mal begraben zu haben.

Bald danach ging ich. Widerstand dem Reflex, mich auf dem Weg nach draußen zu ihr umzusehen.

»Joel! Hey, Joel!«

Ich bin noch damit beschäftigt, die Begegnung mit Callie aus meinem Kopf zu verdrängen, als ich merke, dass ich gerufen werde. Normalerweise ist das nicht die beste Art, meine Aufmerksamkeit zu erregen, aber ich erkenne die Stimme. Es ist Steve, und er verfolgt mich.

Seit ich ihm letzte Woche die Reifen zerstochen habe, gehe ich ihm aus dem Weg. Jetzt allerdings holen mich meine Schandtaten offenbar buchstäblich ein.

Ich hätte gute Lust, zum See zu sprinten und mit meinem kleinen Hunderudel eine Flucht per Tretboot zu versuchen.

Dann fällt mir allerdings ein, dass Steve definitiv schneller ist als ich und mich zu Boden ringen könnte, und zwar innerhalb von ungefähr zehn Sekunden.

Steve ist Personal Trainer, er veranstaltet widerwärtige Outdoor-Sportkurse für Menschen mit masochistischen Neigungen. Er muss gerade einen abgehalten haben, denn er trinkt schwitzend einen riesigen Protein-Shake. In Jogginghose, Turnschuhen und einem Shirt, das aussieht wie auf seinen Körper gesprüht, trabt er hinter mir her.

»Hallo, Meute«, sagte er zu meinen drei Hunden.

Er wirkt entspannt. Das könnten natürlich auch noch die Endorphine sein. Ich gehe zielstrebig weiter, bleibe auf der Hut. Wenn er mich auf seine Reifen anspricht, werde ich alles abstreiten.

»Wie läuft's, Kumpel?«

Oder ich sage einfach gar nichts.

Steve kommt direkt auf den Punkt, denn so ist er. »Joel, ich weiß, dass du das mit meinen Reifen letzte Woche warst.« Seine Stimme ist leise, aber fest, als wäre ich ein Kind, das er beim Zigarettenklauen erwischt hat. »Ich hab rumgefragt, Rodney hat für mich die Aufnahmen seiner Überwachungskamera überprüft. Ist alles drauf.«

Aha, Rodney. Die Augen unserer Straße. Eine Ein-Mann-Bürgerwehr. Ich hätte wissen müssen, dass er mein Untergang sein wird. Die Hinweise häufen sich seit Monaten, seit er sich einen Breitbandanschluss besorgt hat, um der Polizei seine Videos schicken zu können.

Selbstvorwürfe plagen mich. Ich möchte etwas sagen, weiß aber nicht, was. Also stecke ich nur meine Hände noch tiefer in die Taschen und laufe weiter.

»Weißt du«, sagte Steve, »hinterher hast du den Kopf an

den Radkasten gelehnt. Du hattest ein schlechtes Gewissen, stimmt's?«

Natürlich hatte ich das, alle guten Gründe mal beiseite. Denn seit so vielen Jahren jetzt ist Steve für mich mehr wie ein Bruder als ein Freund.

»Ich weiß, dass du das eigentlich nicht wolltest. Also sag mir einfach, warum.«

Schon der bloße Gedanke an dieses Gespräch fühlt sich an, wie an einer Felskante zu stehen. Rasender Herzschlag, kribbelnde Haut, Worte, die in meinem Mund zu Sägespänen vertrocknen.

»Ich musste es Hayley erzählen«, sagt Steve, als ich ihn nicht aufkläre.

Das überrascht mich nicht: Die beiden funktionieren als Paar. Erzählen sich alles, verheimlichen nichts.

»Sie ist nicht begeistert. Besser gesagt ist sie stinksauer. Sie versteht einfach nicht, was zum Henker du dir dabei gedacht hast. Ich meine, ich hatte *Poppy* dabei ...«

»Die Reifen waren total platt. Du hättest unmöglich wegfahren können, selbst wenn du es probiert hättest.«

Jetzt fasst Steve mich am Arm und bleibt stehen. Der Griff ist so kräftig, dass er mich ziemlich hilflos macht: Ich bin gezwungen, ihm in die Augen zu sehen.

»Poppy ist dein Patenkind, Joel. Das Mindeste, was du tun kannst, ist, mir zu sagen, warum.«

»Es war nicht ... Ich verspreche dir, dass ich einen guten Grund hatte.«

Er wartet darauf, ihn zu hören.

»Tut mir leid, ich kann es nicht erklären. Aber es war nicht böswillig.«

Seufzend lässt er mich los. »Hör mal, Joel, das Ganze bestätigt irgendwie, worüber Hayley und ich schon seit einer Weile nachdenken. Jetzt mit Poppy brauchen wir sowieso mehr Platz, deshalb sollte ich dir sagen: Wir tun es. Wir ziehen aus.«

Ein Seufzen des Bedauerns. »Schade.« Er muss das unbedingt wissen. »Das finde ich ehrlich schade.«

»Wahrscheinlich verkaufen wir nicht. Zumindest nicht sofort, wir vermieten erst mal. Der Kredit ist fast abgezahlt, also …« Er stockt, sieht mich an, als hätte er etwas wirklich Anstößiges gesagt. »Das habe ich gerade in meinem Hinterkopf gehört. Was für ein Mittelschichtsarschloch.«

Steve und Hayley waren schlau, haben unserem Vermieter ihre Wohnung abgekauft, als die Preise noch gemäßigt waren. »Überhaupt nicht. Ihr arbeitet viel. Behaltet die Wohnung auf jeden Fall.«

Er nickt langsam. »Ich wünschte, du könntest mir sagen, was los ist. Ich mache mir Sorgen um dich.«

»Alles unter Kontrolle.«

»Joel. Ich glaube, dass ich dir vielleicht helfen könnte. Hab ich dir schon mal erzählt …«

»Sorry«, sage ich hastig. »Ich muss los. Diese Hunde führen sich nicht selbst Gassi.«

Und wie sie das würden, selbstverständlich. Aber im Moment sind sie die einzige Ausrede, die mir einfällt.

Ich lebe schon immer in Eversford, bin seit fast zehn Jahren Steves und Hayleys kauziger Nachbar.

Anfangs, als sie frisch eingezogen waren, mied ich sie. Aber Steve aus dem Weg zu gehen, ist nicht so leicht. Er ist selbstständig, was bedeutet, dass er Zeit hat für Dinge, wie meine Mülltonnen rauszustellen und Päckchen anzunehmen und sich unseren Vermieter wegen des gewaltigen Risses in unserer Mauer vorzuknöpfen. Also wurden wir von Nachbarn zu Freunden.

Vicky, meine damalige Freundin, bemühte sich um die neue Bekanntschaft. Andauernd machte sie mit Hayley Verabredungen für uns vier aus: Sundowner im Garten, Grillen an Feiertagen, Geburtstagsfeiern in der Stadt. Sie schlug vor, das Guy-Fawkes-Feuerwerk im Park anzusehen und sich an Halloween mit Rum, abgedunkelten Fenstern und Horrorfilmen vor Süßigkeiten sammelnden Kindern zu verstecken.

Vicky verließ mich an ihrem Geburtstag, nach drei Jahren Beziehung. Legte mir eine Liste vor, die sie geschrieben hatte, eine kurze Spalte mit Pros gegenüber einer endlos langen mit Kontras. Meine emotionale Distanz stand ganz oben, nicht weniger wichtig allerdings waren meine allgemeine Asozialität und ständige Nervosität. Meine mangelnde Bereitschaft, mich auch mal einen Abend lang gehen zu lassen, meine scheinbaren Schlafstörungen. Das Notizbuch, in das sie nie einen Blick werfen durfte, tauchte ebenso auf der Liste auf wie meine permanente geistige Abwesenheit.

Nichts davon war mir neu, und nichts davon war unfair. Vicky verdiente viel mehr als eine so lauwarme Beziehung, wie ich sie ihr zu bieten hatte.

Es war natürlich auch nicht förderlich, dass ich ihr das Träumen verheimlichte. Aber Vicky erinnerte mich immer ein wenig an Doug, in der Hinsicht, dass sie nicht gerade berühmt für ihr Einfühlungsvermögen war. Obwohl es vieles gab, was ich an ihr bewunderte (Ehrgeiz, Sinn für Humor, innerer Antrieb), war sie auch ein Mensch, der nur die Achseln gezuckt hätte, wenn er einen Hasen überfuhr.

Als sie ging, trank ich mehrere Monate lang heftig. Das hatte ich vorher schon probiert, in meinen letzten beiden Jahren an der Uni, nachdem ich gelesen hatte, dass Alkohol den Schlaf massiv störte. Ich wusste also, dass das keine Lösung war, nicht dauerhaft. Dass es nicht wirklich funktionieren konnte. Aber ich muss mir wohl eingeredet haben, dass es dieses Mal anders wäre.

War es nicht, deshalb hörte ich wieder auf. Gerade noch rechtzeitig wahrscheinlich, denn ich gewöhnte mich schon langsam an die gefährliche Wärme der Abhängigkeit. Und die Vorstellung, mich damit auch noch befassen zu müssen, war ungefähr so attraktiv für mich, wie den Ärmelkanal zu durchschwimmen oder Streit in meinem örtlichen Karateklub zu suchen.

In den Jahren nach Vicky wurde mein Verhältnis zu Steve und Hayley noch enger. Es war fast, als schlängen sie ihre Arme um meinen Schmerz. Und als Poppy auf die Welt kam, dachten sie vermutlich, dass es mir tatsächlich guttäte, ihr Patenonkel zu werden.

Bei der Taufe hielt ich Poppy stolz für ein Foto auf dem Arm. Sie war wie ein zappelnder Welpe, warm und bezaubernd. Ich betrachtete ihr Gesichtchen, spürte, wie kostbar dieses Leben war, empfand überwältigende Liebe.

Wütend auf mich selbst gab ich sie zurück. Betrank mich, zerbrach zwei Weingläser. Musste früh mit dem Taxi nach Hause geschickt werden.

Das war es. Seitdem ist unser Verhältnis angespannt.

7

Callie

Gegen Ende des Monats schlägt Ben vor, in den Pub zu gehen, wo ein Freund eines Freundes seinen Geburtstag feiert. Ich bin nach der Arbeit fast zu müde, möchte Ben aber nicht enttäuschen. Seine Fortschritte sind immer noch so zaghaft, als erwachte er nach einem besonders bitteren Frost aus dem Winterschlaf.

Joel war einer der letzten Gäste heute, und als er die Tür hinter sich schloss, überlegte ich eine hektische halbe Sekunde lang, ob ich ihm nicht nachrennen und ihn einladen sollte mitzukommen. Momentan ist er das mit Abstand Beste an der Arbeit im Café – er kann mich mit einem bloßen Lächeln umwerfen, mich mit dem flüchtigsten Blick ganz kopflos machen. Ich merke, dass ich jeden Tag auf ihn warte, grüble, wie ich ihn zum Lachen bringen könnte.

Dann ließ ich es doch lieber sein, weil ich ziemlich sicher bin, das würde eine Grenze überschreiten. Der arme Mann sollte einfach in Frieden seinen Kaffee trinken dürfen, ohne von dahergelaufenen Baristas mit Vorschlägen für seine Abendgestaltung belästigt zu werden. Außerdem ist jemand, der so nett ist, garantiert in festen Händen, auch wenn er, wie Dot festgestellt hat, immer allein hier ist.

Eigentlich, ermahne ich mich, kennen wir uns kaum, gerade mal gut genug für ein Lächeln und eine kurze Bemerkung, wie Sterne aus Begleitgalaxien, die einander über den unendlichen Himmel hinweg zuzwinkern.

Da es zum Glück noch warm genug zum Draußensitzen ist, findet die Geburtstagsfeier im Biergarten statt. Ich entdecke meine Freundin Esther mit ihrem Mann Gavin, neben einigen Leuten, die wir alle etwas besser kannten, als Grace noch lebte. Wäre sie jetzt hier, würde sie einen nach dem anderen abklappern, und ihr tiefes, rollendes Lachen wäre wie der Takt einer vertrauten, geliebten Melodie.

Einen Moment lang horche ich danach. Denn, also – nur für alle Fälle.

Ich rutsche neben Esther auf die Bank, Murphy macht es sich zu meinen Füßen bequem. Von der Pergola über uns hängt Jelängerjelieber wie ein Wasserfall herab, Büschel von cremeweißen Blüten zwischen dem leuchtenden Grün. »Wo ist Ben?«

»Wurde in der Arbeit aufgehalten. Ich glaube, er ist nicht so gut drauf.«

»Sehr schlimm?«

»Na ja, immerhin kommt er. Also nur mittelschlimm, schätze ich mal.« Esther, in einem ärmellosen buttergelben Oberteil, schiebt mir ein Pint Cider vor die Nase.

Esther, Grace und ich lernten uns an unserem ersten Schultag kennen. Von Anfang an hielt ich mich gern in ihrem Schatten, bewunderte ihren Wagemut, ohne es je mit ihnen aufnehmen zu können. Sie waren sich einig in ihrer Freimütigkeit, deretwegen sie häufig aus dem Unterricht geworfen wurden und die sich Jahre später in wildem Gebrüll bei Polit-

Talkshows im Fernsehen manifestierte, in Debatten über meinen Kopf hinweg über Regierungspolitik und Klimawandel und feministische Theorie. Die beiden putschten sich gegenseitig auf, lebhaft und leidenschaftlich. Und dann wurde Grace plötzlich und gewaltsam von uns genommen, und Esther musste allein für all ihre Prinzipien, ihre glühendsten Überzeugungen weiterkämpfen.

Grace kam vor achtzehn Monaten ums Leben, durch einen betrunkenen Taxifahrer. Er kam von der Straße ab, und Grace starb auf dem Bürgersteig, auf dem sie unterwegs war.

Es sei ganz schnell gegangen, wurde uns gesagt. Sie habe bestimmt nicht gelitten.

Während wir jetzt auf Ben warten, wendet sich das Gespräch der Arbeit zu. »Ich hab mich heute mal an deinem Traumjob versucht, Cal«, sagt Gavin zu mir und nippt an seinem Bier.

Leicht verdutzt sehe ich ihn an. »Wie meinst du das?«

Gavin ist Architekt, und jedes Jahr leisten er und seine Kollegen ehrenamtliche Arbeit für einen guten Zweck. Er erzählt mir, dass er heute acht Stunden lang mit Habitatmanagement in Waterfen beschäftigt war, unserem örtlichen Naturschutzgebiet, meinem persönlichen Paradies.

»Du kannst dir ja vorstellen, wie das ablief.« Esther zwinkert. Sie arbeitet viele Stunden für wenig Gehalt bei einem Wohlfahrtsverband. »Acht Stunden Plackerei im Freien für Bürohengste.«

Während ich den Jelängerjelieberduft einatme, stelle ich mir einen Tag zwischen mäandernden Hecken und wilden Wäldchen vor, goldbraunem Röhricht, aufgefädelt an einem kühlen Fluss. Ich arbeite manchmal auch ehrenamtlich in

Waterfen, schreibe vierteljährliche Berichte, nichts Großes, Brutvogelerhebungen, Habitat-Monitoring, aber das macht nichts. Es befriedigt meine Sehnsucht nach einem unverbauten Horizont, nach nicht von Menschen zertrampelter Erde, nicht von künstlichen Gegenständen getrübter Luft.

Ich lächle Gavin an. »Klingt ja interessant.«

Er zieht eine selbstironische Grimasse. »So kann man es auch formulieren. Ich hab immer gedacht, ich sei fit. Außerdem, Holzstapel umzuschichten, die fünf Mal so hoch wie ich sind, und Zaunpfosten durch die Gegend zu schleifen und irgendwelches Kraut auszurupfen, bis mir fast der Rücken bricht, ist nicht meine Vorstellung von Spaß.«

Ich bemerke die Kratzer an seinen Armen. In den Haaren ist auch noch ein Rest Natur zu erkennen. »Jakobskraut?«

»Was?«

»Habt ihr das ausgerissen?«

»Kann schon sein«, brummelt er finster und trinkt einen Schluck Bier. »Es war die Hölle.«

»Klingt für mich wie das Paradies.«

»Tja, die Leiterin meinte, sie schreiben bald eine Assistenzstelle aus. Da wäre dein Ökologiestudium besser genutzt als mit Kellnern. Wie wäre es, wenn du dich ...«

Im selben Moment, als Esther ihn mit einem Husten zum Schweigen bringt, spüre ich ein Zucken im Inneren wie das Erwachen einer schlafenden Kreatur.

»Wie wäre es, wenn du dich was?« Ben lässt sich mit seiner Rugbyspielerstatur neben mir auf die Bank fallen, Bierglas in der Hand, den Blick erwartungsvoll auf unsere Gesichter gerichtet. Er verkörpert genau das Ende eines Arbeitstags – Ärmel hochgekrempelt, Haare zerzaust, Augen außer Dienst.

»Nichts«, sage ich hastig. In den letzten Tropfen des leeren Glases rechts von mir strampelt sich hilflos ein Marienkäfer ab. Ich schiebe einen Finger hinein, führe eine Rettungsaktion durch. Er flattert weg.

»In Waterfen wird eine Stelle frei«, sagt Gavin. »Du weißt schon, das Naturschutzgebiet, wo man sich ehrenamtlich quälen lassen kann? Offenbar ist das Callies Traumberuf, deshalb …« Er verstummt abrupt und sieht Esther böse an, seine übliche Art zu protestieren, wenn sie ihn gegen das Schienbein getreten hat.

Ben, der gerade noch Murphy die Ohren gekrault hat, richtet sich auf. »Ich dachte, du liebst das Café.«

Seine Verblüffung versetzt mir einen Stich. »Das stimmt ja auch«, versichere ich und ignoriere dabei Bens hochgezogene Augenbraue. »Keine Sorge, ich bleibe.«

Seine Miene wandelt sich zu Erleichterung, und ich weiß, was das heißt, nämlich dass es Grace viel bedeuten würde, ihr Café bei mir in guten Händen zu wissen. Nach ihrem Tod meine Anstellung zu kündigen, um es zu führen, schien so naheliegend, fast eine logische Konsequenz. Ben ging in seinem Marketingjob auf, während ich bei der Farbdosenfirma versauerte. Ich war schon elf Jahre dort, elf Jahre Terminplanung für meine Chefin, Kaffeekochen, Telefon. An sich hatte es nur eine Überbrückung nach der Uni sein sollen, schnelles Geld für die Miete, aber nach drei Monaten bekam ich eine feste Stelle, und noch mal zehn Jahre später wurde mir zum Arbeitsjubiläum gratuliert, was Grace grenzenlos amüsierte. »Zehn Jahre einer einzelnen Frau treu«, neckte sie mich, als ich mit der Sektflasche bei ihr auftauchte, die ich geschenkt bekommen hatte. »Das ist wie eine komische kleine Ehe.«

Ein Jahr später starb sie.

Bald darauf adoptierte ich Murphy. Er war eigentlich Grace' Hund gewesen, außerdem waren bei Ben im Büro keine Hunde erlaubt, im Café dafür viel Tierliebe im Angebot.

Ein Café zu besitzen, war Grace' erste dauerhafte Beschäftigung seit dem Studium, und selbst das fing aus einer Laune heraus an. Von einem Erbe kaufte sie spontan einen alten Kinderkleidungsladen, zu unserer aller Überraschung. In den Jahren davor war sie durch die Welt gereist und hatte unterwegs gearbeitet, als Kellnerin, Telefonverkäuferin, kostümierte Prospektverteilerin. Ab und zu rief sie mich aus einem fernen Land an, ergötzte mich mit ihren neuesten Abenteuern und Katastrophen, und ich legte hinterher neugierig und neidisch auf. Dann gab ich mich kurz Tagträumen hin, selbst in einen Flieger zu steigen, den Dopaminschub zu spüren, wenn ich endlich meinem eigenen winzigen Fleckchen Erde entfloh.

Ich fragte mich oft, wie es wäre, einfach so loszufahren. Es zog mich an Orte endloser Wildnis, weiter Horizonte, schwindelerregender Panoramen. In der Schule hatten wir einmal Südamerika behandelt, und seitdem schmachtete ich nach einem speziellen Naturpark im Norden Chiles. Unsere Erdkundelehrerin war zwei Jahre vorher dort gewesen, und am Ende der Stunde hatten wir alle das Gefühl, wir hätten sie begleitet. An jenem Abend erzählte ich meinem Vater von ihren Abenteuern und fragte, ob wir in den nächsten Sommerferien nach Chile fahren durften. Er lachte und meinte, da müssten wir meine Mutter fragen, was ich sofort als ein Nein begriff. Wahrscheinlich hatte er Recht damit, dass kein vernünftiger Mensch sich auf eine solche Bitte einer Zehnjährigen einlassen würde.

Also bereiste ich den Altiplano stattdessen in meinem Kopf, sah mir stundenlang Bilder von schneebedeckten Vulkanen und weitläufigen Landschaften an, träumte nachts von Alpakas und Lamas, Falken und Flamingos. Sie wurde zu meinem Fluchtort, wenn ich einen brauchte, diese Ecke Chiles, die durch meine Vorstellungskraft zum Märchen geworden war.

Ich hatte mir fest vorgenommen, eines Tages hinzufahren. Aber nach der Uni hatte ich kaum noch Ersparnisse, und ich war nicht so sicher, ob ich für Grace' legendären Unterwegsjobben-Ansatz geeignet war. Irgendwie war der Zeitpunkt nie ganz der richtige, ich suchte entweder gerade eine Stelle oder sparte oder arbeitete viel oder hatte einen Freund. Und so glitten mir die Jahre durch die Finger, und Chile blieb ein ferner Traum.

Ich weiß, dass es auf Ben immer den Eindruck machte, als wäre das Café ein willkommener Ausweg aus einem Job gewesen, der mich zu Tode langweilte. Eigentlich jedoch erinnert er mich nur daran, dass Kaffeekochen nicht meine Leidenschaft ist. Ich wohne immer noch in der Stadt, in der ich geboren bin, und die Welt dort draußen pulsiert vor Möglichkeiten, während sie sich dreht, dreht, dreht.

8

Joel

Ich laufe absichtlich aus Versehen an der Tierarztpraxis vorbei, in der ich früher gearbeitet habe. Das mache ich mindestens einmal pro Woche. Warum, kann ich auch nicht sagen.

Vielleicht tue ich, als wäre ich noch dort beschäftigt, als hätte sich nichts verändert, und ich könnte einfach durch die Schwingtür treten. Alison am Empfang begrüßen, auf dem Weg in mein Behandlungszimmer kurz mit Kieran plaudern.

Ich entdecke ihn auf dem Parkplatz. Er lehnt neben der Hintertür an der Mauer und verschnauft.

Ich überquere die Straße. Hebe eine Hand, als er mich sieht.

»Hallo.« Er richtet sich halb auf. »Wie geht's?«

»Gut, danke.« Ich nicke bekräftigend, obwohl wir beide wissen, dass es nicht stimmt. »Und dir?«

»Brauchte nur kurz frische Luft.«

Als ich mich neben ihn an die Mauer stelle, schiele ich nach seinem dunkelblauen Kittel. Es ist genau der gleiche, den ich zu Hause habe. Der gleiche, den ich früher mit Stolz getragen habe.

Wir recken unsere Gesichter der Septembersonne entgegen. »Schlimmer Tag?«, frage ich.

»Nicht so toll. Erinnerst du dich an Jet Mansfield?«

»Klar.« Der taube Border Collie mit seiner zauberhaften uralten Besitzerin Annie. Sie hat Jet kurz nach dem Tod ihres Mannes zu sich genommen. Die beiden lieben einander abgöttisch.

»Vor sechs Monaten hab ich ihm die Vorderpfote amputiert. Sarkom.«

Ich sehe ihn an und rate. »Und jetzt ist es zurück?«

»Musste es Annie gerade beibringen.«

»Wie hat sie es aufgenommen?«

»Erwartungsgemäß.«

»Was will sie machen?«

»Zum Glück ist sie mit mir einer Meinung.«

Maximale Schmerzlinderung, denke ich, *und ein bequemes Bett.*

»Ich kann mir nicht vorstellen, dass er noch länger als einen Monat hat.«

Ich stelle mir vor, wie Annie Jet nach Hause bringt. Sie wird so tun, als wäre alles ganz normal. Ihm Futter in den Napf schütten und dabei versuchen, nicht zu weinen. »Wie geht's dir damit?«

»Na ja.« Kieran lächelt matt und sieht mich an. »Ist ganz nett, wieder mit dir hier zu stehen. Wie in den guten alten Zeiten.«

Kieran weiß nichts von meinen Träumen: Ich hatte immer Angst, dass er mich für mental nicht stabil hält, mich bemitleidet. Insgeheim froh ist, dass ich gegangen bin.

Da er mein Freund und ehemaliger Chef ist, bedeutet Kierans Respekt mir sehr viel. Das ist ein Grund, warum ich gekündigt habe, warum ich gesprungen bin, bevor ich gestoßen wurde.

Ich lächle gezwungen. »Ja.«

»Lust auf einen Job?«

Ich lächle weiter, schüttle aber den Kopf. »Zu viel los gerade.«

»Genau. Du kommst mir vor wie jemand mit echt vollem Terminkalender. Du warst nur zufällig in der Gegend, oder?«

»Ja.« Ich stoße mich von der Wand ab, räuspere mich. »Apropos, ich muss jetzt mal weiter.«

»Ruf mich an, wann du willst«, ruft Kieran mir nach, als ich über den Parkplatz laufe.

Ich hebe eine Hand, ohne anzuhalten.

Mein Heimweg führt mich am Café vorbei. Als ich näher komme, sehe ich Callie gerade abschließen, Murphy neben sich.

Seit meinem ersten Besuch vor fast drei Wochen war ich fast jeden Tag hier. Manchmal werde ich von Dot bedient, manchmal von Callie. Aber ich hoffe immer auf Callie. Ein oder zwei Mal habe ich pubertär Zeit geschunden, bis sie frei war. Getan, als würde ich meine Brieftasche nicht finden, als schwankte ich noch zwischen Sandwich und Croissant.

Wenn ich in ihrer Nähe bin, bin ich gar nicht ich, habe ich festgestellt.

Heute Morgen saß ich unweit eines Gastes, der so unklug war, mit Dot über die Definition von Brioche zu diskutieren (Dots Meinung: Eine Brioche ist kein Kuchen). Mitten in der Debatte begegnete mein Blick dem von Callie, die gerade einen anderen Tisch bediente. Wir hatten beide Mühe, nicht zu lachen, bis sie sich schließlich notgedrungen hinter die Theke flüchtete. Ich musste den Kopf in die Hände stützen, um nicht laut loszuprusten.

Als sie irgendwann kam, um meine Bestellung aufzunehmen, tat ich, als überlegte ich noch, und bestellte dann gut hörbar eine Brioche. Woraufhin sie erneut kichern musste.

Es ist lange her, dass ich mit jemandem so gelacht habe.

Weshalb ich jetzt zögere. Ihr zusehe, wie sie den Schlüssel herumdreht, die Klinke probiert, einen letzten prüfenden Blick auf das Schaufenster wirft. Der Moment ist perfekt, um sie anzusprechen, sie auf ein Feierabendgetränk einzuladen. Aber gerade noch rechtzeitig bremse ich mich.

Ein Bild von Vickys Pro-und-Kontra-Liste blitzt vor meinem geistigen Auge auf. Ich denke auch an Kate vor ihr, mit einem anderen im Bett.

Mein Leben bisher: regelmäßig unternommene Versuche, normal zu sein (Schule, Uni, Freundinnen, Arbeit) zwischen instabilen Phasen (verrückte Experimente, heftiges Trinken, Einsamkeit).

Ganz ehrlich, eine Beziehung? Bei jemandem, der so wunderbar ist wie Callie, wüsste ich gar nicht, wie anfangen.

Vergiss es. Was soll das bringen? Lächerlich.

Außerdem gibt es keinen konkreten Anhaltspunkt, dass sie überhaupt Interesse hätte. Für sie bin ich wahrscheinlich einer von vielen Gästen, und zwar ein einigermaßen seltsamer.

Also beobachte ich sie nur, als spähte ich durch ein Schlüsselloch in ein anderes Leben. Callie trägt jetzt eine hellblaue Jeansjacke, die dunklen Haare zu einem hohen Dutt gebunden. Sie raunt Murphy etwas zu und setzt sich eine Sonnenbrille auf. Und dann gehen sie zusammen weg.

Unvermittelt spüre ich den seltenen Wunsch, selbst derjenige zu sein, der neben ihr herläuft. Einen Arm um ihre Schultern gelegt, berauscht von ihrem Lachen, das sich mit meinem mischt.

9

Callie

Anfang Oktober, ungefähr eine Woche nach meinem Abend im Pub mit Ben und den anderen, nehme ich mir den Vormittag frei zur Wohnungssuche.

Erwartungsgemäß ist das erste Angebot, das Ian mir zeigt, eine möblierte Wohnung in einem feuchten Keller, wo ich Mausefallen im Küchenschrank entdecke. »Ich will nicht mit Mäusen leben, ihnen aber auch nicht den Hals brechen«, gestehe ich.

Ian sieht mich an, als hätte er in seinem ganzen Leben noch keinen so verwöhnten Menschen getroffen. »Wenn das so weitergeht, sind Sie bald obdachlos«, schimpft er, grinst aber dabei, als wäre es witzig, was es selbstverständlich nicht ist.

Im Wohnzimmer des nächsten Angebots – im ersten Stock eines viktorianischen Reihenhauses, wo der Vermieter Steve die Interessenten selbst kennenlernen möchte – fällt mir ein gerahmtes Bild ins Auge. Es zeigt einen Hund, der fast exakt wie Murphy aussieht, zusammengesetzt aus Hunderten von winzigen Pfotenabdrücken.

»Das ist von Hayley«, sagt Steve, als er mein Interesse bemerkt. Er ist Personal Trainer und von Kopf bis Fuß in

Sportklamotten. »Meiner Frau. Sie ist ein totaler Hundemensch. Ach, apropos, ich hatte Ian zwar gebeten, das zu klären, aber Sie haben doch kein Haustier, oder?«

Ich überkreuze Zeige- und Mittelfinger und verneine. Es war sinnlos, Ian zu bitten, mir nur Wohnungen zu zeigen, in denen Haustiere erlaubt sind, hauptsächlich, weil es die nicht gibt.

Trotzdem bin ich bisher angetan. Die Straße ist nett und von Bäumen gesäumt, was ein morgendliches Vogelkonzert verheißt, und sie liegt nicht weit von meiner jetzigen Wohnung entfernt. Die Miete ist fünfzig Pfund höher, aber das gilt auch für das Kellerloch, und diese hier ist locker fünfzig Pfund schöner. Hier oben unter den Dachsparren ist es ein bisschen stickig, aber der Hausflur riecht nicht nach Erbrochenem oder Urin, was bei einem Budget wie meinem schon deprimierend selten vorkommt.

»Es gibt eine Außenfläche«, sagt Steve auf meine Frage nach einem Garten, »falls das zählt.«

Wir wissen beide, dass es nicht zählt, dass »Außenfläche« nur ein Euphemismus für Platz für die Mülltonnen ist. Trotzdem zwinge ich mich zu einer interessierten Miene. »Ach ja?«

Er geht mit mir ans Küchenfenster, wo ich unglücklich auf einen weiteren grauen Albtraum sehe, dieser mosaikgepflastert, direkt aus den Siebzigern.

Ich sehne mich so sehr nach einem Rasen. Einfach etwas Grünes zum Betrachten.

»Das gehört alles dem Mann unten«, sagt Steve. »Beziehungsweise gehört es ihm nicht, er ist auch Mieter. Sorry, dass es so verlottert aussieht. Er würde sicher aufräumen, wenn ich ihn darum bitte.«

»Nein, nein«, sage ich hastig, denn das Laub und der morsche Holzzaun sind wirklich das einzig Positive an dieser zu groß geratenen Terrasse. »Bitte nicht. Das ist gut für die Natur, das ganze Zeug.«

Steve runzelt die Stirn. »Die …?«

»Also, für die Käfer und Insekten. Motten, Spinnen. Die bevorzugen ein bisschen Unordnung. Als Unterschlupf und …« Ich verstumme und knipse ein Lächeln an, weil ich wirklich nicht diese Wohnung verlieren möchte, indem ich einen gestörten Eindruck vermittle. »Und wie ist er so? Der Nachbar unten?«

Steve schweigt lange, was mich zwangsweise ins Grübeln bringt, warum eine knappe Beschreibung im Sinne von *ganz nett* oder *völlig in Ordnung* nicht ausreicht.

»Tja, er bleibt gern für sich«, sagt er schließlich, was ziemlich sicher eine neutrale Formulierung für asozial ist. »Wahrscheinlich sehen Sie ihn kaum.«

Ich versuche kurz, mir diesen Menschen vorzustellen, scheu wie ein Iltis, durch die Schatten schleichend, nachtaktiv und nervös. Vielleicht ist ein mysteriöser Hausbewohner das, was Dot im Sinn hat, wenn sie sagt, ich bräuchte mehr Aufregung im Leben.

Dot rümpft die Nase, als ich ihr das später alles erzähle. Da sie im Grunde ein Partygirl ist, versteht sie nicht, wozu Nachbarn gut sein sollen, wenn man nicht seine halbe Freizeit bei ihnen in der Wohnung abhängen, sich Joints teilen und ihre Plattensammlung durchforsten kann. »Du hast Cappuccino falsch geschrieben«, sagt sie. »Da gehören zwei C rein.«

Bisher war an diesem Nachmittag nicht viel los, vielleicht weil Gewitterwolken den Himmel verdunkeln. Ich stehe gerade auf einer Trittleiter und schreibe unsere verschmierten Angebote neu mit weißer Kreide und meiner ordentlichsten Schönschrift.

Jetzt wische ich mit einem Lappen das Anstoß erregende Wort wieder ab und probiere es noch einmal.

»Allerdings könnte er auch sexy sein«, sagt Dot.

»Fang bloß nicht damit an.«

Sie zuckt die Achseln und fängt trotzdem damit an. »Ich finde immer noch, dass du meinen Kickbox-Trainer kennenlernen solltest.«

»Nein, danke. Er klingt furchterregend. Und bitte bring ihn nicht mit hierher.« Es wäre nicht das erste Mal, dass Dot Männer zu Kaffee und Kuchen einlädt, die mir ihrer Meinung nach gefallen könnten. Ich habe ihr gesagt, sie soll damit aufhören, weil es komisch ist, wenn ich arbeite – nicht viel anders, als ein Date im Büro zu haben, sich am Kopierer von seinen Hobbys und tollsten Urlauben und Lieblingsfilmen zu erzählen.

Natürlich lässt Dot nicht locker. »Wie wär's mit dem Typen, den ich vom Speed-Dating kenne?«

»Ich verabrede mich doch nicht mit deinem Speed-Dating-Ausschuss. Für wie verzweifelt hältst du mich?«

Dot sieht mich an, als wünschte sie, das wäre keine rhetorische Frage. Doch ehe sie den Mund aufmachen kann, werden wir von einem Räuspern unterbrochen.

Als ich mich umdrehe und Joel vor der Theke sehe, bekomme ich Herzklopfen vor Peinlichkeit. Ich versuche, mir nicht auszumalen, wie lange er schon dort steht. Ich habe ihn gar nicht reinkommen hören.

»Entschuldigung, wenn ich störe.« Seine Augen sind wirklich erstaunlich, nahezu schwarz.

Seit mindestens einem Monat kommt er jetzt fast jeden Tag, meistens gleich morgens, manchmal am späten Nachmittag. Er sitzt immer auf demselben Platz am Fenster, fragt Dot und mich, wie es uns geht, streichelt Murphy, gibt großzügig Trinkgeld und bringt sein Geschirr selbst zur Theke. Oft habe ich ihn Krümel vom Tisch in eine Papierserviette fegen sehen oder einen Spritzer Kaffee abwischen.

Dot lässt mich mit ihm allein, geht mit vor Kichern bebenden Schultern ins Büro.

»Sorry.« Ich steige klappernd von der Leiter. »Wir waren ... Ach, schon gut. Nur dummes Gerede.«

»Kein Problem. Ich wollte nur ...«

»Natürlich. Verzeihung. Was kann ich dir bringen?«

Er bestellt ein Sandwich mit Ei und Tomate – er ist Vegetarier, habe ich bemerkt, wie ich – und einen doppelten Espresso. Wegen des kühleren Wetters heute trägt er einen dunkelgrauen Pulli, braune Stiefel und eine schwarze Jeans.

»Speed-Dating«, sage ich, ohne zu überlegen, und verdrehe die Augen, als ich seine Bestellung notiere. »Meine Vorstellung von der Hölle.«

Joel lächelt. »Ja.«

»Ich meine, es ist schon schlimm genug, von einem Menschen bei einem Blind Date begutachtet zu werden, aber gleich zwanzig, die mit Bewertungsbogen in der Hand Schlange stehen?« Ich erschauere demonstrativ. »Was Schlimmeres kann ich mir gar nicht vorstellen. Ist es nicht besser, sich einfach ganz normal kennenzulernen und dann ...?« Als ich seinem Blick begegne, verstumme ich. Die darauffolgende Pause ist mehr als überfällig.

Er räuspert sich wieder und verlagert das Gewicht, als

wollte er nur noch zu seinem Tisch am Fenster flüchten. »Ganz meine Meinung.«

Na super, Callie. Jetzt glaubt er, du willst ihn angraben. Heute reitest du wirklich das Verzweiflungsthema tot.

»Setz dich doch«, sage ich hastig. »Ich bringe es dir.«

»Du bist ja ganz hektisch geworden.« Grinsend kommt Dot aus dem Büro, nachdem Joel an den Tisch gegangen ist, Murphy auf den Fersen, als wären die beiden zusammen gekommen.

Ich stoße ein lautes Lachen aus, gebe ihr die Bestellung und steige wieder auf die Leiter. »Was denn?«

»Du bist ganz rot und wuschig.« Mit einer Zange holt sie Joels Sandwich aus der Auslage.

Draußen prasselt jetzt Regen auf den Bürgersteig. Ich fange wieder zu schreiben an. »Ich habe keine Ahnung, wovon du sprichst.«

»Hat er mit dir geflirtet?«

»Kein bisschen.«

»Du weißt schon, dass er praktisch jeden Tag hier ist?«

Mit einem Achselzucken drehe ich mich zu ihr um, obwohl ich aus den Augenwinkeln Joel ansehe. »Er hat sich nur mit Murphy angefreundet, glaube ich.«

»Klar.« Dot schiebt die Lippen vor. »Murphy. Das muss es sein. Er steht total auf deinen Hund.«

»Du kannst nicht die ganze Nacht hierbleiben, Cal.«

»Ich will ihn nicht wecken.«

»Dann mach ich es.«

»Nein! Nicht. Gib ihm noch fünf Minuten. Ich kann mich hier problemlos so lange beschäftigen.«

Dot legt den Kopf schief und betrachtet ihn wie ein besonders nuanciertes Kunstwerk. »Also, was, glaubst du, ist mit ihm los?«

»Wie meinst du das?«

»Hat er einen Job? Er wirkt immer ein bisschen …«

»Wie denn?«

»… unstet.«

Das gefällt mir an Joel, dieser etwas raue Reiz des Unvollkommenen. »Na und?«

»Ach, du hast so was von eine Schwäche für ihn.«

»Hab ich nicht.«

»Ist ja nicht schlimm. Ich befürworte das. Du könntest es viel schlechter treffen.«

»Danke, Dot. Du darfst jetzt gehen.«

»Na schön. Aber bleib bitte nicht bis Mitternacht hier und sieh ihm beim Schlafen zu.«

»Nein, versprochen.«

Sie beweist ihr Vertrauen in mich, indem sie die Tür laut hinter sich zuknallt und vor dem Schaufenster beide Daumen hochhält.

Joel rührt sich, also gehe ich zu ihm an den Tisch, Murphy neben mir.

»Wir schließen gleich«, sage ich sanft.

Blinzelnd sieht er sich um. »Äh, was?«

»Du bist kurz eingenickt.«

Ein oder zwei Sekunden lang starrt er mich an, dann setzt er sich ruckartig auf und flucht leise. »Entschuldigung. Ist das peinlich.«

»Überhaupt nicht. Kommt ständig vor.«

»Echt?«

Ich zögere, dann grinse ich. »Nein, aber macht doch nichts. Ehrlich.«

»Oh Gott, und du möchtest bestimmt nach Hause.« Er steht hastig auf, schiebt sich das Notizbuch in die Jackentasche und will sein Geschirr abräumen.

»Ich nehme das schon.«

»Nein, bitte, lass mich doch ...«

Einen Moment später liegen Tasse und Teller auf dem Fußboden wie zerbrochene Eierschalen.

Joel schließt kurz die Augen, sieht dann mich an und verzieht das Gesicht. »Gäste wie ich sind das Tolle an diesem Job, oder?«

»Ach was.« Ich lache, möchte nicht zugeben, dass das tatsächlich stimmt. »Geh ruhig. Ich mach das schon.«

Er ignoriert mich, bückt sich und fängt an, die Scherben aufzuheben. Ich befehle Murphy, sitzen zu bleiben, dann gehe ich neben Joel in die Hocke.

Während wir gemeinsam aufräumen, streifen unsere Fingerspitzen sich mehrmals. Ich versuche, ihn nicht anzusehen, während mein Herz völlig durchdreht.

Schließlich stehen wir auf, als gerade ein Trommelwirbel von Donner draußen ertönt. Der Himmel ist noch dunkler geworden, und die Wolken lila.

»Darf ich das kaputte Geschirr wenigstens bezahlen?«

»Aber nein. Es war meine Schuld.«

Joels Augen stellen irgendwas mit meinem Magen an. »Tut mir wirklich leid, dass du mich rausschmeißen musstest.«

»Kein Thema. Das Gleiche hatte ich mal mit einem Pärchen beim ersten Date.«

Er wirkt überrascht. »Haben die einander so gelangweilt, dass sie eingeschlafen sind?«

Wieder muss ich lachen. »Nein. Die waren nur so ineinander vertieft, dass sie gar nicht gemerkt haben, wie alle anderen gegangen sind.«

Man sieht ihm an, dass er darüber nachdenkt. »Vertieft in ein fesselndes Gespräch?«

»Nicht so ganz. Ich musste sie quasi mit Gewalt voneinander lösen.«

»Ach, die Freuden der Jugend.«

»Leider nicht. Sie waren Mitte fünfzig, locker.«

Er muss ebenfalls lachen. »Komisch, jetzt hab ich gar nicht mehr so ein schlechtes Gewissen.«

Ich grinse. »Dann ist es ja gut.«

An der Tür bleibt Joel noch einmal stehen und streichelt Murphy, dann verabschiedet er sich und geht. Ich sehe ihm nach, als er die Straße überquert, mitgerissen vom stürmischen Wind.

Als er den gegenüberliegenden Bürgersteig erreicht, blickt er über die Schulter. Ich senkte hastig den Kopf und schrubbe heftig an einem Tisch herum, der schon blitzblank ist.

10

Joel

Am Sonntag stehen wir alle im Dampf von Dads Küche und kochen Mittagessen. Meine Nichte Amber trampelt in einem Dinosaurierkostüm durchs Haus, das durch seinen imposanten Schwanz ihr Raumgefühl auf nahezu null reduziert hat.

»Also, wenn ihr mich fragt, wird es langsam albern«, sagt Dad gerade zu Doug, als wäre ich gar nicht da.

»Niemand fragt dich«, gebe ich zu bedenken.

Doug hat den heutigen Morgan-Familienkrach losgetreten, indem er fragte, ob ich schon einen Job gefunden habe. Als ich darauf nicht antwortete, redete er einfach weiter mit Dad darüber, als hätte ich den Raum verlassen.

»Die Arbeitslosigkeit ist die Wurzel all deiner Probleme, mit Sicherheit.« Dad späht mich über seinen Brillenrand hinweg an, Karotte und Schälmesser in der Hand. »Je schneller du wieder anfängst, desto besser.«

Nicht noch ein Treibsand von einer Unterhaltung darüber, dass ich einfach nicht mehr konnte. Dass ich mich an jenem letzten Morgen in der Praxis so unendlich schlecht fühlte. (Die anderen kennen das volle Ausmaß nicht: Dass ich damals wieder extrem viel trank, verkatert und unfähig war, unausgeschlafen und traurig.) Dass der Zeitpunkt gekommen war, aufzuhören.

Manchmal empfinde ich es wie einen Stromschlag, wie sehr mir die Arbeit fehlt. Zum Beispiel, wenn ich mit meinem Hunderudel im Park bin. Oder wenn ich eine Katze alle viere von sich gestreckt und wie ausgeknockt in der prallen Sonne auf einer Gartenmauer liegen sehe. Wenn ich Desinfektionsmittel rieche (immer gleichbedeutend mit Überstunden in der Praxis). Oder wenn ich mit Kieran zusammen bin, lache wie früher.

»Die halten mir nicht die Stelle frei, Dad. Ich habe gekündigt.«

Er macht ts, ts. »Was für ein vergeudetes Studium.«

Es sind weniger seine Worte, die mir wehtun, als seine Verachtung. Zum Glück galoppiert gerade ein sechs Jahre alter Stegosaurus heran. »Onkel Joel, hab dich!«, kreischt Amber und rammt mir ihre Stacheln gegen das Schienbein.

Ich strahle sie entzückt an. »Als hättest du es geahnt.«

»Pech gehabt«, kichert Doug am Spülbecken, begriffsstutzig wie ein Goldfisch.

»Bin gleich wieder da. Muss nur schnell einen Dinosaurier fangen.« Ich wische mir die Hände an einem Geschirrtuch ab und stürze mich mit meinem besten Mesozoikum-Gebrüll ins Getümmel.

Später kommt Tamsin zu mir und lehnt sich an den Kühlschrank, während ich das Geschirr spüle.

Ihr Mann Neil trocknet ab. Er ist nicht so der Plauderer, aber auf eine Art freundlich und aufmerksam, die mich froh macht, dass er meine Schwester geheiratet hat.

»Ich hörte, Dad hat dich vorhin genervt«, sagt sie und kaut an einem Fingernagel.

»Nichts Neues.«

»Er meint es nicht so, weißt du.«

Meine Schwester ist drei Jahre jünger als ich und geht mir nur bis zur Schulter. Wie Doug hat sie rote Haare, wobei ihre so dick und glänzend sind, dass sie häufig von Fremden begeistert darauf angesprochen wird. (Was Doug mit seinem Bürstenschnitt wohl eher selten passieren dürfte.)

Sie wirkt heute müde, abwesend. Mehr wie ich als sie selbst.

»Das ist lieb von dir«, sage ich. »Aber doch, er meint es so.«

»Er macht sich nur Sorgen.« (Gemeint ist: *wir alle.*)

»Super Dinosaurierkostüm übrigens.«

Tamsin verdreht die Augen, freut sich aber. »Das hatte sie letzte Woche auf einer Party an, und jetzt will sie nichts anderes mehr anziehen. Immerhin hat sie gestern im Supermarkt Leben in die Bude gebracht. Wir sind gern mal ein bisschen exzentrisch in dieser Familie, was?«

Tja, so ist es. »Stimmt.«

»Was ich noch fragen wollte. Wieso hing vor ein paar Wochen ein Zu-vermieten-Schild vor deinem Haus? Du ziehst doch nicht aus, oder?«

Steve und Hayley sind seit gestern Abend weg, und mir fiel nichts Vernünftiges ein, wie ich mich dafür entschuldigen konnte, so ein mieser Freund und Nachbar gewesen zu sein. Also habe ich mich verkrochen. Nicht aufgemacht, als sie ein letztes Mal geklopft haben.

»Nein«, sage ich. »Steve und Hayley.«

»Deinetwegen?«

»Wahrscheinlich.« Ich konzentriere mich darauf, das letzte bisschen Sauce aus dem Krug zu schrubben.

Ich spüre, dass sie mich mustert. »Na gut. Wir machen uns jetzt auf den Weg.«

»Schon? Wollt ihr nicht noch bleiben? Dad fragt mich bestimmt gleich, warum ich keine Freundin habe.«

Normalerweise würde so ein lahmer Witz Tamsin zum Lachen bringen. Aber als ich den Kopf hebe, ist das Licht in ihren Augen erloschen. »Es ist nur … also …«

»Wir sind nicht schwanger«, sagt Neil leise und legt das Geschirrtuch weg. Er nimmt ihre Hand. »Haben wir gerade erfahren.«

Ihr Schmerz schnürt mir die Kehle zu. »Das tut mir leid.«

Tamsin nickt. »Dad und Doug habe ich gesagt, ich hätte Kopfweh.«

»Klar.«

»Ich hole unsere Sachen.« Neil klopft mir im Vorbeigehen auf den Rücken.

»Vergiss unseren Dinosaurier nicht«, ruft Tamsin ihm nach. Ihre Stimme ist so dürr wie Pergament.

»Es tut mir so leid, Tam«, wiederhole ich, als wir allein sind.

Sie lehnt den Kopf an den Kühlschrank. »Mein Gott, ich wünsche mir das so sehr, Joel.«

Ich erinnere mich an den Tag, an dem Amber geboren wurde. Ich raste zum Krankenhaus und betrachtete den ganzen Nachmittag meine nagelneue Nichte in ihrem Bettchen. Stolzgeschwellt dachte ich mir: *Meine Schwester hat ein Baby gemacht. Seht alle her – ein echter, lebendiger Mensch!*

»Ich meine, wie lange … wie lange soll man …?« Sie stößt geräuschvoll die Luft aus. »Seit fünf Jahren. Fünf.«

»Es wird klappen«, sage ich still.
»Das kannst du nicht wissen.«
Doch. Ich weiß es, weil ich es erst vor zwei Monaten geträumt habe. Tamsin im Krankenhaus, ich bei ihr, ihre Hand haltend. Und daneben das Beste. Ein kleiner Junge, Harry, schlafend in einem Bettchen.

Sie weiß es noch nicht, aber er kommt übernächstes Weihnachten.

Jetzt greife ich nach ihrer Hand, drücke sie. »Doch. Halt durch, Tam, bitte. Ich verspreche dir, alles wird gut.«

Nach dem Abspülen gehe ich ein paar Schritte über Dads Gartenweg. Es ist Mitte Oktober, und in der Luft liegt eine schwere Herbstkühle. Über den Nachbarhäusern hängen dicke, schmutzig graue Wolken, die Niesel verspritzen.

Mum liebte diesen Garten, nannte ihn ihr Refugium. Ich vermisse sie jeden Tag.

Sie starb an Brustkrebs, als ich dreizehn war. Ich träumte vier Jahre vorher davon, in einer schrecklichen eisigen Nacht im November.

Der Traum flößte mir ein Entsetzen ein, wie ich es noch nie erlebt hatte. Ich erzählte niemandem, was ich gesehen hatte: Ich hatte solche Angst, Mum zu beunruhigen, Dad wütend zu machen. Unsere Familie zu zerbrechen. Würde man mir die Schuld geben? Verursachte ich diese Dinge? Ich wurde fast stumm, wollte nicht sprechen, weigerte mich zu lächeln. Wie konnte ich fröhlich sein bei dem, was ich wusste? Die Farbe war aus meiner Welt gewichen. Ich hatte Angst einzuschlafen, wurde beinahe allergisch dagegen, meine Augen zu schließen.

Sie erzählte es uns endlich an Weihnachten drei Jahre

später. Wir saßen aufgereiht auf dem Sofa wie ungezogene Kleinkinder. Nie werde ich den Ausdruck auf ihrem Gesicht vergessen. Weil sie nicht Dad ansah, der steif danebenstand, seine Emotionen bereits abgeschottet. Oder Tamsin, die weinte. Oder auch Doug, der so still war, dass er kaum atmete. Sie sah mich an, weil ihr klar war, dass ich es schon wusste. *Warum*, flehten ihre Augen mich an. *Warum hast du mir nichts gesagt?*

Nichts bereue ich mehr, als ihr nicht jede verfluchte Chance zu leben gegeben zu haben.

Hinter mir knallt die Terrassentür. Doug.

»Hallo, kleiner Bruder.« Mich so zu nennen, ist ein Running Gag meines jüngeren Bruders, den nur er witzig findet. Er gratuliert sich mit einem Schluck Bier.

Ich widerstehe dem Drang, seinen Pulli zu kommentieren. Er hält ihn vermutlich für Golfbekleidung, obwohl er noch nie einen Schläger geschwungen hat.

Er zieht eine Packung Zigaretten aus der Tasche. Entgeistert sehe ich ihn eine anzünden. »Was machst du denn ...«

»Das kann ich dir sagen.« Er nimmt einen Zug und inhaliert. »Es ist irgendwie aufregend, sich nicht erwischen zu lassen.« Er schielt über die Schulter zum Wohnzimmerfenster. Seine Frau Lou ist dort mit ihren Kindern Bella und Buddy und versucht gerade, sie von dem iPad weg- und zu Dads Boggle-Spiel hinzulotsen.

Doug macht verstohlen ein paar Schritte nach links, um sich hinter dem Holzapfelbaum zu verstecken.

Ich muss lachen. »Du bist echt nicht zu retten.« Mein eigener Atem sieht in der kalten Luft wie Qualm aus.

»Stimmt. Lou und ich haben zurzeit nicht viel Spaß. Mein

Leben besteht mehr oder weniger aus Arbeit, Fitnessstudio, Fernsehen, Schlafen. Unfassbar öde.«

Ein ereignisloses Leben, denke ich nicht ohne einen Eifersuchtsstich. *Freu dich doch dran.* »Du bist also ein Raucher mit Fitnessstudio-Ausweis«, sage ich im Plauderton. »Klingt nach einer schlechten Investition, findest du nicht?«

Darauf reagiert er nicht. Zieht noch einmal, kneift die Augen zusammen. »Apropos Spaß.«

Ich warte. Dougs Verständnis von Spaß deckt sich praktisch nie mit meinem.

»Die Sache mit deiner ›Nervosität‹ immer.« Er setzt das Wort mit den Fingern in Anführungszeichen, nur um seine Männlichkeit zu demonstrieren. »Lou möchte nächstes Jahr in den Urlaub fahren. Fuerteventura. Erste Auslandsreise für die Kinder.«

Ich atme tief gegen das Herzklopfen an. »Schön.«

»Ja, so eine All-inclusive-Anlage.«

Ein Gedanke kullert auf mich zu. »Was, mit Kinderprogramm? Swimming Pool und alles?«

Doug zuckt die Achseln. »Wahrscheinlich.«

»Du solltest Bella mitmachen lassen. Lou meinte, sie sei ein richtiger kleiner Fisch.«

Doug schnaubt. »Na, danke für die Elterntipps. Jedenfalls hängt das Ganze auch davon ab, ob du vorhast, am Flughafen aufzutauchen und wild zu winken und uns zu verbieten einzusteigen.«

Tja, das würde ich, wenn seine Maschine abstürzen würde. Zum Glück für Doug ist das unwahrscheinlich. Zufällig weiß ich, dass seine Chance, bei einem Flugzeugunglück zu sterben, bei ungefähr eins zu elf Millionen liegt.

Dennoch bin ich der Meinung, dass ich ein bisschen mehr

Nachsicht verdient habe. Es darf bezweifelt werden, dass ich so krass vorgehen würde, außer in einem eindeutigen Notfall. Ja, ich habe schon seltsame Warnungen ausgesprochen, merkwürdige Ratschläge gegeben, aber im Laufe der Jahre habe ich mich um Subtilität bemüht. Zum Beispiel, als ich Doug behutsam von einer Kneipenschlägerei weglockte, bei der er sich den Kiefer gebrochen hätte. Lou von einem zwielichtigen Zahnarzt abriet, dessen Behandlung bei ihr monatelang chronische Nackenschmerzen ausgelöst hätte. Sie beide abfing, bevor sie in der Stadt überfallen wurden. (Ich meldete den fraglichen Räuber der Polizei, wobei ich mit nicht viel mehr aufwarten konnte als »verdächtigem Verhalten« seinerseits, was natürlich nicht einer gewissen Ironie entbehrte.)

»Vielleicht bräuchtest du mal Urlaub«, sagt Doug. »Wann warst du zum letzten Mal weg?«

Ich antworte nicht. Wer gibt schon in diesem Instagram-Zeitalter zu, dass er Großbritannien noch nie verlassen hat?

»Ah ja, ich weiß«, sagte er. »Magaluf, 2003.«

(Das war natürlich damals gelogen. Ich tischte meiner Familie auf, ich sei mit meinen Kommilitonen nach Mallorca gefahren. In Wirklichkeit war ich früher in unsere neue WG gezogen und hatte mir dann ihre Geschichten angehört, als sie zurückkamen. Erzählte sie Doug, als hätte ich sie selbst erlebt.)

Jetzt schüttelt er den Kopf. »Ein Jungs-Urlaub in Unizeiten und seitdem nichts. Und *ich* bin angeblich nicht zu retten.«

»Ich bin hier glücklich und zufrieden.« Womit ich meine, es tut gut zu wissen, dass ich überall schnell bin, falls ich etwas Furchtbares träume und eingreifen muss.

»Ja, klar. Du wirkst echt glücklich, Joel.« Dougs Augenbrauen ziehen sich zusammen, als er an seiner Zigarette saugt. »Weißt du, was du brauchst? Einen guten …«

»Schon gut«, falle ich ihm ins Wort. Ich schiebe die Hände in die Hosentaschen. Stampfe mit den Füßen, weil mir kalt ist.

»Das ist unnatürlich. So lange ohne Freundin.«

Unwissentlich erinnert er mich damit an das Gespräch mit Callie letzte Woche über Speed-Dating. Ich weiß noch, dass ich ihr beim Aufschreiben meiner Bestellung zugesehen habe. Dass ihre Haare sich aus dem Knoten lösten, von ihrem Atem weggeblasen wurden, als sie sprach. Welche Ohrringe sie trug, silberne Vögel.

Aber vor allem erinnere ich mich an die magnetische Anziehungskraft ihrer Augen. Sie war so stark, dass ich mich beinahe vorgebeugt und gefragt hätte, ob wir nicht auch mal ein Date probieren sollten. Im letzten Moment konnte ich mich noch fangen. Drehte mich schnell um und ging. Aus Angst, dass sie meine Gedanken lesen konnte. Aus Angst, was es bedeutete.

Denn seit fast zehn Jahren schirme ich mich vor solchen Gefühlen ab. Und jetzt springen sie mich ohne Vorwarnung an, rauben mir meine Wachsamkeit.

»Du sprichst von Sex, nicht von einer Freundin«, sage ich zu Doug.

Wieder schnaubt er, als wäre beides für mich unerreichbar. »Es gibt Tabletten dagegen, weißt du. Bestell sie dir einfach im Internet, wenn es dir peinlich ist.«

Ich weiß, dass er auf meine angebliche Nervosität anspielt. Aber ich kann mir nicht verkneifen, ihn zu ärgern. »Woher weißt du das denn, bist du nicht bisschen zu jung für die blauen Pillen?«

Einen Moment lang wird er ganz still. Streckt den Brustkorb heraus. »Das ist mein Ernst, Joel, das mit dem Urlaub. Das wird unsere erste große Reise mit den Kindern. Wenn du uns das versaust, sind wir fertig miteinander. Meine Familie geht für mich vor.«

Ich schlucke und nicke, jetzt wieder ernst. *Ich möchte nur, dass keinem von euch was passiert.*

»Mum ist seit zweiundzwanzig Jahren tot. Es wird Zeit, erwachsen zu werden.« Er schlägt mir auf die Schulter. Drückt mir seine angezündete Zigarette in die Hand. Geht zurück ins Haus.

Ich starre auf den Flecken Gras, auf dem früher die Kaninchenställe standen. So viele Jahre war das Haus voller Tiere. Hunde und Kaninchen, Meerschweinchen und Enten. Dad ließ sie alle eines natürlichen Todes sterben, als Mum nicht mehr da war. Und jetzt ist meinem Empfinden nach nur Leben im Haus, wenn Dinosaurier darin ihre Runden drehen.

Der Schmerz, Mum zu verlieren, war schlimmer als alles, was ich je erlebt habe. Selbst wenn mein eigenes Leben davon abhinge, bin ich nicht sicher, ob ich das noch einmal durchstehen könnte.

Ich bleibe noch ein paar Momente dort stehen, mein ganzes Inneres vor Bedauern zu einer Faust verkrampft.

11

Callie

Einige Wochen nach der Wohnungskündigung bin ich mit der Hilfe meiner Eltern endlich umgezogen. Ich habe ein latent schlechtes Gewissen – eigentlich habe ich zu viele Sachen, genug Kartons mit Krimskrams, um drei Paar Hände zu beschäftigen. Aber die beiden stören sich ganz offensichtlich nicht an meinem ganzen Zeug. Ich glaube, insgeheim freuen sie sich, dass ich sie um Hilfe gebeten habe.

Sie fahren gegen halb sieben, damit Mum rechtzeitig zu ihrem Buchklub zu Hause ist. Ein paar Stunden später bringt Dad Murphy mit dem Auto zu mir.

Wir treffen uns auf der dunklen Straße, unter einem von Sternen gesprenkelten Himmel. Wir hielten eine geheime Übergabe für das Beste, im Schutz der Dunkelheit.

»Danke für alles, Dad.«

»Gern geschehen, Schatz.« Er gibt mir Murphys Leine. »Du weißt, dass wir dir immer gern helfen.«

»Offen gestanden fühle ich mich dazu ein bisschen zu alt.« Die kalte Luft trübt meinen Atem. »Als würdest du mir wieder beim Einzug in meine Studentenbude helfen.«

Dad lächelt. »Ach, komm schon. Man ist nie zu alt, um seine Eltern zu brauchen.«

Ich erwidere das Lächeln. Egal, für wie untauglich ich mich halte, mein Vater hat immer etwas Aufbauendes zu sagen.

Er legt den Arm um mich, zieht mich dicht an seine warme Brust. Ich atme seinen vertrauten Geruch ein, spüre meine Liebe zu ihm.

»Also, bist du sicher, dass wir den Hund nicht ein paar Tage bei uns behalten sollen?«, fragt er. »Damit du es erst mit deinem Nachbarn klären kannst?«

Das wäre die vernünftige Option, aber ich kann auf Murphy nicht verzichten, nicht mal für eine Nacht. Manchmal kann ich ihn immer noch nicht ansehen, ohne mich zu fragen, ob er überlegt, wo Grace ist.

Dad liest es an meiner Miene ab, als er mich loslässt, und drückt mir sanft die Schulter. »Na gut. Aber meinst du nicht, du solltest wenigstens dem Hausverwalter Bescheid geben?«

Ich sehe Murphy an, der mich anblinzelt, als hätte er gute Lust auf ein Schläfchen. »Ian ist nicht unbedingt der Typ Mensch, mit dem man ehrlich sein sollte.«

Dad, als Mann mit Prinzipien, scheint einen Widerspruch zu erwägen, lässt es dann aber.

»Danke für die Pflanzen«, sage ich noch mal, während er mir einen Abschiedskuss gibt.

Es ist sein Einweihungsgeschenk, ein Winter-Blumenkasten, den er selbst bepflanzt hat, mit Primeln und Farnen, ein paar Ranken weißbuntem Efeu, Erika und Alpenveilchen. »Dachte, das verschönert dir die Aussicht«, sagte er, als er ihn mir vorhin gab. Ich bekam feuchte Augen, als ich mir vorstellte, wie lange er damit zugebracht haben musste, den richtigen Kasten zu finden, die Pflanzen auszusuchen, sie genau richtig anzuordnen.

Als Dad losfährt, werfe ich einen flüchtigen Blick auf das Fenster meines neuen Nachbarn, aber da die Jalousien heruntergelassen sind und alles dunkel ist, nehme ich an, dass er nicht zu Hause ist. Ich weiß, dass ich Murphy nicht lange verheimlichen kann, also hoffe ich, ihn irgendwie auf meine Seite ziehen zu können.

Als ich meinen Schlüssel in die Haustür stecken will, merke ich, dass er seltsamerweise nicht passt. Es dauert ein paar Sekunden, bevor ich begreife. Wohnungs- und Haustür haben zwar jeweils Sicherheitsschlösser, aber nicht den gleichen Schlüssel für beide, und ich habe nur den für meine Wohnung mit nach draußen genommen.

Ich trete einen Schritt zurück und sehe zu meinem Fenster hinauf. Es steht nicht offen – nicht dass ich mir große Chancen ausrechne, mit Erfolg an einem Plastikabflussrohr hochzuklettern. Dann überlege ich, ob mein Nachbar vielleicht so vorausschauend war, gegen den Mietvertrag zu verstoßen, indem er einen Schlüssel unter einem Blumenkübel hinterlegt hat. Aber hier draußen stehen keine Blumenkübel oder sonst etwas, unter dem man vernünftig einen Schlüssel verstecken könnte.

Schon finde ich mich mit dem Gedanken ab, meine Eltern anzurufen und bei ihnen zu übernachten, als die Haustür plötzlich aufgeht.

Sprachlos stehen wir beide voreinander.

»Hallo.« Ich spüre ein Aufwallen unerwarteter Freude. »Was ... was machst du denn hier?«

»Ich wohne hier. Aber was machst du hier?« Er geht in die Hocke, um Murphy zu begrüßen, der sich vor Aufregung an der Leine windet. »Hallo, du.«

»Du wohnst hier?«

Mit funkelnden Augen erhebt er sich. Er sieht immer so klassisch aus, und heute stellt keine Ausnahme dar, dunkelblaue Jacke mit Kragen, enge Jeans, braune Stiefel. »Seit fast zehn Jahren.«

Einen Moment lang schweige ich hocherfreut, bis ich merke, dass er auf eine Erklärung für meine Anwesenheit vor seiner Haustür wartet. »Ich bin gerade eingezogen.«

Kurze Pause, dann fällt der Groschen. »In Steves Wohnung?«

»Genau.«

Er lächelt breit. »Das ist ja super.«

»Ich kann es gar nicht glauben.«

»Dann sind wir ab jetzt Nachbarn.« Er reibt sich das Kinn. »Und, wie ist es dir ergangen? Also, in den zwölf Stunden, seit wir uns zuletzt gesehen haben.«

Am Morgen haben wir uns kurz im Café unterhalten, über die beiden Frauen, die am Tisch vor der Theke saßen und tütenweise Weihnachtsgeschenkpapier dabeihatten. Solche Auswüchse sollte man bis mindestens Dezember verbieten, waren wir uns einig, bis uns beiden gleichzeitig einfiel, dass wir den frühen Ostereier-Ansturm im Februar eigentlich ganz gut finden.

»Ich habe mich ausgeschlossen. Hab vergessen, den Haustürschlüssel an meinen Bund zu hängen.«

»Das habe ich beim Einzug auch gemacht«, sagt er mit seiner wunderbaren Stimme. Er hält mir die Tür auf und lässt mich vorbei. Er riecht köstlich, nach Sandelholz. Ich fühle mich etwas unwohl in meinem Umzugsoutfit – Jogginghose und ein uralter grauer Pulli mit Löchern an den Ellbogen. Wenigstens ist es dunkel.

»Danke.« Auf der Fußmatte bleibe ich stehen. Zeit für

eine Beichte. »Also, eigentlich darf ich Murphy hier nicht halten, aber ...«

»Ich schweige wie ein Grab.«

»Danke.« Erleichtert lasse ich die Schultern sacken. *Gott sei Dank bist du es.*

»Es ist schwer, einen Vermieter zu finden, der Haustiere erlaubt.«

Ich frage mich, ob er aus Erfahrung spricht. Da mich sein netter Umgang mit Murphy besonders bezaubert, habe ich ihn mal gefragt, ob er einen Hund hat, aber er meinte, nein. Vielleicht früher mal.

Er sieht auf die Uhr. »Äh, entschuldige, aber ich war gerade auf dem Weg nach draußen.«

»Macht gar nichts. Lass dich von mir nicht aufhalten.«

»Der Garten ist leider komplett gepflastert, aber wenn du abends noch mal mit ihm rausmusst, am Ende der Sackgasse, da ist eine kleine Grünfläche.«

»Ah, das wusste ich noch nicht. Danke.«

Sein Mund bleibt unbewegt, ein Ruhepol in seinem faszinierenden Gesicht. »Tja, dann gute Nacht«, sagt er nach einer Weile leise und geht in die Dunkelheit hinaus.

12

Joel

Als ich von meinem Spaziergang mit Bruno zurückkomme, eine knappe Stunde nach der Begegnung mit meiner neuen Nachbarin, bleibe ich im Hausflur stehen. Sehe die Treppe zu Steves Wohnung hinauf.
 Nicht Steves. Callies. Sie ist in der Wohnung über mir, jetzt in diesem Moment. Ich stelle mir vor, wie sie sich den Raum aneignet. Die langen Haare umspielen ihre Schulterblätter, während sie mit der ruhigen Souveränität, die ich mittlerweile so gut kenne, Kisten auspackt. Vielleicht hat sie eine Kerze angezündet, Musik aufgelegt. Irgendwas Urbanes, aber Gechilltes. Heute Morgen bemerkte ich ihren flaschengrünen Nagellack, als sie mir meinen Kaffee brachte. Roch ihr Parfüm. Spürte den eigenartigen Drang, meine Hand auf ihre zu legen, sie anzusehen und zu sagen: *Sollen wir irgendwohin gehen?*
 Ich schließe die Augen. *Hör auf, an sie zu denken. Lass es einfach.*
 Trotzdem gehe ich noch nicht weiter. Sie könnte die Haustür gehört haben. Vielleicht steckt sie den Kopf aus der Wohnung, schlägt einen Absacker vor, bittet mich um ein bisschen Zucker. Wahrscheinlich bringt sie mich zum La-

chen, wie jeden Tag im Café. Die Königin der trockenen Anekdoten, selbstironischen Witze.

Aber dann atme ich durch. Rufe mich zur Vernunft. *Das geht vorbei*, sage ich mir. Wie eine Windböe oder Sturmflut. *Es fühlt sich nach mehr an, als es ist. Warte es ab, es geht vorbei.*

Am nächsten Abend kommen Callie und Murphy aus dem Haus, als ich gerade hineingehe. Ich war bei Kieran, seiner Frau Zoë und ihren beiden Kindern zum Curryessen eingeladen.

»Was Interessantes dabei?« Callie nimmt Murphy die Leine ab, damit er auf mich zurasen kann. Sein Schwanz peitscht durch die Luft, als hätte er mich Wochen nicht gesehen, nicht nur Stunden.

Ich sehe die Post durch. »Leider nein. Außer, du bist scharf auf meine Gasrechnung. Oder willst in Steves Namen einen Privatkredit aufnehmen.«

Callie ist mollig angezogen in einem Parka mit Fellkapuze und einem grauen Strickschal um den Hals. »Das Höchste der Gefühle sind bei mir normalerweise Kontoauszüge. Oder ein Prospekt von dem Tiefkühlfraß-Laden am Ende der Straße.«

Ich grinse. »Was macht die Wohnung?«

»Ich liebe sie. Tausend Mal besser als meine alte. Mehr Platz, weniger feucht.« Sie seufzt glücklich, dann zieht sie eine Augenbraue hoch. »Mit dem Nachbarn von unten weiß ich allerdings noch nicht so recht.«

Jetzt muss ich lachen. »Ja, kann ich dir nicht verübeln. Wenn ich du wäre, würde ich einen großen Bogen um ihn machen. Zwielichtiger Kerl.«

Sie lacht auch, wirft dabei ihren Schlüssel von einer Hand in die andere.

»Kommst du gerade von der Arbeit?«, frage ich. »Es ist spät.«

»Äh, nein, ich ... war danach noch woanders.«

Es ist, als hätte mein Gehirn kurz ausgesetzt. »Sorry. Das sollte nach nachbarlicher Besorgnis klingen, nicht nach väterlicher Strenge.«

»Schon okay. Ich bin praktisch meine Mutter, bis auf mein Äußeres. Heute habe ich einem Gast gesagt, er würde sich noch den Tod holen.«

»Ha. Was hat er dazu gemeint?«

»Erst nichts. Dann hat er die Stirn gerunzelt und gefragt, was das heißt. Er war Anfang zwanzig, maximal. Wahrscheinlich sogar noch Schüler.«

Ich bin erleichtert, dass sie mir meinen Mangel an sozialer Kompetenz offenbar nicht übel nimmt. Trotzdem ist es nur eine Frage der Zeit. »Verstehe.« Ich halte den Packen Umschläge hoch. »Ich kümmere mich mal lieber um meinen Privatkredit. Diese Formulare fälschen sich nicht selbst.«

Sie lacht höflich, streicht sich eine lose Haarsträhne hinter die Ohren.

Ich zögere, dann beuge ich mich leicht nach vorn (weil nichts so cool ist wie jemand, der sich vorbeugt, um seinen eigenen Witz zu erklären). »War nur Quatsch. Ich wäre der weltschlechteste Betrüger. Ich kann kaum Alkohol kaufen, ohne ins Schwitzen zu geraten.«

Danach kann ich natürlich gar nicht schnell genug in meiner Wohnung verschwinden.

Warum – *warum* – fasele ich von Alkohol und Schweiß und Finanzkriminalität?

So tollpatschig habe ich mich schon lange nicht mehr gefühlt. Schwerfällig und stumpf, kaum zu einem logischen

Gedankengang fähig. Wie ein Amateurschauspieler, der seinen Text vermasselt. Kein Wunder, dass sie so verkrampft gelächelt hat, als wartete sie auf eine grauenhafte Pointe.

Wie bin ich überhaupt an diesem Punkt gelandet? Was ist aus dem Vorsatz geworden, das Weite zu suchen, wenn ich Gefühle für eine Frau empfinde, wenn ein Lächeln mir in den Bauch fährt, ein Blick mir einen Schauer über den Rücken jagt?

In Kate hatte ich mich heftig verliebt. Nachdem wir uns im zweiten Semester an der Uni kennengelernt hatten, waren wir fast ein Jahr zusammen. Wäre sie nicht in meinem Kurs gewesen, hätten sich unsere Wege wohl kaum gekreuzt. Aber wir sahen einander fast jeden Tag, und sie war witzig, sanft, herzlich.

Kate schrieb meine Fehler immer dem Lernstress zu, glaube ich. Unregelmäßiger Schlaf und Ruhelosigkeit, Anfälle von Unkonzentriertheit, gelegentliches Abtauchen? Tja, das stand alles in keinem Widerspruch zum Studentenleben.

Aber dann träumte ich, dass sie sechs Jahre später mit einem anderen schlief. Sie war in einer Wohnung, die ich nicht kannte, nackt auf einer Matratze, von der ich annahm, dass sie zur Hälfte mir gehörte. Der Mann, der bei ihr war, sah älter als wir beide aus (ein künftiger Kollege?). Jedenfalls wirkte er ziemlich überzeugt von sich.

Es war das Foto von uns beiden auf dem Nachttischchen, das mir verriet, dass sie mich betrog. Ich überlegte hin und her, ob ich bei ihr bleiben sollte, fragte mich, ob ich es aufhalten konnte. Aber die nächsten sechs Jahre unter Anspannung verbringen? So sollte eine Beziehung nicht sein. Außerdem war es ja schon zu spät. Manche Bilder bekommt man nie wieder aus dem Kopf.

Also machte ich Schluss. Dachte mir die schmerzlich paradoxe Ausrede aus, ich könnte mir keine Zukunft für uns vorstellen. Es war ein komisches Gefühl, mich dafür zu entschuldigen, dass ich ihr das Herz brach, wo doch das Schicksal den genau umgekehrten Fall vorgesehen hatte.

Über Kate hinwegzukommen, war nicht leicht. Es dauerte eine ganze Weile, bis ich nicht mehr von ihr träumte. Bis die Flammen meiner Gefühle für sie ganz ausgebrannt waren. Aber fünf Jahre später traf ich Vicky. Sie spielte die Hauptrolle in einem Stück, das ich mir ansah, und hinterher kamen wir in der Bar ins Gespräch. Wie genau wir an dem Abend in meiner Wohnung landeten, weiß ich heute noch nicht. Die Konkurrenz war stark und viel kultivierter als ich.

Anfangs versuchte ich, zu verheimlichen, wie ich war. Die Erwartungen an den Mann, für den Vicky mich irrtümlich gehalten haben muss, zu erfüllen. Und eine Zeit lang gelang mir das sogar; bis wir zusammenzogen. Die Nähe entlarvte den Menschen, den sie wirklich vor sich hatte, und sie wurde schnell ungeduldig. Mit meiner Nervosität und meinen Schlafgewohnheiten, den frühmorgendlichen Einträgen ins Notizbuch. Mit meiner emotionalen Zurückhaltung und dem Hang zur Fahrigkeit. Wir fingen an zu streiten. Passive Aggression setzte ein, als wir uns allmählich von der Droge des frisch Verliebtseins entwöhnten. Der Lichtstrahl wurde schwächer, die Luft entwich aus dem Ballon.

In der ganzen Zeit, die wir zusammen waren, träumte ich nicht ein Mal von Vicky. Nach sechs Monaten wusste ich schon, was das bedeutete, und in gewisser Weise war ich erleichtert. Eine Beziehung ohne Liebe war sinnlos, das schon, aber war es nicht besser so? Keine Liebe bedeutete keine zusätzlichen Komplikationen. Keine quälenden Träume, keine Situationen, in denen ich nur verlieren konnte. Keine Vorahnungen von Untreue. Ich liebte Vicky nicht, und das war ein fast beruhigendes Gefühl.

Wer weiß? Vielleicht war das Ganze in gewisser Hinsicht ein Meisterstück der Selbstsabotage.

Wie dem auch sei. Als sie gegangen war, traf ich eine Entscheidung, die in ihrer Einfachheit wundervoll war.

Ich würde mich nie wieder verlieben.

13

Callie

Ich sitze allein in Waterfen und denke an Grace.

Zum ersten Mal waren wir als Kinder hier, hoppelten wie die Hasen über die Holzbrücke, die den öffentlichen Park mit dem Naturschutzgebiet verbindet. Stapften über die Stege und gewundenen Wege, tauchten die Füße in sumpfige Tümpel, nahmen vorsichtig Libellen in unsere nass glitzernden Hände. Grace redete meistens, während ich hinter ihr herlief, durch Wolken von duftigem weißem Mädesüß schwebte, trunken wie eine Biene von der verschwenderischen Pracht der Natur. Wir erkundeten den dichten Schilfdschungel, die vom Pink der Weidenröschen geschmückten Wiesen, blieben bis zur Dämmerung draußen, während die Landschaft um uns herum abkühlte. Und erzählten uns dabei Witze und Schulerlebnisse und Träume.

Damals liebte Grace an Waterfen das, was es darstellte – illusorische Freiheit, das Aufschieben ihrer Hausaufgaben. Aber ich liebte an Waterfen das, was es war: etwas Ursprüngliches und Unbearbeitetes, so wie die Welt eigentlich sein sollte. Ein auf alle Sinne einwirkendes Theater der Wildnis, das Paradies auf einer Bühne.

In Waterfen entdeckten wir auch unseren Baum. Eine majestätische alte Weide an der äußersten Grenze des Schutzgebiets, deren Zweige tief über das Ufer hingen wie die Köpfe wachsamer Reiher. Wir erklommen ihren runzligen Stamm, wurden hinter ihrem Wasserfall aus grünen Blättern zu Meerjungfrauen, grinsten einander an, wenn unter unseren nackten, baumelnden Füßen Wanderer herliefen, ohne uns zu bemerken. Wir schnitzten unsere Initialen in ihre raue Rinde.

Jetzt klettere ich auf den Baum, genau wie wir früher immer, obwohl er nass ist, obwohl es kalt ist. Die Initialen sind noch da, bemoost und vom Regen glatt gewaschen. Ich streiche mit dem Finger über die Rillen, sehe unwillkürlich die Gravierung auf Grace' Grabstein vor mir.

Ben und ich haben sie uns zusammen ausgedacht.

Grace Garvey. Geliebte Frau, Tochter, Nichte und Enkelin. Das Leben Liebende. Kompromisslos Einzigartige.

Ich habe nie jemandem von unserem Baum erzählt. Er gehörte nur Grace und mir, für immer.

Nach der Uni, als ich zurück nach Eversford zog, war ich anfangs orientierungslos. Grace war noch auf Reisen und Esther vorübergehend in London, wo sie gerade Gavin kennengelernt hatte. Und meine Eltern konnten die Lücke nicht füllen, die meine Freundinnen hinterlassen hatten. Waterfen gab mir Trost, das von Laub und geflügelten Geschöpfen Umgebensein.

Wieder denke ich an den Job dort, von dem Gavin vor Wochen sprach. Obwohl ich täglich auf der Website von Waterfen nachsehe, habe ich noch nichts gefunden. Aber ich weiß ja, wie langsam es bei Wohltätigkeitsorganisationen manchmal vorangeht, dass schon die Genehmigung des simpelsten Kostenvoranschlags ewig dauern kann.

Und selbst wenn eine Stelle ausgeschrieben würde, wäre ich nicht sicher, ob ich bei Ben kündigen würde. Könnte ich wirklich Grace' Traum einfach an jemand anderen weiterreichen, ausrangieren wie ein Erbstück, das ich nicht mehr will?

Doch ich habe ja meine eigenen Träume. Zum Beispiel, hier in Waterfen zu arbeiten, die erdige Süße von Regen im Röhricht zu riechen, untermalt vom Krächzen der Raben und dem Tanz der Starenschwärme am Himmel. Schmutzig und nass zu werden, atemlos vor schwerer Arbeit und Zufriedenheit. Wenigstens ein wenig von dem zurückzugeben, was dieser Ort mir gibt.

Entschuldige, flüstere ich Grace' Geist zu. *Ich weiß, dass das Café dein Traum war. Aber ich bin einfach nicht sicher, dass es jemals meiner sein wird.*

Auf dem Heimweg fühle ich mich plötzlich mutig, vielleicht vom Gedanken an Grace oder eine neue Arbeit. Ich möchte Joel auf ein Getränk zu mir einladen. Immerhin sind wir jetzt schon seit einer vollen Woche Nachbarn. Er kann ja auch Nein sagen.

»Gemütlich hier«, sagt Joel, als ich ihn ins Wohnzimmer bitte.

Ich wickle mir den Schal vom Hals und will ihn schon wie üblich über die Sofalehne werfen, falte ihn dann aber ordentlich zusammen und lege ihn auf das Tischchen an der Tür. Denn mal realistisch gesehen: *Gemütlich* könnte auch Chiffre für *Schweinestall* sein. Ich habe noch nicht alle Kisten ausgepackt und hätte natürlich besser aufgeräumt, bevor ich ihn einlade.

Vorhin schien er zu überlegen, bevor er zusagte. Sofort

geriet ich in Panik, hatte Angst, ich hätte ihn in Verlegenheit gebracht, zur Höflichkeit gezwungen. Also wollte ich gerade einen peinlichen Rückzieher machen, da sagte er Ja.

Ich hoffe, er hat nicht erwartet, dass meine Wohnung stylisch oder intellektuell aussieht. Ich besitze keine Möbel, die ich nicht selbst zusammenbauen musste, kein Bild, das ich nicht aus einem Kaufhausregal gezogen habe, keine schicke Deko oder aufeinander abgestimmten Accessoires. Nur ein Durcheinander von einzelnen Gegenständen, die ich im Laufe der Jahre angesammelt habe wie den Futon mit der Patchworkdecke, unter der sich Kaffee- und Rotweinflecke verbergen, ein paar Korkuntersetzer mit kreisförmigen Abdrücken und eine Kollektion von Kaffeebechern mit Naturmotiven, geschenkt von Familie und Freunden. Zwei Regale in sich beißenden Farben sind vollgestopft mit Büchern über Flora und Fauna, es stehen ein paar *sehr* uncoole Figürchen herum – Vögel und Waldtiere, ebenfalls nett gemeinte Geschenke meiner Lieben – und auf der Fensterbank ein wild durcheinandergewürfeltes Pflanzensortiment. Nichts, das ausdrückt: Ich bin erwachsen, erfolgreich oder auch nur ansatzweise auf der Gewinnerseite des Lebens. Dazu kommt, dass Joel über eine der unausgepackten Kisten gestolpert ist, die halb den Weg in die Küche blockiert.

Ich mache einen sechzigsekündigen Abstecher ins Schlafzimmer, um mich umzuziehen, zu hyperventilieren, meine Haare glatt zu streichen und kurz eine Schicht dezenten Lippenstift aufzutragen. Dann gehe ich ins Wohnzimmer zurück und biete Joel etwas zu trinken an. »Ich hätte Kaffee, Tee oder mittelklassigen Wein.«

Er zögert einen Moment, bittet dann um ein kleines Glas Wein.

Während Joel sich vor die Regale stellt, Murphy wie üblich dicht auf den Fersen, hole ich die Flasche aus dem Kühlschrank und gieße zwei Gläser ein. Ich beobachte Joels Finger, die sacht über die Rücken meiner Bücher streichen. Seine Pulloverärmel sind eine Spur zu lang am Handgelenk. Ich versuche, seine langsamen Bewegungen zu ergründen, die schlanke Statur, das bedächtige und nachdenkliche Auftreten, das mir so gefällt.

»*Pflanzenlexikon. Baumführer. Flechten. Motten.*«

»Ich bin leider nicht besonders cool«, gestehe ich.

Ich befürchte, das könnte eine Untertreibung sein; als Kind war ich diejenige, die immer die Augen starr in ein Naturbuch gerichtet hatte oder, noch schlimmer, auf eine Fernseh-Doku über englische Landschaften mit meinem Vater. Sobald der Winter in den Frühling überging, war ich barfuß draußen, sammelte Stöcke und Laub und Eierschalen, hatte Matschspritzer im Gesicht und Äste in den Haaren.

Manchmal im Sommer, wenn der Himmel still und heiß war, hängte Dad über Nacht im Garten eine Glühbirne auf. Darunter war eine Holzkiste befestigt, und früh am nächsten Morgen bestaunten wir die Motten, die darunter herumgetanzt waren, während wir träumten. Weinschwärmer in Kaugummirosa, Braune Bären, so prachtvoll wie jeder Schmetterling, und, meine liebsten, Weiße Tigermotten mit ihrem edlen Fellmantel. Dann fügten wir sie unserer Liste hinzu und brachten sie im Gebüsch vor gierigen Schnäbeln in Sicherheit, damit sie dort vor dem Tageslicht geschützt den Einbruch der Dunkelheit abwarten konnten.

Mein Ex Piers zog mich immer damit auf, dass ich so ein Naturkind bin. Er war ein Mensch, der Spinnen mit Pantoffeln totschlug, Wespen unter Biergläsern zerquetschte, Motten im Schlaf umbrachte. Und jedes Mal starb auch ein Stückchen mehr von meiner Liebe zu ihm.

»Es ist doch nicht uncool, sich für was zu begeistern«, sagt Joel.

»Eigentlich ist es nur ein Hobby.«

»Keine Aussicht, beruflich was damit zu machen?«

Ich reiche ihm ein Weinglas, komme zu dem Schluss, dass die Geschichte zu lang ist. »Vielleicht.«

Wir stoßen sanft an. Ich trinke einen kühlen Schluck und spüre ein Rauschen in den Adern, das, wie ich argwöhne, nicht nur am Alkohol liegt.

Er beugt sich über meine Blumentöpfe auf der Fensterbank. »Was züchtest du da?«

»Das am Ende sind Kräuter. Die anderen sind einfach nur Zierpflanzen.« Ich lächle. »Ich mag das Grün.«

Jetzt wandert er zu dem anderen Regal, in dem meine kleine Reisebibliothek steht: ein Chile-Führer, *Die Vögel Südamerikas*, diverse Landkarten. Bücher über die baltischen Staaten, geerbt von einer Freundin von Mum, die in ihrer Jugend dort war. Meine Eltern wollten eines Tages hinfahren, kamen dann wohl aber doch nie dazu. In meiner Kindheit waren wir nie weiter als Spanien und Portugal, hin und wieder zum Campen in Frankreich.

Ich verbrachte Stunden damit, mich in den Seiten dieser Bücher zu verlieren, versetzte mich im Geiste an unberührte Plätze und Mondlandschaften, wo die Zivilisation aus dem Blick verschwindet und die Erde sich dem Himmel beugt.

»Du bist also eine Weltenbummlerin«, mutmaßt Joel.

Ich denke an Grace, wie sie das zum Lachen bringen würde. »Nur in meinen Träumen.«

Er scheint zu schlucken, bevor er auf die Bücher deutet. »Dann warst du nicht …«

»Noch nicht. Eines Tages, hoffe ich.« Ich nippe an meinem Wein. »Es gibt da so einen Naturpark in Chile, ganz oben im Norden. Da wollte ich schon immer hin.«

Er sieht mich von der Seite an. »Ach ja?«

Ich nicke. »Das haben wir in der Schule durchgenommen. Ich weiß noch, dass unsere Lehrerin es ein UNESCO-Biosphärenreservat nannte.« Ich lache, spreche das übertrieben deutlich aus. »Es klang einfach so exotisch, so aufregend. Wie was Außerirdisches.«

Er lacht ebenfalls. »Stimmt, so klingt es.«

Eine Kommilitonin von mir während des Studiums war tatsächlich dort gewesen und behauptete, dort einen Vogel gesichtet zu haben, der so selten ist, dass er beinahe ein Mythos ist. Das reizte mich erst recht, der Gedanke, von der Natur ausgetrickst zu werden.

»Es zieht mich irgendwie an entlegene Orte«, sage ich. »Du weißt schon, wo sich die Erde größer anfühlt als man selbst.«

»Ja, das macht demütig, oder? Wenn man zum Beispiel in die Sterne sieht und erkennt, wie winzig wir alle sind.«

Wir setzen uns beide aufs Sofa. Mit der freien Hand krault Joel Murphy zärtlich an den Ohren.

Nach einer kurzen Pause frage ich: »Was war denn der interessanteste Ort, an dem du jemals warst?«

»Ehrlich gesagt war ich noch nie im Ausland.« Er atmet aus und wirkt verlegen, als hätte er gerade gebeichtet, Fußball oder die Beatles zu hassen. »Wie langweilig ist das denn?«

Obwohl es mich überrascht, bin ich auch etwas erleichtert, dass er nicht Reiseanekdoten von jedem Kontinent in petto hat wie Grace, Geschichten, die mein Leben noch banaler wirken lassen, als es ohnehin ist. »Gar nicht. Ich bin selbst nicht so die Abenteurerin. Gibt es einen Grund, warum nicht?«

»Das ist kompliziert.«

Ich bin neugierig, was dahintersteckt, aber ehe ich nachfragen kann, wechselt er das Thema, möchte wissen, wie lange ich schon im Café arbeite.

»Das gehörte eigentlich meiner Freundin Grace. Sie ...« Die Worte gehen mir nicht leicht von der Zunge. »Entschuldige. Sie ist vor relativ Kurzem gestorben.«

Ein paar Sekunden lang schweigt er. Dann, sehr ruhig: »Das tut mir leid. Was ist passiert?«

»Autounfall mit Fahrerflucht. Ein Taxi. Er war betrunken.«

Wieder eine kurze Stille. Ich spüre seinen Blick sanft über mich gleiten, so tröstlich wie eine Laterne im Nebel.

»Haben sie ihn ...«

Ich nicke schnell. »Er hat sechs Jahre gekriegt.«

Dann erzähle ich ihm alles, von Grace und Murphy, dass ich meinen Job gekündigt und das Café übernommen habe. »Vorher war ich persönliche Assistentin. In einer Fabrik. Die stellen Metallverpackungen her. Also Dosen für Getränke, Sprays, Farben ... ach, egal. Es langweilt mich selbst, allein schon daran zu denken.« Ich lege mir die Hand vors Gesicht und lache. »Und was machst du?«

Plötzlich wirkt er unbehaglich. »Habe gemacht. Ich war früher Tierarzt.«

Unglaublich – einen Moment lang weiß ich nicht, was ich sagen soll. Mein erster Gedanke ist, warum er das noch nie erwähnt hat, bis mir klar wird, dass es keinen Grund dafür gab. »Aber jetzt nicht mehr?«

»Ich nehme mir eine kleine Auszeit.«

»Burnout?«

»So könnte man es sagen.«

»Als Tierarzt zu arbeiten, kann bestimmt stressig sein. Überhaupt als Arzt.«

»Ja, manchmal schon.«

»Fehlt es dir?«

Er scheint nach der passenden Antwort zu suchen und erzählt mir dann, dass er für einige ältere Leute in der Gegend die Hunde ausführt, dass das ein kleines Trostpflaster ist.

Es freut mich zu hören, dass es noch aufrichtig nette Menschen auf der Welt gibt.

Joel nippt an seinem Wein, seine Hand wirkt groß auf dem Glasstiel. Er hat wirklich Tierarzt-Hände, denke ich. Fähig, zuverlässig.

»Wo ist Steve eigentlich hingezogen?«, frage ich.

»In die neue Siedlung am Jachthafen.«

»Ah, da unten habe ich den Großteil meiner Kindheit verbracht. In dem Naturschutzgebiet.«

»Waterfen?«

»Ja«, sage ich erfreut. »Kennst du es?«

Er nickt, und wieder sehe ich in seine tintendunklen Augen. »Ein toller Platz, um den Kopf frei zu kriegen. Wenn du weißt, was ich meine.«

»Oh ja.«

Wir plaudern noch ein paar Minuten, bis wir ausgetrunken haben. Bevor ich ihm anbieten kann, nachzugießen, hat er sich schon bedankt, Murphy zum Abschied getätschelt und steht an der Tür, wo er ganz kurz zögert und mir dann einen flüchtigen Kuss auf die Wange gibt.

Als seine Haut über meine streicht, steigt mir eine Hitze ins Gesicht, an die ich Stunden später noch denken muss.

14

Joel

An Halloween kommt Melissa extra mit dem Auto aus Watford, um mich in den kleinen Eckladen zu schleifen (irgendwas von halb vertrockneten Mandarinen, die bei Kindern nicht so der Ankommer sind).

Über eine Woche ist es her, dass ich bei Callie in der Wohnung war. Ich habe viel über eine Gegeneinladung nachgedacht, habe das Gespräch im Kopf geprobt in der Hoffnung, es reibungslos und glatt zu gestalten.

Aber dann fallen mir all die Gründe wieder ein, aus denen ich mich gegen das, was auch immer ich für sie empfinde, wehren muss. Warum meine Unverbindlichkeit verbindlich bleiben muss. Nicht dass das einfach wäre, wenn man im gleichen Haus wohnt. Callie ist immer, wenn ich ihr begegne, offen und charmant und viel aufmerksamer als ich. Sie sortiert unsere Post, erinnert mich an die Müllabfuhr. Stellt mir hin und wieder abends ein Stück Kuchen vor die Tür.

Aber das Tollste daran, in der Wohnung unter Callie zu wohnen, sind die Powerballaden, die meistens morgens aus ihrer Dusche dröhnen. Sie singt grauenhaft, aber ich habe festgestellt, dass mich das nicht stört. Im Gegenteil, ich liebe es, zum Klang ihrer einzigartigen und durchdringenden Disharmonie aufzuwachen.

Ich könnte natürlich aufhören, ins Café zu gehen. Aber das scheint mir eine extreme Maßnahme, nur wegen einer kleinen Schwärmerei. Ich bin Mitte dreißig, nicht fünfzehn.

»Wir sollten heute Abend die Kinder erschrecken«, schlägt Melissa vor, als wir zum Laden gehen. »Indem du die Tür aufmachst.«

»Ich kann sehr gut mit Kindern.«

»Ach, komm schon. Ich kenne niemanden, der weniger kinderfreundlich ist als du.«

»Falsch. Ich liebe Kinder. Meine Nichten und mein Neffe können das bezeugen.«

»Du magst *Toy Story* nicht.«

»Na und?«

Sie zuckt die Achseln. »Das ist komisch. Jeder mag *Toy Story*.«

»Weißt du, was komisch ist? Erwachsene, die sich Zeichentrickfilme ansehen.«

Melissa streicht sich eine platinblonde Perückensträhne aus dem Gesicht. Die Party in Watford, auf die sie gehen wollte, ist ins Wasser gefallen, aber wenig überraschend ist sie bei ihrem Kostüm geblieben. (Julia Roberts' Figur in *Pretty Woman*. Was sonst. Vorhin hat sie eine Dose silbernes Haarspray gezückt und gefragt, ob ich Richard Gere sein wolle. Ich habe dankend abgelehnt.)

»Sag mal, kannst du nicht einfach hinter mir laufen? Ich will nicht mit dir gesehen werden.«

»Ha.« Sie hakt sich bei mir unter. »Ich liebe es, dich zu blamieren. Du bist so verklemmt und nervös.«

Tja, dagegen kann ich nicht so richtig was einwenden.

Ich lasse Melissa in der Süßwarenabteilung stehen und packe ein paar Grundnahrungsmittel ein, wenn ich schon hier bin. Baked Beans, Toastbrot, Tomatensuppe, Pizza. Vielleicht lerne ich eines Tages kochen und gehe vernünftig einkaufen wie die meisten Menschen meines Alters. Aber momentan reichen mir Dosen und Abgepacktes voll und ganz.

»Fröhliches Halloween noch mal«, sagt eine Stimme, sanft wie eine Brise.

Ich drehe mich um, und da steht sie. Heute Morgen hat sie mir einen Pumpkin Spice Latte gemacht und an den Tisch gebracht mit einem kleinen Baiser-Gespenst und einem Lächeln auf den Lippen, das ich seitdem nicht aus dem Kopf bekomme.

»Weißt du«, sagt sie. »Wir haben noch gar nicht darüber gesprochen, wer heute Abend Süßigkeiten-Dienst hat.«

Ich tue, als müsste ich darüber nachdenken. »Wenn ich ehrlich bin, glaube ich nicht an verkleidete Kinder.«

»Interessant.«

»Meine Theorie ist, wenn man tut, als gäbe es sie gar nicht, verschwinden sie.«

Callie nickt langsam. »Meine Theorie ist, du bist viel näher an der Haustür. Willst du mich allen Ernstes jedes Mal die Treppe runterjagen?«

Ich ziehe eine Augenbraue hoch. »Schon möglich.«

»Also gut. Teilen wir es gerecht auf.« Sie hält ein paar Päckchen Gummibärchen in Halloweenfarben hoch. »Ich kaufe die Süßigkeiten. Aber die Reste müssen wir später aufteilen.«

Mein Blick begegnet ihrem. Er wandert mir in lang gezogenen Schleifen bis in den Magen.

Aber jetzt rieche ich Melissas Parfüm, spüre ihre Arme

wie ein Lasso um meinen Bauch. Mir wird ein bisschen unbehaglich, was Melissa gegenüber nicht ganz fair ist. Allerdings, zu meiner Verteidigung, ist sie auch angezogen wie eine Prostituierte.

»Ich hab das Gummizeug, Babe. Lass uns abhauen.«

Ich räuspere mich. »Melissa, das ist Callie.«

Aus Callies grüngoldenen Augen schwindet etwas. »Hallo.«

»Hallo.« Melissa ahmt genau ihren Tonfall nach. »Als was bist du verkleidet?«

Callie sieht sie überrascht an, dann mich.

Erschrocken schüttle ich den Kopf. »Du bist die Einzige, die hier verkleidet ist, Melissa.«

»Ich muss mal los«, sagt Callie höflich. »War nett, dich zu treffen.«

Melissa zieht mich an der Hand zur Kasse, ihre Stiefel klackern auf dem Linoleum. »Wer war die Kuh?«

»Hey.« Ich bleibe stehen und lasse ihre Hand los. »Das ist ganz schön heftig.«

Sie grinst. »Joel! Ich will dich doch nur ärgern. Genau das meinte ich mit verspannt und nervös.«

»Du machst es nicht gerade besser.«

»Also, wer ist das?«

»Meine neue Nachbarin. Sie hat jetzt Steves Wohnung.«

»Weißt du, was du machen solltest?«

»Zahlen und nach Hause gehen? Vorzugsweise allein?«

»Ha. Eigentlich liebst du mich.«

Nein, denke ich. *Wirklich, wirklich nicht.*

Ich sitze auf dem Wohnzimmerfußboden, den Rücken zur Wand, die Pizzaschachtel neben meinen Knien. Wie immer habe ich, auf Melissas Bitte hin, eine große Salamipizza für uns zusammen bestellt. Aber sie isst nie mehr als zwei Stücke, und ich muss die ganze Salami herunterpflücken.

Sie hockt neben mir, zieht ein Stück aus der Schachtel.
»Weißt du, dass wir das jetzt schon seit fast drei Jahren machen?«

»So lange?«

Ein skeptisches Lächeln. »Als würdest du dich nicht genau an den Tag erinnern, an dem du mich zum ersten Mal gesehen hast.«

Offen gestanden, nein. Aber ich weiß noch, wo. Ein spätabendlicher Sportkurs, in einer Phase, als ich dachte, hochintensives Spinning wäre die Lösung für all meine Probleme. (War es auch fast, insofern als ich beim ersten Mal nach der Hälfte der Zeit beinahe tot vom Rad gekippt wäre.)

Hinterher schlenderte Melissa auf mich zu, ganz in Lycra, mit baumelndem Pferdeschwanz und perfektem Make-up. Ich stand in dem Moment vornübergebeugt und hatte Mühe, mich nicht zu übergeben.

»Neujahrsvorsatz?«

Es war tatsächlich Januar. Aber das war reiner Zufall. »Wollte nur was für meine Fitness tun«, keuchte ich.

»Und wie läuft's?«

»Ich mache Fortschritte.«

»Wow. Wie schlimm war es vorher?«

Nach einer Dusche und einem Protein-Shake gingen wir zu mir. Ich war überrascht, als sie ein paar Wochen später anrief, aber so ging es dann weiter.

Jetzt knarzen über uns Callies Dielen. Ich stelle mir vor, wie sie durch ihre Wohnung läuft, ein Weinglas in der Hand. Lange am Fenster steht, um die Sterne zu betrachten.

Die ganze Zeit schon frage ich mich, was sie von mir hält,

nach unserer Begegnung im Laden. Hat sie den Schluss gezogen, dass Melissa meine Freundin ist? Dass ich so oberflächlich wie unzuverlässig bin?

Vielleicht, denke ich, wäre das das Beste.

»Dominic hasst Pizza«, sagt Melissa, als sie sich neben mich setzt.

Den Namen kenne ich nicht. Aber ich kenne die Art, wie sie ihn präsentiert, wie ein Päckchen, das ausgepackt werden soll. Es ist nicht das erste Mal, und es hieß nie, dass wir uns nicht auch mit anderen treffen dürfen. Unser Arrangement passt uns beiden gut. Deshalb klappt es schon so lange mit uns.

Ich klatsche drei fettige Salamischeiben in den Deckel der Schachtel und spiele mit. »Wer ist Dominic?«

»Ein Mann, den ich kennengelernt habe.«

»Älter?«

»Wie kommst du darauf?«

Ich zucke die Achseln. »Dir fehlte heute ein Richard Gere.«

Sie lächelt mit dünnen Lippen. »Nein.«

»War es seine Party, auf die du heute eigentlich gehen wolltest?«

Ihrer Miene nach ja. »Wir haben uns gestritten. Er will, dass ich bei ihm einziehe.«

»Und wie lange seid ihr schon …?«

»Drei Wochen.«

Ich kaue. »Klingt ein bisschen überstürzt.«

Sie lässt den Unterkiefer etwas sacken. »Sag nicht, du bist eifersüchtig.«

»Hör mal, ganz ehrlich, wenn du jemanden getroffen hast, den du magst, dann …«

»Dann was?«

»Dann sollten wir das hier nicht machen. Ich möchte, dass du glücklich bist. Das habe ich dir gesagt.«

Wir schweigen ein Weilchen. Ich spüre einen Puls, aber wir sitzen so nah zusammen, dass schwer zu beurteilen ist, ob es ihrer oder meiner ist. »Wir können heute einfach so zusammen sein«, sage ich. »Es muss ja nichts passieren.«

Sie schlängelt sich um mich herum und küsst mich auf den Mund. »Danke. Aber ich möchte, du Pizza-Atem.«

Ach Melissa. Ich kann mich immer darauf verlassen, dass sie genau das Richtige sagt.

In dieser Nacht träume ich etwas so Verstörendes, dass es mich nicht mehr loslässt.

Ein Samstagabend in ungefähr einem Jahr, und ich stehe in Dads Küche. Er wettert über irgendwas, sticht mit dem Zeigefinger in meine Richtung. Die Worte glühen vor Wut, als sie seinen Mund verlassen.

Aber es sind Worte, die ich nicht mal ansatzweise begreifen kann.

»Du bist nicht mal mein Sohn! Ich bin nicht mal dein Vater!«

Das sagt er zweimal während seines minutenlangen Monologs. Ich stehe nur vor ihm, etwas verängstigt, sehr fassungslos.

Und dann stürmt er aus dem Raum, herrscht mich an, ihn allein zu lassen. In der anderen Ecke der Küche lässt eine mit offenem Mund dastehende Tamsin eine Schüssel Erdbeerwackelpudding fallen. Er spritzt über den Fußboden und meine Füße. Färbt sie blutrot.

Und jetzt stehe ich am Fuße der Treppe. Sehe nach oben, rufe ihm nach.

»Dad? Wovon zum Teufel redest du? *Dad!*«

15

Callie

Ein paar Tage später erwischt Joel mich im Hausflur.
»Ich wollte mich bei dir entschuldigen.«
Ohne Vorwarnung werde ich rot und frage mich, ob es um die Geräusche geht, die ich am Donnerstag bis spät in die Nacht von unten gehört habe.

Ich lag im Bett und sah mir eine Doku über Plastik im Meer an. Anfangs hörte ich nur ein, zwei Mal ein Poltern, so dass ich verwundert den Ton abstellte. Aber dann, als die Geräusche rhythmischer wurden, untermalt von Ächzen und Keuchen, schaltete ich den Laptop ganz aus und hörte nur zu, reglos. Ich konnte nicht anders, als mir Joel vorzustellen, zu überlegen, wie er aussah, wie es sich wohl anfühlte, Melissa zu sein. Mir wurde heiß, mein Pulsschlag beschleunigte sich, und dann, als ich gerade die Augen schloss, um das Bild in seiner Gänze zuzulassen, ertönte ein letzter entschiedener Aufschrei, und es wurde still. Schuldbewusst fuhr ich den Laptop wieder hoch und versuchte, mich intensiv auf die düsteren Aufnahmen von an einem indonesischen Strand angeschwemmtem Plastik zu konzentrieren. Aber den Rest der Nacht und die nächsten Tage wollte sich die Szene nicht aus meinem Kopf verdrängen lassen.

Da im Café in dieser Woche ungewöhnlich viel los und ich kaum zu Hause war, haben wir seitdem nur im Vorbeigehen kurz miteinander gesprochen, und jetzt hier im Flur fällt es mir schwer, ihm in die Augen zu sehen. Ich hoffe, er merkt mir nicht an, dass ich es nicht schockierend oder anstößig fand – eher das Gegenteil sogar. Er wirkt ebenfalls etwas peinlich berührt, und ich kann mir nicht vorstellen, wofür er sich sonst entschuldigen wollte, also sage ich: »Kein Problem.«

»Wir hatten was getrunken.«

»Klar.«

»Sie ist nicht immer so.«

»Okay.«

»Sie wird immer ein bisschen direkt nach ...«

Ich halte eine Hand hoch. »Versteh schon. Ehrlich.«

»Und das Kostüm war nur ...«

»Du musst dich wirklich nicht ...«

»Na ja. Ich wollte nur sagen, sie hat das nicht ernst gemeint. Trotzdem hätte sie nicht so mit dir reden sollen.«

»Geht es ... um das, was Melissa im Laden zu mir gesagt hat?«

»Ja. Was meintest du denn?«

Ich schlucke. »Vergiss es. Ich stand auf der Leitung.«

Jetzt kann ich natürlich auf keinen Fall das Schreien erwähnen, das ich viel später in der gleichen Nacht gehört habe. Es gellte wie Pistolenschüsse, schreckte mich aus dem Schlaf. Eine weibliche Stimme war nicht dabei, also können sie nicht gestritten haben, Joel muss geträumt haben. Aber ihn jetzt darauf anzusprechen, wäre seltsam und aufdringlich, als wäre ich eine Art Voyeur, sprich, der schlimmste Albtraum jedes Nachbarn.

Joel wirkt verwirrt, lächelt aber, als fände er es nicht schlimm. »Wie geht es Murphy eigentlich mit Feuerwerk?« Heute ist Guy Fawkes Day, und am Himmel leuchtet es jetzt schon wie in der Disco.

»Ben hat sich angeboten, ihn zu nehmen. Seine Eltern leben draußen in der Pampa. Kein Nachbar meilenweit.«

»Gute Idee.«

Ich lächle etwas verkrampft. »Und, hast du irgendwelche Guy-Fawkes-Pläne?«

»Auf gar keinen Fall«, sagt er todernst. »Ich kann den Kerl nicht ausstehen.«

Ich lache. »Dot und ihre Wasserski-Truppe veranstalten eine Party im Park.«

Eine Chance tut sich auf. Ich möchte ihn einladen, das schon. Aber er hat doch eine Freundin?

Ich hole tief Luft und nehme meinen Mut zusammen. »Also, wenn du nichts anderes vorhast?«

Ein unendlich bedächtiges Lächeln, ein kaum auszuhaltender Moment des Wartens. »Okay«, sagt er schließlich mit rauer Stimme. »Gern.«

16

Joel

An sich hatte ich etwas anderes vor: mit dem Rest meiner Familie in Dougs Garten bibbernd zusehen, wie zwei Drittel seiner Böller nicht wunschgemäß abheben. Aber ich hatte sowieso überlegt, abzusagen. Nach mehreren Nächten mit wenig Schlaf bin ich einigermaßen erschöpft. Zudem hat mein Traum über Dad mich ziemlich umgehauen. Ich kann ihn nicht vergessen, habe jedes Foto studiert, das ich von uns beiden zusammen besitze. Nachrichten auf dem Handy mit Tränen in den Augen noch einmal gelesen, wie man es macht, wenn jemand gestorben ist.

Jetzt denke ich wieder daran. *Du bist nicht mal mein Sohn! Ich bin nicht mal dein Vater!*

So was sagt man nicht aus dem Stegreif, nur um jemanden zu verletzen. Ich habe genügend andere Unzulänglichkeiten, aus denen er sich dafür eine aussuchen könnte.

Was nur bedeuten kann, dass etwas dran ist.

Ich muss unbedingt mehr herausfinden. Aber Dad direkt darauf anzusprechen? Ein so folgenreiches Gespräch kommt mir nicht machbar vor. Zumindest noch nicht. Ich muss in sein Haus gehen, während er nicht da ist, denke ich. Die Wahrheit selbst aufdecken.

Zehn Minuten später treffen Callie und ich uns vor dem Haus. In der Novemberluft liegen Frost und Sternenlicht, der Mond ist halogenhell. Das verleiht dem schon von Böllern leuchtenden Himmel eine seltsam mittsommerartige Atmosphäre.

Nichts deutet darauf hin, dass dieser Abend mit Callie ein Date ist, ermahne ich mich. Wir sind nur Nachbarn, die sich das Feuerwerk ansehen möchten. Genau wie früher mit Steve und Hayley. Eine Tradition, rein platonisch, ganz unverbindlich.

Wir laufen Richtung Fluss. Callies Gesicht ist eingerahmt von der grauen Wollmütze, die sie sich tief in die Stirn gezogen hat, und dem weichen roten Schal, den sie sich bis zum Kinn umgeschlungen hat. Unsere Hände stecken in den Jackentaschen, die Schultern stoßen gelegentlich aneinander.

»Und, wie lange bist du schon mit Melissa zusammen?« Sie klingt aufrichtig neugierig. Was man wohl ist, wenn man Melissa begegnet.

Ich lache verlegen. »Das ist, äh, nicht ganz so, wie es aussieht.«

Ich spüre ihren Blick auf mir. »Nein?«

»Ich weiß nicht genau, ob ich das erklären kann. Oder will.«

»Warum nicht?«

»Du bekämst vielleicht ein schlechteres Bild von mir.«

Wir gehen ein paar Schritte.

»Freundschaft Plus?«, rät sie.

»Genau.«

»Das ist doch nicht so schlecht.«

»Gut ist es nicht.«

»Aber das Leben ist eben nicht perfekt.«

»Nein«, stimme ich zu und denke dabei, *das kann man wohl sagen.*

Über unseren Köpfen ein Knall, dann eine Kaskade von Lichtern, die uns einen Moment lang knallbunt färbt.

Leise Musik aus der Ferne führt uns zu Dot und ihren Wasserskifahrern am Bootshaus im Park. Es gibt einen tadellos sortierten Getränketisch und ein brandschutzkonformes Lagerfeuer in einer Tonne, wie mein Dad eine für seinen Gartenmüll hat. Es ist ein Weilchen her, dass ich eine Feier mit anderen Menschen als meinen Familienangehörigen besucht habe. Aber die Bodenständigkeit dieser Veranstaltung hat etwas Liebenswertes. Der Mann, der Marshmallows röstet, die Prozession von Leuten, die Folienkartoffeln hin und her tragen. Die Kinder, die Wunderkerzen durch die Luft schwenken.

Dot schlingt die Arme um mich, als wir ankommen. Sie stylt sich auf frühe Sechziger, mit ihren stark getuschten Wimpern und toupierten Haaren. Ihr Mantel hat etwas leicht Militärisches, ihr Schmuck ist retro.

Sie drückt mir einen Kuss auf die linke Wange und drückt mir einen Becher in die Hand. »Hallo, Gast. Wusste ich's doch.«

»Was wusstest du?«, frage ich amüsiert.

»Was trinken wir hier?«, fragt Callie hastig, die Wangen rosa von der Kälte und dem Fußmarsch.

»Guy-Fawkes-Punsch. Mein Beitrag.«

»Was ist da drin?«

Dot zuckt die Achseln. »Bisschen von allem. Hauptsächlich Rum.« So machen vermutlich die meisten Menschen Punsch.

Ich probiere einen Schluck. Er ist gut, extrem süß und stark. Wie tropischer Fruchtsaft mit Promille. Eigentlich hatte ich vorgehabt, einen Kaffee zu ergattern, aber ich kann mir meine Dosis auch später besorgen.

»Ich habe einen Mann im Visier«, vertraut Dot mir an und hakt sich bei mir ein.

Grinsend schiele ich zu Callie.

»Den Blonden da drüben. Mit dem Rücken zu uns, der mit den Marshmallows. Was meinst du?«

Es fällt mir schwer, einen Fremden nach seinem Hinterkopf zu beurteilen. »Tja, er macht einen vernünftigen Eindruck. Patent.«

Dot kippt schweigend ihren Punsch. »Ach, du hast völlig recht«, meint sie schließlich. »Der ist so was von nicht mein Typ. Er ist Kassenwart hier im Klub, du meine Güte! Sieh dir nur an, wie penibel der diese Marshmallows wendet.«

»So meinte ich das nicht …«

»Nein, es stimmt. Was hab ich mir nur dabei gedacht? In dem Mann steckt nicht der Hauch von Pyromane.«

»Sorry.« Ich rätsle, wie es mir gelungen ist, Amors Pfeil innerhalb von dreißig Sekunden so dramatisch abzulenken.

»Alles klar. Mehr Alkohol.« Damit stapft sie Richtung Bootshaus.

»Hab ich was Falsches gesagt?«

Callie lacht. »Zu deiner Verteidigung muss man sagen, du hattest wenige Anhaltspunkte.«

»Obwohl Pyromanen offenbar bei ihr ganz oben auf der Liste stehen.«

»Mach dir keinen Kopf. Dots Maßstab für den perfekten Mann ist buchstäblich unerklärlich.«

Wir laufen ein paar Meter zum dunklen Seeufer. Genauer gesagt ist es eine ehemalige Kiesgrube, umgeben von Bäumen und sandigen Pfaden. Er sieht aus wie ein Tintenfass, die Wasseroberfläche mit Mondlicht getupft.

»Mir gefällt Dots Spitzname für mich.«

»Gast? Unverwechselbar, oder?«

»Hält mich davon ab, mir zu viel einzubilden, schätze ich mal.«

Wieder lacht sie. »Sie kennt deinen Namen schon. Es muss was mit dem Punsch zu tun haben.«

»Was meinte sie mit *wusste ich's doch*?«

Callie atmet im Stakkato aus. »Ich habe keine Ahnung.«

Im vorschriftsmäßigen Abstand vom Bootshaus wechselt Dots Marshmallow-Mann die Rolle. Ein Grüppchen bildet sich, dunkel wie zusammengedrängte Pinguine, als eine Batterie von Feuerwerkskörpern pflichtschuldig losknattert.

Die Luft wird zu abstrakter Kunst, voller Pigmente. Ein Jackson Pollock mit Ton.

»Ich komme mir ein bisschen vor wie ein Teenager«, sagt Callie, als die erste Runde Raketen sich zerstreut. »Im dunklen Park rumlungern, selbst gemachten Punsch trinken.«

Ich mache eine Geste, als ginge mir ein Licht auf. »Ich wusste doch, dass ich dich irgendwoher kenne.«

Lachend dreht Callie sich zu mir um. Zögert dann. »Oh, du hast da ... Dots Lippenstift auf dem Gesicht.«

»Ah.«

»Soll ich mal?«

Ohne meine Antwort abzuwarten, zieht sie den Handschuh aus und legt die Hand an meine kalte Wange. Langsam reibt sie den Fleck mit warmem Daumendruck ab. »Da. Schon besser.«

In meinem Inneren schwingt etwas. Ich kämpfe gegen den Drang an, ihre Hand festzuhalten, ihr zu sagen, wie schön sie ist. »Danke«, stoße ich hervor.

Aus der Gruppe ruft jemand Callies Namen. Wir gehen den Grashügel hinauf Richtung Bootshaus.

»Macht ihr mit?« Dot marschiert zielstrebig auf uns zu.

»Wobei?«

Sie deutet aufs Wasser. »Die Jet-Skis anwerfen.«

Callie verschluckt sich an ihrem Punsch. »Du machst doch wohl Witze. Es ist eiskalt.«

»Dafür gibt es Neoprenanzüge.«

»Dot, du hast was getrunken. Bist du sicher, dass das nicht gefährlich ist?«

»Selbstverständlich«, sagt Dot. »Nathan ist voll ausgebildeter Lehrer.«

Callie zieht die Nase kraus. Wahrscheinlich denkt sie, wie ich, dass Nathan offenbar nur halb ausgebildet ist, da er eindeutig die Stunde geschwänzt hat, in der man lernt, sich nicht wie ein unverantwortlicher Volltrottel zu benehmen.

Dot winkt ab. »Ach, keine Sorge, er trinkt schon den ganzen Abend nur Limo.« Sie wendet sich an mich. »Hast du Lust mitzukommen, Gast?«

»Äh, nein danke. Ihr wollt mich nicht im Neo sehen. Glaub mir.«

Dot gluckst. »Wir sind doch unter uns.«

»Ich glaube, wir verzichten«, sagt Callie.

Dot wirft ihr den Arm um die Schultern und küsst sie auf die Haare. Es macht mich seltsam neidisch. »Was sage ich dir immer?«

Callie zuckt die Achseln. Dot trabt zurück zum Bootshaus, vermutlich, um weitere Teilnehmer für ihr lebensmüdes Unterfangen anzuwerben.

Ich trinke noch einen Schluck Punsch. »Was sagt sie dir immer?«

Statt zu antworten, fragt Callie nach einer kurzen Pause: »Lust auf einen Spaziergang?«

»Sorry wegen Dot. Sie findet mich alt und langweilig.«

Wir nehmen den Pfad nach Waterfen. Der Mond wirkt irgendwie heller, wie ein riesiges, in die dunkle Himmelskarte gestanztes Loch.

Obwohl sie neben mir geht, führt sie mich. Sie kennt die Strecke so gut wie ein Zugvogel seine Route, mit den Sternbildern als Kompass.

»Wie alt ist Dot überhaupt?« Das interessiert mich schon länger.

»Mitte zwanzig.« Das sagt sie, wie andere Leute *Montag* oder *Schwiegereltern* sagen würden.

»Alt heißt dann also in deinem Fall?«

»Vierunddreißig.« Sie sieht mich von der Seite an. »Und du?«

»Noch älter. Fünfunddreißig. Jenseits von Gut und Böse.«

Wir überqueren die Fußgängerbrücke, die den Eingang zum Naturschutzgebiet darstellt. Unsere Schritte klingen hoch, hohl auf dem Holz. Schatten verlängern die Stämme der Bäume, die ihre dunklen Arme recken, um uns im Dämmerlicht zu begrüßen.

»Dot sagt mir immer, ich soll mich kopfüber ins Leben stürzen.«

»Carpe diem?«

»Genau. Ich soll kickboxen und Wasserski fahren.«
»Möchtest du das denn?«
Callie grinst. Die nicht unter der Mütze steckenden Haare glitzern jetzt, feucht von Tröpfchen in der Nachtluft. »Sagen wir es mal so, bisher habe ich mich nicht erweichen lassen.«
»Vielleicht bist du einfach anders.«
Sie schweigt einen Moment, als dächte sie darüber nach. »Kann sein.«
Der Holzsteg windet sich tiefer in den Naturpark hinein, das Feuerwerk ist hier nur noch ein fernes Nachbeben. Wir sind eingehüllt in die Geräusche der Natur bei Nacht: der einsame Ruf eines Waldkauzes, das Rascheln schwerfälliger Säugetiere. Hin und wieder dringt ein Zirpen aus dem Wald.
»Nur damit du Bescheid weißt«, sage ich. »Ich habe keine Ahnung, wo wir gerade sind.« Die Dunkelheit ist verwirrend, bringt meinen Orientierungssinn durcheinander.
Sie lacht hell auf. »Keine Angst. Ich war schon oft genug nachts hier.«
»Schläfst du schlecht?«
»Manchmal.«

Wir biegen vom Steg auf einen zertrampelten Pfad ab, der an einem schmalen Damm entlangführt. Nach einer Weile teilen sich die Bäume wie ein Vorhang, und Callie bleibt stehen. Sie neigt ihren Kopf näher zu meinem. Ich kann ihr Shampoo riechen, ein Zitrusduft, der mir zu Kopf steigt.
»Das ist eine meiner Lieblingsstellen«, flüstert sie.
Vom Weg aus sieht man auf einen breiten Sumpf. Er ist üppig mit Binsen bewachsen, verziert mit silbrigen kleinen Wasserbecken. Schlafendes Wildgeflügel hockt über den nassen Boden verstreut. Als ich Callies ausgestrecktem Finger

folge, entdecke ich eine Gruppe grasender Rehe. Ihre anmutigen Gestalten sind schlank und skulptural, von Mondlicht überspült.

Wir kauern uns auf den Boden, um sie zu beobachten. Der feuchte Wollgeruch des Unterholzes steigt mir in die Nase.

»Wunderschön sind die, oder?«, raunt sie mir ganz fasziniert zu.

Ich nicke, denn wer fände sie nicht wunderschön?

Sanfte Hintergrundgeräusche umgeben uns, ein anschwellendes Flöten, ein leutseliges Gluckern. Ich frage Callie, von wem sie stammen.

»Das sind Pfeifenten und Krickenten, ziemlich lärmende Bande.«

Mein Blick wandert zurück zu den Rehen. »Sie sind wie Kunstwerke.«

»Ich liebe es, sie so zu sehen. Sie sind nervös, und sie haben ein echtes Talent, sich zu verstecken. Angeblich können sie Menschen hundert Meter weit riechen.«

Wir betrachten sie noch eine Weile, wie gut getarnte Wildtiere in unserem kleinen Unterholznest. Dann lächelt Callie mich an, ein stummes Signal zum Aufbruch.

17

Callie

Wir unterhalten uns weiter, machen kaum Atempausen, gehen wieder nebeneinander, als der Pfad breiter wird und dann einen Bogen beschreibt und sich an den Fluss schmiegt.

Ich erzähle Joel von meinen Eltern, von Mums Schneideratelier und Dads Job als Onkologe. Er fragt, wie lange ich mich schon für Natur interessiere, und ich antworte, im Prinzip mein ganzes Leben. Es war Dad, der mich zum ersten Mal nach Waterfen brachte, der in seinem Gemüsebeet ein bisschen Platz extra für mich schuf. Er lächelte immer, wenn ich zu Mums Entsetzen irgendwelche Wirbellosen aus dem Garten adoptierte, trocknete meine unvermeidlichen Tränen, wenn ich mich von ihnen trennen musste. Er brachte mir den Unterschied zwischen Fröschen und Kröten bei, zwischen Bussarden und Sperbern hoch am Himmel. An Sommermorgen setzten wir uns früh gemeinsam in den Garten, wo er mir jede einzelne Vogelstimme beschrieb. Wir bauten Käferhotels und Igelhäuschen, pressten Blumen und gingen in Teichen baden, mischten Kompost für die Würmer und Asseln an.

Ich erzähle ihm von meinem Studium, das ich nie angewendet habe, von der Stelle im Naturschutzgebiet, auf die ich mich immer noch nicht beworben habe. Die Ausschreibung erschien schon vor Wochen auf der Website, und der Einsendeschluss ist an diesem Freitag.

Er fragt, was mich abhält.

Darüber denke ich kurz nach. »Vielleicht der Gedanke an Veränderung. Ich habe das Gefühl, dass wir alle gerade erst wieder auf die Beine kommen, nach Grace. Und die Stelle ist befristet, es gibt keine Garantie auf eine Weiterbeschäftigung.«

»Aber das wäre es doch wert, oder?«

Ich runzle die Stirn. »Ich bin wohl eher risikoscheu. Meine Eltern waren immer ziemlich, hm, vernünftig, weißt du? Deshalb bin ich wahrscheinlich auch nie viel gereist. Beim Alten zu bleiben schien mir immer einfacher. Im Sinne von ... wenn man seine Träume nicht verfolgt, kann man nicht enttäuscht sein, wenn man sie sich nicht erfüllt.«

»Das Café zu übernehmen, muss dir wie ein Risiko vorgekommen sein«, bemerkt er leise. »Deinen alten Job nach so vielen Jahren zu kündigen.«

Da hat er Recht, aber meine Überlegungen waren damals von der Trauer verzerrt. Über die Angst dachte ich kaum nach, weil die Traurigkeit so viel schlimmer war; an manchen Tagen wie eine Form von Wahnsinn. Und die Arbeit im Café anzunehmen, schien wie eine Möglichkeit, Grace zu ehren, ein Sprung ins kalte Wasser, etwas aus einer Laune heraus tun. Denn so hatte sie immer gelebt.

Wir gehen weiter. Joel sieht heute toll aus, vor den Elementen geschützt durch eine dunkle Wolljacke und einen Schal. Winter passt zu ihm, denke ich, die Vielschichtigkeit dieser Jahreszeit und ihr subtiler Reiz, ihre unterschwelligen Komplikationen.

Irgendwann frage ich ihn, ob er nach jemandem benannt ist, nach Billy Joel zum Beispiel, und er sagt, nein, natürlich nicht, das wäre ja verrückt, und möchte dann umgekehrt von mir wissen, woher mein Name kommt, wobei ihm verständlicherweise keine Berühmtheit dazu einfällt.

»Also«, sage ich, »mein Vater schlug eines Abends, als meine Mutter schwanger war, beim Essen vor, mich Carrie zu nennen. Sie waren dabei, alle möglichen Babynamen durchzuprobieren, aber Dad, typisch für ihn, hatte gerade den Mund voll.« Ich grinse. »Schokotarte, dem Vernehmen nach.«

»Und sie dachte, er hat Callie gesagt?«

Ich nicke. »Mum fand das so toll, dass er es nicht übers Herz brachte, es aufzuklären. Also blieb es bei Callie. Erst an meinem achtzehnten Geburtstag erzählte er es ihr, hielt eine kleine Rede darüber im Restaurant. Und es gab natürlich Schokotarte statt Kuchen.«

»Das ist möglicherweise die beste Namensgeschichte aller Zeiten.«

»Danke. Finde ich auch.«

Ich erkundige mich nach Joels Familie, bin von Mitgefühl überwältigt, als ich erfahre, dass seine Mutter starb, als er erst dreizehn war. Viel sagt er nicht dazu, als ich nachfrage, nur dass es Krebs war und sie ein sehr enges Verhältnis hatten.

Wir laufen noch ein Stückchen weiter, bis ich, aus reiner Gewohnheit, unter der alten Weide stehen bleibe. »Als Kinder verbrachten Grace und ich Stunden auf diesem Baum. Wenn man da oben sitzt …«

»… kann man die Welt unbemerkt bespitzeln.«

»Du hast das auch gemacht?«

Als er nickt, spüre ich den Funken einer neuen Verbindung, ein plötzliches Kribbeln im Bauch.

»Tja«, sagt Joel nach einer kleinen Pause. »Man sagt ja, Feuerwerk genießt man am besten von oben.«

Also klettern wir zusammen, peinlich ungelenk, in die breite Krone der Weide, wo ich ihm die Initialen zeige, die Grace und ich in die Rinde geritzt haben. Jenseits unseres kleinen Schlupfwinkels tanzt immer noch das Feuerwerk über den Horizont, das Schwarzpulver donnert wie die Schritte eines Riesen.

Wir betrachten es noch ungefähr zwanzig Minuten, bis endlich Stille einkehrt und der Himmel wieder in den Schlaf sinkt.

Gerade wollen wir vom Baum klettern, da taucht eine Schleiereule aus den Schatten auf, ihre helle Flugbahn so bezaubernd wie Schneefall. Sie gleitet an uns vorbei, steigt dann steil empor und verschwindet wie Dunst hinter den Bäumen.

Als ich am nächsten Abend vom Essen bei Esther zurückkomme, steht eine weiße Pappschachtel auf meiner Fußmatte. Darin ist ein Stück Schokotarte aus der sizilianischen Konditorei, die ich so liebe, mir aber nicht oft leisten kann. Dabei liegt ein Zettel.

Deine Geschichte hat mich zum Lächeln gebracht.
J
PS: Ich war mir gestern nicht sicher, ob ich das sagen darf, aber bitte denk daran, was für dich gut ist. Bewirb dich um die Stelle.

18

Joel

Die Tarte war ein Fehler. Das ist mir jetzt klar. In die Konditorei zu gehen, das schönste Stück auszusuchen, beim Einpacken zuzusehen. Die ganze Zeit pochte mein Herz so wild, dass ich überhaupt nicht nachgedacht habe.

Ich möchte einfach nur etwas Nettes tun. Ihr ein Lächeln auf das Gesicht zaubern, einen kleinen Lichtblick in ihren Tag bringen. Warum, kann ich gar nicht genau sagen. Aber so geht es mir, seit wir uns kennen.

Deshalb war ich enttäuscht, dass sie die Tür nicht aufmachte. Fand es sehr schade, dass ich einen Zettel schreiben musste.

Erst ein paar Minuten später in meiner Wohnung gestand ich mir die Wahrheit ein. Wenn ich nur ein Fünkchen Anstand im Leib hätte, würde ich, was auch immer sich da zwischen uns entwickelt, im Keim ersticken. Denn nichts hat sich verändert, seit Mum starb oder ich mich von Kate trennte oder Vicky mich verließ. Und es wird sich auch nie etwas ändern.

Tatsache ist aber, dass uns nur ein paar Holzdielen trennen. Und am nächsten Morgen, gerade als ich denke, ich sollte mich mehr um Abstand bemühen, klopft es an meiner Tür.

Ich stehe mitten im Wohnzimmer, will schon aufmachen. Dann fallen mir all die Gründe, die dagegensprechen, wieder ein, und ich schließe die Augen. Warte, bis sie gegangen ist.

Auf dem Spaziergang mit den Hunden im Park am Nachmittag gebe ich Dad Bescheid, dass ich es diesen Sonntag nicht zum Mittagessen schaffe.

Ich spüre einen Stich in der Brust, als ich die Nachricht abschicke. Eine weitere Beziehung, die in die Brüche geht, weil ich zu viel weiß. Noch ein Moment, den ich niemals zurückspulen kann.

Ich spiele alles im Geiste noch einmal durch. Sehe sein Gesicht vor mir, als er die Worte sagt.

Du bist nicht mal mein Sohn! Ich bin nicht mal dein Vater!

Ist das der Grund, warum ich nie so recht mit ihm harmonierte? Warum ich ständig das Gefühl hatte, für ihn eine Enttäuschung zu sein? Es schien immer, als wäre Doug der Sohn, auf den er gewartet hatte, was ich eine Zeit lang auf ihre gemeinsamen Leidenschaften schob. Alles von Modelleisenbahnen über rotes Fleisch bis hin zu Rugby und Zahlen. (Doug übernahm Dads Buchhaltungsfirma, als er in Rente ging).

Aber vielleicht gibt es zum ersten Mal Anzeichen dafür, dass mehr dahintersteckte.

Würde das nicht einiges erklären, falls es stimmt? Auch wenn es eine lebensverändernde Frage mit sich brächte: Wer und wo ist mein richtiger Vater?

19

Callie

Am Morgen, nachdem ich die Schokotarte gefunden habe, mache ich den Fehler, Dot davon zu erzählen. Sofort sprudelt sie vor Strategie, schäumt über vor Taktik, die selbst ernannte Programmiererin meines Liebeslebens.

Aber ich möchte bei Joel keine Taktik anwenden. Das brauchte ich bei Piers, als selbst zu Beginn jeder gemeinsam verbrachte Moment eine Kehrseite hatte – als würde man sich die Zunge an etwas Leckerem verbrennen oder ein großartiges Outfit anprobieren, in dem man sich aber ein bisschen dick vorkommt.

Im Gegensatz dazu ist das Zusammensein mit Joel immer so unkompliziert, so angenehm. Er wärmt mich durch, statt mich innerlich frieren zu lassen. Mal abgesehen davon, dass ich seit der Nacht, als ich ihn mit Melissa gehört habe, keinen Zweifel daran habe, wie sexy ich ihn finde.

Heute Morgen auf dem Weg zur Arbeit habe ich bei ihm geklopft, aber er hat nicht aufgemacht, und man hörte auch kein Geräusch in der Wohnung. Also schob ich einen Zettel unter der Tür durch.

Darauf stand nur:

Die Schokotarte hat mich zum Lächeln gebracht (und wie).
Danke.
C.
PS: Ich hab mich auf die Stelle beworben.

20

Joel

Steve hat mich auf irgendeinen gesunden Saft eingeladen. Drei Mal hat er jetzt schon gefragt. Offen gestanden ist das genau die Art von Einladung, die ich normalerweise ablehne, aber ich habe immer noch ein schlechtes Gewissen wegen meines Verhaltens ihm gegenüber in letzter Zeit. Also treffe ich mich mit ihm in dem Café des Fitnessstudios, in dem er arbeitet. Ich rechne damit, dass allein das schon eine Form von Buße ist.

Ich hatte Recht. Aus einem Lautsprecher über uns wummert Migräne auslösender House, vor dem ich schon aus Clubs geflohen bin. Und da hatte mir Steve noch nicht den Saft über den Tisch geschoben, der besorgniserregend nach Tomatensuppe aussieht.

»Was ist da drin?« Ich bin heute ziemlich müde und hoffe, dass er wider Erwarten ein bisschen Koffein enthält.

»Karotte und Rote Bete. Grünkohl. Orangensaft. Das entschlackt«, sagt er. Das soll wohl rechtfertigen, dass sie rohes Gemüse püriert und ihm das Ergebnis für fast fünf Pfund angedreht haben.

Egal, Buße.

Ungefähr zehn Minuten lang unterhalten wir uns. Er

zeigt mir Fotos von der neuen Wohnung auf dem Handy. Erinnert mich daran, dass Poppy im neuen Jahr eins wird, berichtet, dass es bei Hayley gut klappt mit dem Wieder-Arbeiten. Es ist schwer, sich nicht von seinem Bizeps ablenken zu lassen, während er spricht. Ich sehe ihn unter der Haut zucken, als dürfte man ihn nicht zu lange von der Hantel trennen.

Ich fühle mich hier ziemlich deplatziert, in meiner Jeans, den langen Ärmeln und Stiefeln.

Irgendwann legt er das Handy beiseite. »Wie ist Callie so?«

Ich halte es neutral. »Super. Echt nette Nachbarin. Scheint mir eine gute Mieterin.« Ich denke an ihren Zettel, der jetzt in meiner Küche steht. Wie schwer es in letzter Zeit war, mein Verhältnis zu ihr rein platonisch zu sehen.

»Na gut.« Steve grinst ironisch. »Kannst dich später bei mir bedanken.«

Darauf erwidere ich nichts. Was mir leider keine andere Wahl lässt, als noch einen Schluck von dem Flüssiggemüse zu nehmen.

»Und, wie läuft es so bei dir? Du weißt schon, Leben, Arbeit, Gesundheit.«

»Eigentlich unverändert.«

»Immer noch kein Job?«, meint er, als sprächen wir von jemand anderem. »Deine Ersparnisse müssen ja nur so wegschmelzen.«

Ich murmle eine Bestätigung. Das ist ein wunder Punkt, hauptsächlich weil es stimmt. Ich habe wie ein Mönch gelebt, um Geld zurückzulegen, mir ein von einer Großtante geerbtes Wertpapierdepot auszahlen lassen. Ich lebe sparsam (Café-Besuche sind mein einziger Luxus). Und ich habe das

Glück, einen finanziellen Analphabeten zum Vermieter zu haben, der in den letzten zehn Jahren genau ein Mal die Miete erhöht hat. Trotzdem wird das Geld nicht ewig reichen.

Steve hat sich nie gescheut, mir persönliche Fragen zu stellen, was ich hauptsächlich dem Selbstbewusstsein zuschreibe, das eine Gladiatorenstatur mit sich bringen muss. Aber er hat auch eine Herzlichkeit an sich. Eine Freundlichkeit, die er wie einen zusätzlichen Muskel durch jahrelangen Umgang mit Kunden trainiert hat, durch Zuhören, während sie ihm bei ihren Sit-ups keuchend ihre Probleme anvertrauen.

Steve stellt seinen Smoothie ab. Reibt an einem nicht vorhandenen Fleck auf dem Tisch. Und dann, einfach so, eine Handgranate von einer Frage. »Hab ich dir schon mal erzählt, dass ich Neuropsychologie studiert habe?«

Mühsam bringe ich hervor, dass nein, er mir das noch nie erzählt hat.

»Was ich damit sagen will ... falls du mal reden willst ...« Er öffnet die verdammte Tür und lässt sie in den Angeln schaukeln. Aber die Landschaft dahinter sieht kalt und ungewiss aus.

»Warum? Ich meine, warum arbeitest du hier, wenn du Neuropsychologe bist?«

»Muss es dafür einen Grund geben?«

Ich mustere seinen fast das T-Shirt sprengenden Brustkorb. Dann versuche ich vergeblich, mir ihn in einem weißen Kittel vorzustellen. »Ja«, sage ich blinzelnd. »Ehrlich gesagt, muss es das.«

Ein Achselzucken. »Ich hab mich damals in einem Fitnessstudio angemeldet, um besser mit dem Lernstress umgehen zu können, und dann gemerkt, dass mir das hier einfach viel besser liegt. Also fing ich während meiner Dissertation an, in Teilzeit als Trainer zu arbeiten, und hatte das Gefühl, dazu wäre ich einfach geschaffen.«

Du lieber Himmel. Eine Dissertation. »Du hast einen Doktortitel?« Warum stand davon nie was auf seiner Post, warnte mich vor dieser Alarmstufe Rot?

»Nee. Hab nach drei Jahren abgebrochen. Wobei Hayley mich manchmal gern Doktor nennt ...«

Ich unterbreche ihn, indem ich kurz die Hand hebe. »Warum erzählst du mir das jetzt?«

»Ich dachte, es interessiert dich vielleicht.«

»Im Sinne von, ob ich deine Dienste in Anspruch nehmen möchte?«

Ohne Vorwarnung schießt mir mein Hausarzt an der Uni in den Kopf. Ich sehe sein spöttisches Gesicht immer noch vor mir, als säße er mir gegenüber. Den Seitenblick, den Hohn. Die unerklärliche Verärgerung.

Steve schüttelt den Kopf. »So nicht. Ich bin kein Therapeut. Ich wollte nur sagen, wenn du jemals Lust zum Plaudern hast, ich verstehe möglicherweise mehr, als du denkst. Ich stemme nicht nur Gewichte.«

Ich kann nicht behaupten, groß darüber nachgedacht zu haben, aber ich hätte nicht unbedingt auf Gehirnspezialist getippt, wenn man mich zu seinem beruflichen Werdegang gefragt hätte. »Hast du es je bereut?«

»Was?«

»Nicht weitergemacht zu haben.«

»Nie. Dann hätte ich Hayley doch nicht kennengelernt, und es gäbe Poppy nicht.« Er sieht sich in dem Café um. »Außerdem ist das hier viel besser, als in einem anonymen

Labor zu stehen. Ich darf trotzdem die Köpfe anderer Menschen positiv beeinflussen. Nur direkter.«

»Wieso hast du mir nie angeboten, mit dir zu trainieren?« (Ich frage hauptsächlich aus Neugier.)

»Du kamst mir nie so wie der Sportler vor.«

»Ich gehe viel spazieren«, protestiere ich.

»Nimm's mir nicht übel, Joel, aber meine Oma auch.«

»Aber gehört Motivation nicht zum Job?« Ich habe Steve schon im Park ächzende Trainingsteilnehmer anbrüllen hören, dass Schmerz nur Schwäche ist, die aus dem Körper entweicht.

»Trotzdem muss man es wollen.«

Ich sehe auf meine halb getrunkene kalte Tomatensuppe hinab. Wenn Steve schon ahnt, dass ich ein hoffnungsloser Fall bin, dann kann diese traurige orange Pampe auch schön in dem Glas bleiben, wo sie hingehört.

»Hör mal, ich wollte nur sagen, wenn du mal was brauchst …«

»Du könntest mir tatsächlich einen Gefallen tun.« Es geht um Callie.

Kurz darauf gehe ich, durcheinander und mich leicht entblößt fühlend. Als hätte ich einige Schichten von mir selbst im Winterwind verloren. Als wäre mir ein schützender Schal entrissen worden, den ich nie wiederbekomme.

Den ganzen Heimweg über denke ich an das, was Steve mir erzählt hat. Dass er schon einen Weg eingeschlagen, dann aber die eine Sache gewagt habe, die ihn glücklich mache.

Und für mich ist das die Bekanntschaft mit Callie. Sie macht mich glücklich, wenn ich sie zu Hause oder im Café sehe. Ich möchte nicht aufhören, sie zu treffen. Sie berührt einen Teil von mir, den ich schon ganz vergessen habe.

Besser, sie als Freundin zu kennen, als gar nicht. Selbst wenn daraus, in einem anderen Leben, mehr hätte werden können.

Universität. Eine Zeit, in der intensives Lernen, ein klaustrophobischer Bekanntenkreis und Phasen mit null Schlaf meinem ohnehin kranken Kopf zusetzten. Immer wieder schwänzte ich den Unterricht oder tauchte völlig erschöpft auf. Mein Studium schien gefährdet, ehe es richtig angefangen hatte, und etwas musste sich ändern.

Also beschloss ich im zweiten Semester, zum Arzt zu gehen.

Ich brauchte mehrere Monate, um mich dazu durchzuringen. Lukes Unfall und Mums Tod waren immer noch sehr präsent, als hätte ich Angst, ich könnte rückwirkend zur Verantwortung gezogen werden. Oder vielleicht würde ich für geisteskrank erklärt, gegen meinen Willen eingewiesen. (Die Reaktion meines Vaters, König der Ungerührtheit, konnte ich mir vorstellen, sollte das jemals passieren.)

Ich kannte den Uni-Arzt bis dahin noch nicht. Er war alt, was vielleicht Vertrauen eingeflößt hätte, wenn er nicht schon so ungeduldig gewirkt hätte, bevor ich mich auch nur hinsetzte.

Das Behandlungszimmer war düster, von Jalousien abgedunkelt. Es roch steril. Nach Desinfektion und Desinteresse.

»Schlaflosigkeit«, lautete seine geblaffte Zusammenfassung dessen, was ich ihm atemlos zwei Minuten lang berichtet hatte. In dem Moment war ich ganz aufgedreht vor Hoffnung, allein schon, weil ich es durch die Tür geschafft hatte. Jetzt bekam ich doch sicherlich die Hilfe, die ich so verzweifelt brauchte. Vielleicht kannte er sogar ein Heilmittel.

»Ja«, erwiderte ich. »Wegen der Träume. Meiner Vorahnungen.«

Da hörte er auf zu tippen und kniff die Augen zusammen. Offenbar hatte er keine Lust, das zu vermerken. Ein Grinsen umspielte seine Lippen, die derart rissig waren, dass möglicherweise keine Creme dagegen half. »Freunde, Mr. Morgan?«

»Wie bitte?«

»Haben Sie hier viele Freunde, oder hatten Sie Probleme? Sich einzufügen.«

Die Wahrheit war, dass ich schon immer Probleme hatte. Nach der Sache mit Luke zog ich mich von Gleichaltrigen zurück. Wurde eher ein Einzelgänger. Meine Träume beanspruchten den Raum in meinem Kopf, den ich für soziale Kontakte gebraucht hätte, daher konnte ich die Freundschaften, die ich geschlossen hatte, an einer Hand abzählen. Aber das war ein verdammtes Symptom. Nicht die Ursache. Ausgerechnet ein Arzt sollte das doch wohl erkennen.

»Pillen?«, fuhr er fort, da ich nicht antwortete.

»Wenn es was gibt, ich probiere alles aus.«

Ein herablassendes Lächeln. »Nein. Ich meinte Drogen. Nehmen Sie irgendwas?«

»Ach so. Nein, nie.«

Dass er mir nicht glaubte, vermittelte er mir über direkten Augenkontakt. »Und Sie nehmen keine Medikamente.«

»Nein.« Ich probierte es noch einmal. »Hören Sie, ich habe geträumt, dass meine Mutter stirbt. Und so war es auch. Sie starb an Krebs.« An diesen Worten hätte ich ersticken können.

»Frische Luft«, beschied er knapp, als hätte ich gar nichts gesagt. »Viel Bewegung, kein Alkohol und die hier.« Er kritzelte ein Rezept und reichte es mir.

»Ich bewege mich sowieso viel und trinke wenig ...«

»Die sind gegen die Schlaflosigkeit. Lesen Sie auf jeden Fall den Beipackzettel.«

»Aber die Schlaflosigkeit«, sagte ich zittrig, »ist nicht das eigentliche Problem. Die ist mehr eine Nebenwirkung.«

Er rutschte auf seinem Stuhl herum und räusperte sich unappetitlich. »Hatten Sie vorhin im Wartezimmer einen Sitzplatz, Mr. Morgan?«

»Ja, ich ...«

»Glück gehabt. Manchmal kann man nur stehen. Studenten sind ein kränklicher Haufen.« Er beugte sich vor und stach mit dem Kuli auf seinen Block ein, als wäre er wütend. Als hätte ich wissentlich gegen eine Regel verstoßen, die jeder kannte außer mir. »Ich kann mich nur mit einer Sache pro Termin befassen.« Seine Miene drückte totale Verachtung aus. Sie fraß sich in meinen Magen wie Säure.

Ich weiß nicht, woran es lag (schlechter Tag, private Probleme), aber irgendetwas an meiner Anwesenheit an jenem Nachmittag hatte ihn sehr geärgert. Unversehens erinnerte er mich an meinen Vater.

Eine Stille entstand, in die Länge gezogen vom Ticken der Uhr auf seinem Schreibtisch. Billiges weißes Plastik mit einem dicken lila Pharmafirmenlogo darauf.

Aber ich musste es versuchen. Ein letztes Mal. Es hatte mich so viel gekostet, den Termin zu machen, in die Praxis zu gehen. Die Worte zu wiederholen, die ich seit Tagen vor meinem Badezimmerspiegel probte.

»Gibt es irgendwas Neurologisches ... Könnte was mit

meinem Gehirn nicht in Ordnung sein? Mit den Vorahnungen ...«

Sein Lachen schnitt mir das Wort ab. Ein echtes Lachen. Eins, bei dem überraschenderweise sein humorloses Gesicht aufleuchtete. »Also, Sie können natürlich nicht die Zukunft voraussehen. Ich weiß nicht, ob das ein Scherz ist oder eine Mutprobe, zu der man Sie angestiftet hat, aber Sie verschwenden meine Zeit. Und jetzt raus aus meiner Praxis.«

21

Callie

Als ich Joel ungefähr eine Woche nach der Party am Bootshaus morgens im Café sehe, weiß ich, was ich machen werde. Ich habe geübt, wie ich ihm den Vorschlag unterbreite – nur ist jetzt mein Mund ganz trocken, und ich schwanke leicht, was wahrscheinlich auch nicht hilfreich ist.

Ich stelle ihm seinen doppelten Espresso hin, die Tasse klappert. »Morgen.«

»Hallo.« Er sieht auf. Obwohl seine Augen müde wirken, ist sein Lächeln freundlich.

Mein Herz ist wie eine Faust, die meine Rippen zertrümmern möchte. »Gestern Abend hab ich eine Mail bekommen. Ich bin zum Vorstellungsgespräch in Waterfen eingeladen.«

Sein ganzes Gesicht erhellt sich. »Wow, Glückwunsch. Das sind ja großartige Neuigkeiten.«

Ich seile mich zu meiner nächsten Frage ab. *Denk nicht drüber nach, tu's einfach.* »Also, dieser neue Italiener am Fluss wird ja total gelobt. Angeblich hervorragende Spaghetti al pomodoro. Hättest du vielleicht Lust, den heute Abend mal auszuprobieren und mir dabei ein paar Tipps für das Vorstellungsgespräch zu geben?«

Er wirkt leicht verblüfft, was allerdings auch daran liegen könnte, dass es neun Uhr morgens ist, an der Theke die Kunden Schlange stehen und ich dumm an seinem Tisch rumstehe und von Spaghetti schwafle.

Da lehnt sich plötzlich die Frau vom Nachbartisch herüber. »Den hab ich gestern ausprobiert. Fantastisch. Kann ich definitiv empfehlen.« Sie hält Daumen und Zeigefinger an die gespitzten Lippen.

Am liebsten würde ich sie küssen. Stattdessen lächle ich nur, wende mich wieder Joel zu und warte ab, mit vor stummer Qual verkrampftem Magen.

Endlich schluckt er und gibt mir die Antwort, um die ich gebetet habe. »Ist gut. Warum nicht?«

Als wir darauf warten, an unseren Tisch gebracht zu werden, beschreibt Joel mir seinen Hundespaziergang.

»… Tinkerbell also, die Malteserhündin, reißt aus Richtung Mülltonnen. Und ich laut brüllend hinterher …«

Er spielt es pantomimisch nach. Jetzt lache ich so heftig, dass ich Tränen in den Augen habe.

»Sie ist eigentlich ein als Wischmopp verkleideter Hooligan. Sehr auswärtsgerichtet.«

»Auswärtsgerichtet?«

»Das ist der Fachausdruck für *Leck mich, ich bin weg.*«

»Na ja, das kannst du ihr schlecht vorwerfen.« Ich tupfe mir die Augenwinkel mit meinem Schal. »Ich meine, für Tinkerbell bist du wahrscheinlich nur eine Auffrischungsimpfung auf zwei Beinen.«

Er lacht ebenfalls. »Auch wieder wahr. Daran hatte ich noch nicht gedacht.«

»Ich kann immer noch nicht glauben, dass du kostenlos

fremde Hunde ausführst. Sind die Besitzerinnen sehr attraktiv oder so?«

»Tja, mal sehen. Iris ist fünfundachtzig. Und Mary geht auf die neunzig zu. Und ich muss schon sagen, wenn ich fünfzig Jahre älter wäre …«

Immer noch prustend winke ich ab. »Ich weiß, dass ich davon angefangen habe, aber jetzt wünschte ich, ich hätte es gelassen.«

Eine Kellnerin kommt auf uns zu.

»Sorry.« Joel grinst. »Ich schalte jetzt mal zurück mit meinem grenzwertigen Humor.«

»Nein, bitte nicht. Grenzwertig ist mein Lieblingshumor.«

Ich spüre es, denke ich, als wir an einem gemütlichen Ecktisch sitzen. Joels Gesellschaft gibt mir ein so warmes Gefühl wie immer; andererseits kann er schwer zu deuten sein. Ich bin nicht sicher, ob er unbedingt missverständliche Signale sendet, aber ich weiß einfach nicht, ob er mich als mehr als nur eine Freundin sieht. Ab und zu, wenn unsere Blicke sich begegnen und ich dieses Magnetziehen in der Brust spüre, denke ich, vielleicht schon – und dann ist es, als würde sich in seinem Kopf ein Schalter umlegen, und er klappt all seine Gefühle ein und schiebt sie weg, außer Reichweite.

Außerdem ist mir immer noch nicht so ganz klar, was das zwischen ihm und Melissa genau ist. Er hat gesagt, sie seien Freunde Plus, aber das könnte tausend verschiedene Dinge bedeuten. Ich möchte fragen, weiß aber noch nicht, ob ich mich wirklich traue. Manchmal strahlt er so eine Zurückhaltung aus, und das Letzte, was ich will, ist, ihm zu nahe zu treten.

»Ich liebe es, aus so was zu trinken«, sage ich, als unsere Kellnerin eine Karaffe Rotwein und zwei Gläser ohne Stiel auf den Tisch stellt. »Das gibt mir das Gefühl, irgendwo am Mittelmeer in einem Straßencafé zu sitzen.«

Lächelnd gießt Joel ein, reicht mir ein Glas.

»Übrigens wollte ich mich noch bei dir bedanken«, sage ich. »Dass du mit Steve gesprochen hast.«

Joel hat sich am Wochenende mit ihm getroffen, die Murphy-Situation geschildert und das Ganze geklärt, so dass ich mir keine Sorgen mehr machen muss, erwischt zu werden.

»Das hast du doch schon.«

Ja, stimmt, als er es mir erzählt hat, aber da habe ich nur gestammelt, weil die Tränenproduktion angeworfen wurde. »Das ist jetzt mein offizielles Danke.«

Er stößt mit mir an, ein Zwinkern in den Augen. »Nein, das ist meine offizielle Gratulation.«

»Kommt mir etwas verfrüht vor«, gestehe ich. »Noch habe ich die Stelle nicht, und ich bin leider auch schrecklich bei Vorstellungsgesprächen.«

»Das glaube ich dir nicht.«

»Doch, ehrlich. Ich zittere, schwitze, das volle Programm. Die brauchen nur zu fragen: *Warum wollen Sie denn im Naturschutz arbeiten, Miss Cooper?*, und ich fange wahrscheinlich an zu heulen.«

Sein Blick ruht auf mir. »Tja, falls es so kommt, zeigt es ihnen doch nur, welche Leidenschaft du dafür hast.«

Obwohl draußen eisig, ist es im Restaurant wohlig warm, und Joel hat seinen Pulli ausgezogen. Er sieht wundervoll aus mit seinen bloßen Armen, freundlich und gelassen. Nach reiflicher Überlegung habe ich mich heute für leger-schick entschieden, meine schönste Jeans und dazu die Seidenbluse mit den Sternchen, die zu kaufen Grace mich überredet hat, nur Wochen vor ihrem Tod.

Ich trinke einen Schluck Wein. »Was hast du bei deinem Vorstellungsgespräch gesagt, als sie gefragt haben, warum du Tierarzt werden wolltest?«

»Haben sie eigentlich nicht. Zumindest nicht für meine Stelle.« Sein Gesicht ist halb von seinem Glas verdeckt. »Da ging es mehr um Fachgebiete und Gerätschaften und Zeugnisse.«

»Aber bei der Bewerbung um den Studienplatz müssen sie doch gefragt haben.« Ich stupse sein Knie mit meinem an. »Bitte, sag schon. Ich brauche alle Hilfe, die ich kriegen kann.«

»Okay. Aber denk dran, ich bin nicht mal mehr Tierarzt. Was weiß ich schon?«

»Mir zuliebe.«

»Tja, ich bin mit Tieren aufgewachsen. Mein Vater war nicht so begeistert, aber für meine Mutter hat er alles getan. Und sie hat Tiere geliebt. Wir hatten Kaninchen, Meerschweinchen, Enten, Hühner. Ich habe auch unentgeltlich im Tierheim gearbeitet, Käfige reinigen. Da hatten wir auch unseren Hund her, Scamp. Er war mein bester Freund. Wir haben alles zusammen gemacht, den Wald erkundet, Stunden unten am Fluss verbracht. Er war immer bei mir. Wir waren unzertrennlich.

Und Scamp wollte immer rennen. Ich habe nie versucht, ihn aufzuhalten, weil er sowieso nie lange von mir wegbleiben wollte. Jedenfalls, eines Abends waren wir auf einem Waldweg spazieren, und er stürmte einem Hasen hinterher. Was relativ normal für ihn war, nur dass er dieses Mal nicht zurückkam. Also rief ich nach ihm und rief und rief, aber nichts.« Joels Stimme verdunkelt sich etwas. »Ich blieb draußen, bis es dunkel war, und suchte nach ihm, dann habe ich Mum geholt.« Er stockt. »Irgendwann haben wir ihn gefunden. Er hatte versucht, durch einen Stacheldrahtzaun zu laufen, und war daran hängen geblieben. Der Blutverlust war ... Tja, wir hatten keine Chance. Aber es war, als hätte er darauf gewartet, dass wir ihn finden. Er bekam kaum noch Luft und sah mich an, als wollte er sich dafür entschuldigen, weggelaufen zu sein. Ein paar Sekunden später starb er in meinen Armen.«

Ich spüre meine Augen feucht werden.

»Vorher habe ich ihm noch gesagt, dass ich ihn liebe. Und dann hielt ich ihn nur im Arm, bis die Wärme aus seinem Körper gewichen war. Das war der Tag, an dem ich wusste, dass ich mich um Tiere kümmern will. Bei meinem Bewerbungsgespräch sollte ich eigentlich nicht rührselig werden und sagen, dass ich Tiere liebe. Ich sollte über meine Arbeitserfahrung und Zukunftspläne sprechen, welche Fähigkeiten ich mitbrachte. Aber für mich gab es kein anderes Wort, um meine Gefühle zu vermitteln. Alles andere hätte zu kurz gegriffen. Es war Liebe.«

Ich lächle, obwohl mir das Herz schmerzt. »Klingt für mich, als wärst du immer noch Tierarzt.«

Bei Bergen von Pasta und Ciabatta sieht Joel sich im Restaurant um. »Weißt du, ich kann mir vorstellen, dass Italien überhaupt nicht wie diese ganzen charmanten Pseudofresken ist.«

Ich muss lachen. Sie haben sich wirklich bemüht, aber die Schablonentempel und quietschbunten Piazze sind keine sonderlich ernsthafte Konkurrenz für Michelangelo.

»Du solltest Rom auf deine Liste schreiben.« Er bricht ein Stück Brot ab und tunkt es in Öl. »Angeblich eine der grünsten Städte Europas.«

»Da war ich sogar schon. Und es ist wirklich wunderschön.«

»Familienurlaub?«, fragt er locker. Ich habe das Gefühl, dass er die falsche Antwort anbietet und darauf hofft, sie gegen die richtige einzutauschen.

»Nein, mit meinem Ex. Piers.«

Joel nippt am Wein, kommentiert das nicht.

Ich überlege krampfhaft, was ich sagen, wie ich einen Urlaub am besten beschreiben soll, der wunderbar und entsetzlich zugleich war. »Ich war einfach … viel allein unterwegs, in den Parks und Ruinen, am Fluss. Einmal habe ich so einen unglaublichen Rosengarten gefunden.« Ich erinnere mich lebhaft an diesen Tag, blauer Himmel, die Luft geschwängert vom Duft der Blüten. »Na, jedenfalls hat Piers kaum das Hotel verlassen. Die meiste Zeit war er am Pool. Wir waren ziemlich gegensätzlich. Er war eher der Typ Playboy, bisschen angeberisch. Rom war unser drittes Date. Seine Idee, nicht meine.«

Joel lächelt. »Angeberisch, allerdings.«

»Bei ihm jagte immer ein Drama das nächste, weißt du? Prügeleien, Schulden. Von Zeit zu Zeit verschwand er einfach. Zerstritt sich mit Leuten, schlitterte von Krise zu Krise. Früher dachte ich, dass ich mir vielleicht extra jemanden suchen sollte, der überhaupt nicht mein Typ war.« Ich stocke. »Das war ein Fehler. Man hat mit gutem Grund einen Typ, wie sich zeigt.«

Joel wickelt Spaghetti um seine Gabel, die Miene nachdenklich. »Lieber auf Nummer sicher gehen, meinst du?«

Einen Moment lang bin ich nicht ganz sicher, wie ich darauf antworten soll. »Oder zumindest Dramen vermeiden. Ja.«

Ein Ausdruck huscht über sein Gesicht, den ich nicht deuten kann, aber er ist so schnell verschwunden, wie er kam.

22

Joel

Als wir gestern aus dem Restaurant nach Hause kamen, spielte ich mit dem Gedanken, Callie noch auf einen Kaffee einzuladen. Ein paar Sekunden lang hatte ich den Satz startbereit.

Aber im letzten Moment bremste ich mich.

Callie hat gesagt, sie hat keine Lust auf Dramen: ein weiteres Warnsignal, warum das mit uns nichts werden darf. Schon mein ganzes Leben lang sind meine Tage und Stimmungen von meinen Träumen geprägt und dadurch von einem ewigen Auf und Ab. Wie Vicky einmal feststellte, bin ich das genaue Gegenteil von stabil, die Antithese zu berechenbar.

Also lasse ich die Worte, süß, aber nur flüchtig, wie Sorbet auf der Zunge zergehen.

Selbstverständlich habe ich den Abschied grauenvoll vermasselt. Ich konnte mich nicht entscheiden und probierte es dann mit Küsschen rechts, Küsschen links, worauf weder sie noch ich vorbereitet war. Krönte das Ganze noch mit einem unverständlichen Murmeln über französische Sitten, während unsere Nasen gegeneinanderstießen.

Seitdem bin ich in Deckung gegangen.

Ich bin im Haus meines Vaters in der Hoffnung, die Wahrheit über meinen Traum zu enthüllen. Zum Glück ist er freitags immer auf der anderen Seite der Stadt, vertieft in seine Hobbyschreinerei. Kommt voller Sägemehl und Späne nach Hause, mit dem Duft von frisch geschnittenem Holz.

Einmal habe ich geträumt, dass er sich eine Fingerspitze absägt, ihm zu seiner Verblüffung kurz darauf Schutzhandschuhe geschenkt. Letzten Endes funktionierte es, weil Dad das Alter erreicht hat, in dem er diverse Handschuhe verwendet. Leder zum Fahren, Latex für die Tankstelle. Gummi zum Abspülen und ein Paar mit längeren Stulpen zum Putzen des Klos.

Er bewahrt Mums Sachen in Kartons in Tamsins ehemaligem Zimmer auf. Bisher habe ich sie mir selten angesehen, und jetzt weiß ich wieder, warum.

Dad hat den Menschen, der meine Mutter war, in Kategorien eingeteilt. Vielleicht musste er das. Es heißt ja, Trauer sei ein Prozess, und er hat ihn verdammt prozessual angegangen. KLEIDUNG. BÜCHER. SCHUHE. DIVERSES. UNTERLAGEN.

Ich stelle meinen Kaffeebecher ab, klappe den Karton DIVERSES auf. Ich muss mich beeilen: Wie ich ist Dad zwar ziemlich berechenbar in seinen Gewohnheiten, schafft es aber – ganz der Möchtegernpolizist – immer wieder, andere zu erwischen.

Die Kiste ist voller mit Gummiband zusammengehaltener Fotos, alter Artikel, die sie aus Zeitungen und Zeitschriften herausgerissen hat. Eintrittskarten und Krimskrams, wie die mundgeblasene Glasschale, die Dad ihr mal zu Weihnachten geschenkt hat. Schmuckschachteln, selbst ein paar Parfümfläschchen. (Ich traue mich nicht, sie anzufassen, geschweige denn eine in die Hand zu nehmen. Die Angst, an ihren Duft erinnert zu werden, die Wärme ihrer Arme wieder um mich zu spüren, ist zu groß. Während der Chemo wurde ihre Haut zu empfindlich für Parfüm, und sie sagte oft, dass sie sich ohne nicht wie sie selbst fühlte. Noch lange nach ihrem Tod fühlte das Haus sich auch nicht wie es selbst an. Da ihr Duft darin fehlte.)

Ich blättere durch die Fotos. Es sind hauptsächlich welche von unserer Familie, die es nicht nach unten in die Alben geschafft haben. Keines davon gibt irgendeinen Hinweis. Also wende ich mich dem Karton UNTERLAGEN zu. Wahrscheinlich stelle ich mir eine Geburtsurkunde oder einen Stapel Briefe vor. Irgendeine Schwarz-auf-Weiß-Verbindung zu meiner Vergangenheit vielleicht. Aber da ist nichts. Nur bergeweise Bank- und Versicherungskorrespondenz, ein dickes Bündel Krankenhausschreiben. Es ist seltsam, das erste davon zu lesen, den Brief an Mums Hausarzt mit der Bestätigung der Ergebnisse der Biopsie.

Ein paar Sätze auf einem Blatt Papier, und unser Leben war auf immer verändert.

Wieder sehe ich in mein Notizbuch, auf das, was Dad in meinem Traum zu mir sagte. Die Traurigkeit brodelt in mir, noch verstärkt von den Erinnerungen, die durch diese Kisten gerade geweckt wurden.

Da knallt unten eine Tür.

»Joel?«

Meine Schwester. Ich entspanne mich. »Hallo«, rufe ich.

»Hab deinen Wagen gesehen.«

»Warte mal kurz.« Ich stopfe alles zurück in die Kartons und lasse sie auf dem Teppich stehen. Trabe nach unten, um sie zu begrüßen. In meinem Inneren lichtet sich etwas, als wir einander umarmen, weil mir die Neuigkeiten einfallen, die sie uns im kommenden Frühjahr mitteilen wird. Es tut gut, an neues Leben zu denken, wenn ich wieder einmal knietief im Verlust wate. »Solltest du nicht in der Arbeit sein?«

»Mittagspause.« Sie hebt eine Einkaufstüte hoch. Die Ärmel ihres dunkelrosa Oberteils sind bis zu den Ellbogen hochgekrempelt. »Wollte nur ein paar Sachen in den Kühlschrank stellen.«

»Nämlich?«

»Essen, das er sich aufwärmen kann.«

Ich sehe sie mit großen Augen an. »Wie lange machst du das schon?«

»Ach, nicht der Rede wert.« Sie wendet sich ab, geht in die Küche und stapelt Plastikdosen in den Kühlschrank.

»Seit du ausgezogen bist?«

Ein Achselzucken. »Ja, kann sein. Damals hat es wohl angefangen, und ich … wollte einfach nicht aufhören. Es kam mir irgendwie gemein vor.«

Ich habe diese Dosen schon so oft gesehen. Bisher war ich nur immer davon ausgegangen, dass Dad leicht neurotisch im Hinblick auf seine Ernährung ist. Ich kam nie auf die Idee nachzufragen.

Das machen Kinder eben, sich um ihre Eltern kümmern, wenn sie älter werden. Habe ich nie nachgefragt, weil ich tief drinnen ahnte, dass etwas nicht ganz stimmte?

Eine Sturzflut von Traurigkeit. Ich spüre sie jetzt physisch, wann immer ich Tamsin betrachte. Möglicherweise sind wir nur Halbgeschwister: Sehen wir deshalb so unterschiedlich aus? Tamsin und Doug mit ihren rostroten Haaren und Augen in der Farbe von Sommerhimmel, und ich dagegen dunkel wie ihr Schatten. Früher machten immer mal wieder Klassenkameraden Bemerkungen darüber, aber Mum versicherte mir, dass sie und ihre Schwester sich auch überhaupt nicht ähnlich waren. Mir reichte das als Erklärung. Also akzeptierte ich es, machte es zu meiner Standardantwort, wenn jemand mich ärgerte. Dachte mir nichts weiter dabei.

Ich versuche, mich mit fröhlicheren Gedanken zu beruhigen. Zum Beispiel mit Ambers fantastischem Auftritt im Krippenspiel demnächst. Und dem Fahrrad, das sie zu Weihnachten bekommt und von dem selbst Tamsin und Neil bisher nichts wissen.

Als Tamsin alles ordentlich eingeräumt hat, versuche ich, mich wieder zu konzentrieren. »Sag mal, Tam, weißt du, ob zwischen Mum und Dad je was Komisches vorgefallen ist?«

»Inwiefern komisch?« Sie richtet sich auf.

Ihr Stirnrunzeln zeigt mir, wie unbedacht das von mir war. Ich darf sie nicht denken lassen, ich hätte eine Affäre oder dergleichen entdeckt. Zumindest nicht, bevor ich Beweise habe. »Ach, vergiss es. Ich hätte nichts sagen sollen.«

»Weißt du«, meint sie nachdenklich, »manchmal überlege ich ja schon, ob wir Dad überreden sollten, sich nach einer Freundin umzusehen.«

Ich zwinge mich zu einem Lächeln. »Ich kann mir nicht vorstellen, dass er jemanden nah genug an sich ranlässt.«

Sie erwidert das Lächeln. »Da kenne ich noch einen.«

Ich verlagere mein Gewicht auf das andere Bein.

»Ich möchte aber gern, dass du jemanden findest.« Sie stellt sich neben mich, drückt meinen Arm. »Du bist so toll.«

»Und du bist so voreingenommen. Außerdem bin ich froh, dass ich ungebunden bin.« Je öfter ich es sage, desto eher glaube ich es vielleicht.

»Ich wünsche mir, dass du wahre Liebe findest.« Tamsin wirkt entschlossener bei diesem Thema, als mir lieb ist.

»Ich interessiere mich nicht für wahre Liebe. Ehrlich.«

»Na ja, zumindest musst du doch eine Frau kennenlernen wollen. Doug sagt, du lebst praktisch wie ein Mönch.«

Ich habe eine Frau kennengelernt, Tam. Und sie ist charmant und zauberhaft, schön wie ein Schmetterling. Aber es spricht zu viel dagegen.

»Doug sagt so einiges.«

»Also stimmt es nicht?«

Mir ist nicht unbedingt danach zumute, meiner kleinen Schwester gegenüber näher auf Melissa und mich einzugehen. »Okay, damit das klar ist: Darüber rede ich nicht mit dir.«

»Das mit Vicky ist lange her.«

Allein Vickys Gesicht vor mir zu sehen, erinnert mich daran, wie unfair es wäre, Callie in meinen kleinen Dysfunktionalitätsstrudel hineinzuziehen. »Vicky ist ohne mich besser dran.«

Tamsin lässt nicht locker. »Hab ich dir schon mal von Beth erzählt? Eine Kollegin von mir, supernett. Ich könnte euch bekannt machen …«

Während Tamsin Beth weiter anpreist, brummt mein Handy. Eine unbeschwerte Nachricht von Callie, dass sie ein Päckchen für mich angenommen hat. Mit Emojis. Ich bin erleichtert, dadurch die Bestätigung zu haben, dass das gestrige Abschiedsfiasko sie nicht endgültig in die Flucht geschlagen hat.

Jetzt gebe ich meiner Schwester einen Kuss auf die Wange. »Ich hab dich lieb, Tam.« Damit verlasse ich die Küche und steige die Treppe hinauf.

»Was genau machst du noch mal da oben?«, ruft sie mir nach.

»Recherche«, murmle ich so leise, dass sie mich wahrscheinlich nicht hören kann.

23

Callie

Über eine Woche ist vergangen, seit ich mit Joel essen war, seit er mich mit seiner Geschichte über Scamp zu Tränen gerührt hat. Gestern während meines Vorstellungsgesprächs in Waterfen behielt ich diesen Moment im Hinterkopf, beherzigte, was er über Leidenschaft gesagt hatte.

Ich bin beim Einkaufen, als ich den Anruf erhalte und ein Gespräch führe, das mich ganz irre vor Freude macht.

Ich hatte vorgehabt, schnell in meine Wohnung zu springen und mir wenigstens kurz durch die Haare zu bürsten, aber als ich nach Hause komme, ist der Drang, an Joels Tür zu hämmern, einfach zu stark.

Er ist triefnass, als er aufmacht, nur mit einem Handtuch um die Hüften. Wassertröpfchen liegen wie Tau auf seiner seifenglatten Haut.

Ich gerate ins Schwimmen, versuche, mich auf das zu konzentrieren, was ich ihm erzählen wollte.

»Entschuldige«, sagt er, bevor ich den Mund aufmachen kann. »Ich wollte schnell aufmachen, damit du nicht ...«

»Joel, ich hab sie.«

»Wen?«

»Fiona hat mich gerade angerufen. Ich hab die Stelle in Waterfen, ein Einjahresvertrag.«

»Callie, das ist ja großartig. Glückwunsch.«

Als unsere Blicke sich treffen – nur ganz kurz, bevor er verlegen lacht und die Augen zu Boden richtet –, wird mir bewusst, wie sehr ich ihn mag, so sehr, dass mir egal ist, ob es richtig ist, das zu tun.

Er hebt den Kopf, als ich einen Schritt nach vorn mache. Wir zögern einen Moment, die Gesichter so dicht zusammen, dass unsere Nasen sich fast berühren. Mein Puls pocht lautstark. Ich könnte meinen Herzschlag in Kilowatt messen. Und jetzt stelle ich mich auf die Zehenspitzen, um ihn zu küssen, und er erwidert meinen Kuss, erst sanft, wie eine Frage, dann aber stärker, als unsere Lippen miteinander verschmelzen. Ich spüre die Hitze seiner Hand in meinem Haar, und jetzt drängen wir uns noch enger zusammen, sein Körper fühlt sich warm und fest an, nass von der Dusche. Er erschauert lustvoll, und viele Sekunden lang kann ich an nichts denken als daran, wie er schmeckt, den feuchten Druck seiner Lippen auf meinen, den süßen Sog seines Duschgeldufts.

Schließlich löse ich mich von ihm und atme durch.

»Sorry«, murmelt er mit einem Blick auf mein jetzt durchweichtes T-Shirt.

Draußen hat es zu regnen begonnen, ein wohliger Trommelrhythmus auf Autodächern und Pflastersteinen, auf den kahlen Ästen der Bäume.

Lächelnd beiße ich mir auf die Lippe. »Macht nichts.«

»Callie, ich …« Er zieht die Tür weiter auf. »Kannst du mir fünf Minuten Zeit geben? Wahrscheinlich sollte ich mir schnell was anziehen.«

Plötzlich bin ich schüchtern. Mein Herz rast wie verrückt. »Ich muss sowieso mit Murphy raus. Bin gleich wieder da.«

Er nickt. »Ich lass die Tür offen.«

24

Joel

Ich fixiere mich im Badezimmerspiegel, das Bullauge, das ich in die beschlagene Scheibe gewischt habe, schließt sich bereits wieder.

Ich habe Mühe, wieder zu Atem zu kommen, als hätte jemand mir eine Kordel sehr fest um die Lunge geschnürt.

Ich will aufhören, aber ich kann nicht. Mir fehlt die Kraft, mich noch dagegen zu wehren. Ich mag sie zu sehr.

Ich beuge mich über das Waschbecken, senke den Kopf. Callie und ich – die Vorstellung kommt mir natürlich und unausweichlich vor. Wie der erste klare Himmel im Frühling. Ein Schössling, der sich aus einem Waldboden in die Höhe reckt.

Und dieser Kuss ... Den habe ich mir innerhalb weniger Minuten schon unzählige Male wieder ins Gedächtnis gerufen.

Trotzdem fühle ich mich haltlos. Hilflos. Wieder denke ich an den Schwur, den ich vor Jahren abgelegt habe, um mein Herz und meine Psyche zu schützen.

Und was ist mit ihrer Psyche?

Erneut starre ich in den Schemen, der von meinem Spiegelbild übrig ist. Und da kommt er schon. Der Reflex, auf den ich mich trainiert habe, wie ein Bremspedal in meinem Gehirn. Ich denke daran, wie wenig sie eigentlich über mich weiß. Was in ihrem Gesicht vorgehen würde, wenn ich ihr die ganze Geschichte erzählen würde.

Und doch; alle Logik der Welt muss doch diesem Kuss entgegenwirken. Weshalb ich, als die Klingel ertönt, sofort hektisch zur Tür renne.

Denn trotz allem fühlen sich fünf Minuten ohne Callie schon zu lange an.

Ich drücke den Knopf der Gegensprechanlage. »Hallo.«
»Hallo, Baby.«
Mein Herz hechtet in Deckung. »Melissa?«
Sie lacht. »Joel.«
»Was machst du denn …«
»Du hast es doch nicht ernsthaft vergessen.«

Ein Schauer läuft mir über den Rücken. Ich lehne den Kopf an die Wand. *Bitte, bitte, lass es nicht ihren Geburtstag sein.*

»Lässt du mich vielleicht rein? Es gießt in Strömen.«

Ich schließe die Augen. *Will ich wirklich so ein Mann sein?*
»Entschuldige. Moment.« Ich drücke die Tür auf, damit ich wenigstens erklären kann.

Seit Halloween vor fast einem Monat habe ich sie nicht gesehen. Ich erinnere mich vage, dass sie ihren Geburtstag erwähnte, als wir uns an dem Abend zu küssen begannen, in unseren gewohnten Rhythmus fanden. Möglicherweise habe ich sogar gemurmelt, sie könnte ja an dem Abend zu mir kommen. Das ist alles meine Schuld.

Ich öffne die Tür.

»Du willst mich veräppeln, oder?« Im Flur zieht sie die Kapuze herunter. Knöpft den Mantel auf. Ihre Haut ist sommerurlaubsbraun.

Ich schüttle den Kopf. »Tut mir leid. Ich habe ... was anderes vor.«

Bis vor zehn Minuten stimmte das nicht so ganz. Deshalb fühle ich mich doppelt unehrlich, weil ich das sage.

»Was anderes, im Sinne von eine andere Frau?«

Meine Augen sagen Ja.

»Und trotzdem lässt du mich extra herfahren.«

»Ich hab's vergessen«, gebe ich endlich zu. »Entschuldige bitte.«

Sie schweigt. Einen Moment lang glaube ich, sie fängt vielleicht zu weinen an. Ich habe Melissa noch nie weinen sehen, habe mich manchmal schon gefragt, ob sie es überhaupt kann.

Sie fängt sich vorübergehend wieder. »Kann ich dann wenigstens kurz aufs Klo? Ich platze gleich.«

»Natürlich. Sorry. Klar, komm rein.«

Und während ich, ohne nachzudenken, beiseitetrete, um sie in die Wohnung zu lassen, sehe ich auf. Callie steht oben an der Treppe, starr wie ein aufgeschrecktes Reh, Murphy neben sich.

Ehe ich den Mund aufmachen kann, um ihren Namen zu sagen, ist sie verschwunden.

TEIL ZWEI

25

Callie

Sag mir, dass es leichter wird. Dich zu vermissen. Ich dachte, das würde es, aber es scheint nur immer schwerer zu werden.

Ich möchte deine Stimme im echten Leben hören, nicht nur in meinem Kopf. Ich möchte mit dir lachen und dich küssen. Dir alles erzählen, was ich gemacht habe. Mich von dir im Arm halten lassen, dein Gesicht an meinem spüren.

Aber ich weiß, das zu schreiben ist die einzige Form von Gespräch, auf die ich hoffen kann. Also stelle ich mir vor, du wärst hier bei mir, und ich würde mit dir reden. Vielleicht hilft es – dagegen, dass ich dich sehen will, nur noch ein einziges Mal.

Ich wünsche mir so sehr, du wärst hier. Ich vermisse dich, Joel, mehr, als ich ertrage.

26

Joel

Melissa ist im Bad, bei halb offener Tür, und redet. Währenddessen laufe ich im Kreis durchs Wohnzimmer, möchte am liebsten die Treppe hochrennen und Callie sagen, dass es nicht so ist, wie es aussieht. (Ich überlege sogar ernsthaft, ob ich das schaffen könnte, bevor Melissa mit dem möglicherweise längsten Pinkeln der Menschheitsgeschichte fertig ist.)

»… ich meine, du vergisst doch nie was. Absolut nichts. Du weißt sogar den Geburtstag meiner Mutter, du meine Güte.«

Endlich die Spülung, dann fließendes Wasser.

»Also, wer ist sie?« Sie bleibt im Türrahmen stehen und verschränkt die Arme. Ich spüre ein Ziehen im Herzen, als mir auffällt, wie elegant ihr Kleid ist, dass sie sich extra Locken in die Haare frisiert hat.

»Es ist die von oben, stimmt's? Die aus dem Laden. Ich dachte mir gleich, dass du sie magst, als du mich so angeblafft hast.«

Ich denke an Dominic, den Mann, mit dem sie Anfang des Monats mehr oder weniger zusammen war. Ich will ihr das nicht unbedingt vorhalten. Aber dieses Arrangement zwischen Melissa und mir war immer nur das. Ein Arrangement.

»Warum ... warum machst du mir ein schlechtes Gewissen?«

»Mache ich nicht. Vielleicht hast du einfach eins.«

»Es tut mir leid, Melissa.«

»Was, jetzt soll ich in diesem Scheißwetter wieder den ganzen Weg nach Watford zurückfahren?«

In dem Moment prasselt ein Regenschauer an die Fensterscheibe wie ein mir geltender sarkastischer Applaus.

Ich mustere Melissa, denke daran, wie oft sie über die M1 gefahren ist, um mich zu besuchen. Daran, dass ich mich nie revanchiert habe, weil ich es hasse, nicht zu Hause zu sein. Daran, dass sie all meine Marotten hingenommen, nur selten mein Verhalten kritisiert hat.

Arrangement oder nicht, Melissa hat mir weit mehr gegeben als ich ihr jemals.

Ich seufze. »Natürlich nicht. Natürlich kannst du bleiben. Ich muss nur ...«

Sie grinst süffisant. »Lass sie bloß nicht meinetwegen sitzen.«

Ein Moment vergeht.

»Melissa, heute Nacht ... darf nichts passieren. Zwischen dir und mir.«

Ihr Grinsen wird breiter, als hätte ich etwas Hinreißendes gesagt. »Ach, du machst hier voll auf Prinzipien und so.«

»Wohl kaum.« Ich sehe auf meine Füße.

»Ich dachte, du stehst nicht auf Beziehung. Ich dachte, du wolltest unbedingt ungebunden bleiben.«

»Wollte ich ja auch, aber dann ...« Ich gerate ins Stocken und fange ihren Blick genau im falschen Winkel auf.

Eine lange Pause entsteht.

»Tja, sie muss ja was ganz Besonderes sein«, sagt sie nur. Dann zündet sie sich eine Zigarette an und geht in die Küche, um sich ein Glas Wein zu holen.

27

Callie

Sobald ich die Tür hinter mir geschlossen habe, wickle ich mich in meine gemütlichste Strickjacke und flechte mir die Haare zu einem Zopf. Dann gieße ich mir einen Schluck Whisky in meinen Becher mit Seevögeln – das noch am ehesten saubere Behältnis – und versuche, das Brennen zu genießen, als ich ihn mit einer tragischen Geste hinunterkippe.

Dann ein Klopfen an der Tür.

Vorsichtig öffne ich.

»Es tut mir so leid, Callie.« Joel wirkt vollkommen geknickt. »Ich hatte keine Ahnung, dass sie kommt.«

Er hat sich eine Jeans und ein T-Shirt angezogen, und seine Haare sind zerzaust, als hätte er sie einfach nur mit einem Handtuch abgerubbelt. Ich versuche, nicht vor mir zu sehen, wie er mir vorhin die Tür aufgemacht hat – warm und mit nackter Brust, atemlos vor Lust auf mich.

Beziehungsweise dachte ich das.

»Schon okay.« Zu meinem Whisky habe ich mir ein paar stumme Tränen gestattet, und jetzt habe ich Angst, dass Joel mir das ansieht. »Ich wusste ja von ihr und habe es lieber ignoriert.« Hinweise gab es genug, muss ich zugeben, aber er schien mir einfach nicht der Typ.

»Nein, Melissa und ich … sind nicht zusammen. Ehrlich nicht. Wir sind nur … also …«

Als er stotternd verstummt, stelle ich fest, dass ich gehofft hatte, er hätte eine bessere Entschuldigung auf Lager.

Er versucht es noch mal, leise. »Ich habe Melissa gesagt, sie kann bleiben. Nur über Nacht. Sie hat eine lange Fahrt hinter sich. Aber ich verspreche dir, dass nichts passieren wird.«

Ich schiebe die Erinnerung an Halloween beiseite, als ich sie zusammen gehört habe. »Du musst wirklich nicht …«

»Doch, Callie, ich mag dich sehr …«

Ich unterbreche ihn mit einem Nicken, sage aber nichts, weil ich nicht mehr genau weiß, was das überhaupt heißt.

Über unseren Köpfen hämmert der Regen an das Oberlicht, als wollte er hereingelassen werden.

»Darf ich morgen vorbeikommen?«

Ich runzle die Stirn. »Ich weiß nicht, ob das so …«

»Bitte, Callie.« Er holt mehrmals Luft, als wäre jedes Wort wie eine Glasscherbe in seinem Kopf. »Das ist einfach nur furchtbares Timing. Mehr nicht.«

»Ich wollte gerade ausgehen«, sage ich leise, obwohl ich das bis zu diesem Moment noch nicht wusste. »Muss mich noch umziehen.«

Er wirkt so niedergeschlagen, und plötzlich macht mich wütend, wie überflüssig das Ganze ist. Abgesehen von allem anderen war dieser Kuss eindeutig der beste meines Lebens.

Er atmet geräuschvoll aus. »Okay. Dann viel Spaß.«

»Danke.«

Aber immer noch wendet er sich nicht zum Gehen, was mir nichts anderes übrig lässt, als mich zu verabschieden und ihm unendlich sanft die Tür vor der Nase zuzumachen.

28

Joel

Obwohl ich seit langer Zeit nicht solche Lust hatte, auf etwas einzuschlagen, kann ich mich gerade noch davon abhalten, mir die Knöchel an der nächstbesten Wand zu brechen. Am liebsten würde ich noch mal bei Callie klopfen, einen besseren Erklärungsversuch starten. Aber sie hat mir eine Chance gegeben, und ich habe sie nicht genutzt. Also gehe ich wieder nach unten, sehne mich nach Zeit zum Nachdenken.

Als ich in die Wohnung komme, hat Melissa ihr Kleid ausgezogen. Sie hat jetzt nackte Beine und eins meiner T-Shirts an, das karamellfarbene Haar offen um die Schultern. Sie stellt sich mir an der Tür in den Weg, ein Glas Rotwein in der Hand. Mit einem Finger streicht sie mir über den Wangenknochen und nähert ihr sommersprossiges Gesicht meinem. Sie riecht nach Zigarettenrauch und einem Parfüm, das mir mittlerweile so vertraut ist, dass ich es ausschließlich damit assoziiere, sie zu küssen.

»Ich verrate es keinem, Süßer.«

So behutsam ich kann, schiebe ich mich an ihr vorbei in die Küche. »Das wäre keine gute Idee.«

Sie setzt sich aufs Sofa. Im Schneidersitz, so dass ich,

wenn ich wollte, ihre Unterhose sehen könnte. »Darf ich dich was fragen?«

»Hast du Hunger? Soll ich uns eine Pizza bestellen?«

»Was hat sie, was ich nicht habe?«

So einfach ist es wirklich nicht, möchte ich sagen. *Wie sehr ich Callie mag, hat nichts mit Pros und Kontras zu tun, mit Vergleichen oder Vorlieben.*

Obwohl es verrückt klingt, ist das, was mich mit Callie verbindet, meinem Empfinden nach ... grundlegender als das. Elementar. Wie ein Blitzschlag oder Ebbe und Flut. Ein emotionaler Hurrikan.

Ich erinnere mich, wie Callie mich gerade angesehen hat, grüngoldene Fragmente in den Augen, wie etwas Schönes, das zerbrochen ist.

»Salami?«, frage ich leise, damit ich Melissas Frage nicht beantworten muss.

29

Callie

Kurz darauf verlasse ich meine Wohnung, nachdem ich Esther spontan zu Mojitos in die Stadt zitiert habe. Ich könnte es einfach nicht ertragen, Joel und Melissa wieder zur Sache gehen zu hören, und wenn ich nicht da bin, habe ich wenigstens nicht das Gefühl, meinen neuen Job damit zu feiern, dass ich mit Noise-Cancelling-Kopfhörern im Bett liege.

Wir setzen uns an die Theke, und ich trinke zu schnell, so wie man es macht, wenn man sich ein bisschen betäuben möchte, und fast eine Stunde lang erwähne ich Joel mit keinem Wort.

Irgendwann allerdings fragt Esther, also erzähle ich ihr von Melissa.

»Moment mal. Ist das nicht eine Prostituierte?«, sagt sie, das Gedächtnis mittlerweile von den Mojitos leicht angegriffen.

»Nein, sie war nur so verkleidet, an Halloween.«
»Wie verkleidet man sich als Prostituierte?«
»*Pretty Woman.*«
Esther verzieht missbilligend das Gesicht, sowohl über den Film als auch über Halloween. »Und sie bleibt über Nacht?«
»Er sagt, sie hatte eine lange Fahrt.«

Ihre Miene wird so mitleidig, dass es fast demütigend ist. »Bitte sag mir, dass du das nicht glaubst. Es ist haargenau wie bei Piers.«

»Joel ist nicht wie Piers. Sie könnten gar nicht unterschiedlicher sein.«

Esther foltert einen Eiswürfel mit ihrem Strohhalm. »Weißt du nicht mehr, wie Piers dieses eine Abendessen abgesagt hat, weil seine ›Cousine‹ zu Besuch war – die sich hinterher als diese Frau entpuppt hat, die er auf dem Golfplatz kennengelernt hatte?«

Ich zucke die Achseln und schlürfe an meinem Cocktail, um den Stich der Erinnerung zu lindern. Es funktioniert nicht so gut wie erhofft.

Jetzt versucht Esther, mir Vernunft in die Hand zu quetschen. »Ich bin einfach nicht sicher, ob das langfristig nach einer tollen Aussicht klingt, Cal.«

»Warum nicht?« Verzweifelt wünsche ich mir, sie würde ein einziges Argument vorbringen, das ich überzeugend entkräften kann.

In mojitoseliger Ernsthaftigkeit schiebt sie ihr Gesicht vor meins. »Er hat dich für eine Frau abserviert, die einfach vor seiner Tür stand.«

Um ehrlich zu sein, bin ich mittlerweile ziemlich betrunken, was es doppelt schwer macht, dagegen etwas einzuwenden.

Am nächsten Morgen ist der Kaffee leer, aber ich kann nicht riskieren, Melissa zu begegnen, deshalb setze ich mich an mein Wohnzimmerfenster und warte, dass sie fährt. Der Himmel hat ein Gänsefedergrau, in der Luft hängt schwer der Novemberregen. Aus einem Baum in der Nähe, der im

Frühling blühen wird, ertönt der Warnruf eines Rotkehlchens. Ich sehe der Welt zu, wie sie aufwacht und sich reckt. Vorhänge werden aufgezogen, und die Straße regt sich mit ihrer vertrauten Symphonie aus Schritten und zuknallenden Türen, stotternden Motoren. Silhouetten werden schärfer, als der Himmel immer weißer und heller wird, durchzogen vom Qualm aus Schornsteinen.

Früher, als ich erwartet hatte, kommt sie heraus, umrundet Pfützen, die dunkelblonden Haare offen um die Schultern wehend. Sie hat einen dieser Mäntel mit Pelzimitatkragen und ein Auto, das wahrscheinlich zwanzigmal so viel gekostet hat wie meine Monatsmiete. Ohne sich umzudrehen, steigt sie ein.

Sobald ihre Bremslichter mir vom Ende der Straße zuzwinkern, mache ich mich auf den Weg.

Leider ist sie nicht sehr weit gekommen, denn ich laufe ihr am Kühlregal des Eckladens in die Arme. Sie gehört zu diesen schrecklichen Menschen, die kein Make-up brauchen, um Aufsehen zu erregen, die von Natur aus den Teint und die Wimpern und die Gesichtszüge haben.

Zu meiner Verwunderung lächelt sie, und zwar viel freundlicher als beim letzten Mal. Ich hoffe, das liegt nicht daran, dass sie die Nacht ihres Lebens hinter sich hat, obwohl ich zugeben muss, dass das definitiv im Bereich des Möglichen liegt.

»Ohne kann ich nicht fahren.« Sie hebt ihren Fertigeiskaffee hoch. So verhält man sich wohl in peinlichen Situationen, man macht Smalltalk über was auch immer man gerade vor der Nase hat. »Er hatte keine Milch mehr, und ich hasse ihn schwarz.«

Er, denke ich. *Kein Name erforderlich. Wir denken beide nur an einen.*

Ein oder zwei Sekunden verstreichen, und ich begreife, dass Melissa auf eine Reaktion von mir wartet. »Hör mal, wenn ich gewusst hätte, dass ihr beide …«

»Wir haben nie gesagt, dass das bei uns was Ernstes ist. Das ist auch nicht so richtig Joels Stil, wenn ich mal ehrlich bin.«

Ich kann nicht einschätzen, ob es ihr egal ist. »Aha.«

»Er hat dir nichts erzählt, oder? Von seinen … Problemen.«

Ich verneine, denn ich vermute mal, dass ich wüsste, wenn doch. Als Melissa den Kopf schief legt und die Stimme senkt, habe ich einen Hauch von schlechtem Gewissen, weil Joel, mal abgesehen von den gestrigen Ereignissen, immer nur nett zu mir war. Und doch stehe ich hier und hindere eine mir fremde Frau nicht daran, in seiner Abwesenheit über ihn zu tratschen. Sie winkt mich näher, lockt mich über eine unsichtbare Grenze.

Ich frage nicht, aber sie erzählt es mir trotzdem.

»Er ist ein richtiger Eigenbrötler, weißt du. Ein bisschen verstört. Und er ist strikt gegen jede Art von Beziehung. Hast du schon mal dieses Notizbuch gesehen, das er immer dabeihat?«

Ich möchte gehen, aber sie wirft mir Informationsbröckchen zu wie Köder.

»Weißt du, was drinsteht?«

Jetzt hat sie mich am Haken. Ich beiße an. »Nein.«

Sie zögert, zweifellos beabsichtigt, und kaut auf der Lippe. »Ach, vielleicht sollte er dir das selbst sagen.«

Plötzlich spüre ich den Drang, sie am Arm zu packen und

zum Weitersprechen aufzufordern, aber im letzten Moment widerstehe ich ihm. *Ob Joel mir was zu erzählen hat, muss er selbst entscheiden.*

»Okay«, sage ich achselzuckend und mache Anstalten, an ihr vorbeizugehen.

»Es ist ein bisschen irre. Wahrscheinlich würdest du es mir gar nicht glauben.«

Ich sehe ihr in die Augen. »Ich möchte es nicht wissen. Bitte.«

Ein selbstzufriedenes Lächeln. »Du hast Recht. Wenn ich du wäre, wüsste ich auch lieber von nichts.«

»Entschuldige«, sage ich leise. »Ich bin spät dran. Ich muss los.«

Auf dem Weg zurück in meine Wohnung schiele ich nach Joels Tür, aber ich halte nicht an. Ich gehe einfach weiter.

30

Joel

Steve platziert steinharte Gesäßmuskeln auf die Tischkante in dem winzigen Büro seines Fitnessstudios. »Du hast Glück. Mein nächster Termin ist erst um zwölf.«

Ich bleibe an der Tür stehen, die Hände in den hinteren Jeanstaschen, und wünsche mir, ich hätte mir ein paar Schichten mehr angezogen. Das Studio ist ungeheizt, da es einer dieser Orte ist, an denen die Leute das Schwitzen ernst nehmen.

Mein Herzschlag rast im Takt der Musik hinter der Tür. Und nicht wegen des Kaffees, den ich mir gerade eingeflößt habe. *Es ist so weit. Kein Zurück. Bitte, du musst mir glauben, Steve.*

»Ich muss wissen, dass ich dir vertrauen kann.«

Steve verschränkt die Arme. Gar nicht so leicht, wenn man Bizepse im Format einer Bowlingkugel hat. »Klar kannst du.«

»Nein, wirklich. Ich muss wissen, dass du das, was ich dir sage, nicht weitererzählst. Nicht mal Hayley.«

Er mustert mich prüfend, als hätte ich ihn gefragt, ob er mich in Arnie verwandeln kann. »Bist du in was Illegales verwickelt?«

»Nein.«

»Gut. Dann bleibt es unter uns.«

Wieder stehe ich an der Felskante. Nur werde ich dieses Mal tatsächlich springen. Ich spüre sie körperlich, die schwindelerregende, gefährliche Höhe. Es ist das erste Mal seit der Uni, seit ich aus der Arztpraxis gelacht wurde. »Im Studium, hattest du da je mit ... Parapsychologie zu tun?«

Ein Schweigen, stark aufgeladen.

»Das hängt davon ab, was du mit Parapsychologie meinst«, sagt er schließlich.

»Was, äh, steht denn zur Auswahl?«

Er verlagert sein Gewicht. »Bühnen-Medien. Hellseher mit gebührenpflichtigen Telefonnummern ...«

»Nein. Ich meine Menschen, die wirklich die Zukunft vorhersehen können.«

Eine nachdenkliche Pause. Dieses Mal noch länger. »Du?«

Mein Magen schlägt Purzelbäume. Ich mache einen Schritt nach vorn, von der Kante in die Luft. »Ja.«

»Wovon sprechen wir hier? Weltgeschichtliche Ereignisse? Lottozahlen?«

»Nichts dergleichen. Ich habe ... Träume.«

»Worüber?«

»Ich sehe, was Menschen, die ich liebe, zustoßen wird.«

Ich hatte bisher keine Ahnung, dass Stille so zermürbend sein kann. Mein Herz kommt völlig aus dem Takt, während ich seine Miene auf Anzeichen von Ungläubigkeit untersuche.

Erstaunlicherweise finde ich keine.

»Sprich weiter.«

Ich kann nicht ganz fassen, dass er noch nicht gelacht oder mir einen sehr langen Spaziergang vorgeschlagen hat. Er wirkt so gesammelt, dass ich fast vergesse, was ich als Nächstes sagen soll.

»Sprich weiter, Joel. Ich höre zu.«

Also hole ich tief Luft und erzähle von Poppy. Seiner Tochter, meinem Patenkind. Ich beschreibe meinen Traum, den entsetzlichen Anblick von Steve, der an der Kreuzung zu bremsen vergisst, gegen den Laternenmast kracht. Und alles danach. Ich sage ihm, dass ich ihm deshalb im September die Reifen aufgestochen habe.

Leise fluchend schiebt er den Unterkiefer hin und her. Sieht das Fenster an, als hätte er gute Lust, es aus dem Rahmen zu dreschen. »Was noch?«

Ich fahre fort: mit Luke, meiner Mutter und dem Krebs. Mit der baldigen Schwangerschaft meiner Schwester. Ich erzähle ihm von Kate und meinem Vater.

Dann gebe ich ihm mein Notizbuch. Es ist das erste Mal in meinem Leben, dass ich es jemandem zeige. Genauso gut könnte Steve direkt in mein Gehirn sehen, auf meine Träume, Gedanken und Pläne, Ängste und Vorstellungen. Alles auch nur entfernt Relevante wird direkt notiert.

Wird er mich für verrückt halten? Lachen, wie der Arzt vor all den Jahren? Mir dringend eine Art psychiatrische Begutachtung ans Herz legen?

Und was dann? Denn diese Sachen sind so real, wie es nur geht.

Zaghaft blättert Steve durch das Büchlein. »Irgendwelche erkennbaren Muster?«

»Nein. Meistens ein Traum pro Woche. Gut, neutral, schlecht. Ich weiß nie, was als Nächstes kommt.«

Wenig überraschend, meiner Meinung nach, sehe ich mehr Gutes oder Neutrales als Schlechtes voraus. Denn das spiegelt die Bilanz im Leben meiner Lieben wider. Aber das Schlimme überwiegt, wenn es dann kommt, den Rest hundertfach.

Ich möchte unbedingt, dass das Ganze aufhört. Weil ich mit Callie zusammen sein will.

Steve dreht sich um und reißt die erste Seite des Motivations-Tischkalenders hinter sich ab. Das Blatt darunter fordert mich auf, stärker als meine stärkste Ausrede zu sein.

Er nimmt einen Stift und fängt zu schreiben an. »Warst du schon bei Ärzten?«

»Nur bei einem, an der Uni.«

»Und, was hat der gesagt?«

»Dass ich seine Praxis verlassen und mich nie wieder blicken lassen soll.«

Ohne den Stift abzusetzen, zieht Steve eine Augenbraue hoch. »Er hat nicht darauf hingewiesen, dass es mit Nervosität oder Angstzuständen zu tun haben könnte?«

»Er hat auf gar nichts hingewiesen. Und, Steve, selbst wenn ich nervös oder ängstlich bin … *ich kann die Zukunft vorhersagen.*«

»Schon mal was geträumt, was nicht eingetroffen ist?«

»Wenn ich einschreite, trifft es nicht ein. Jeder Traum, den ich habe, ist … prophetisch.«

Immer noch schreibt Steve. Aber allmählich fühle ich mich ernüchtert, weil er noch nicht mit dem Geistesblitz aufgesprungen ist, auf den ich so verzweifelt hoffe.

Tief drinnen denke ich, dass ich das vorher wusste. Dass mit einer Sofortlösung aus diesem Gespräch zu kommen ein glattes Wunder gewesen wäre.

»Hattest du schon mal eine ernste Krankheit?«

»Zählt das hier dazu?«

»Nein.«

»Dann nein.«

»Eine Kopfverletzung? Einen Schlag auf den Kopf, an den du dich erinnern kannst?«

»Nein. Nichts. Warum?«

»Mein Wissen ist ein bisschen eingerostet, aber ich frage mich, ob es was mit deinen Frontal- und Schläfenlappen zu tun haben könnte. Deiner rechten Gehirnhälfte möglicherweise.« Er wedelt mit dem Stift vor seiner Stirn herum, als würde mir das helfen zu verstehen.

Und ganz grob ist das auch so, dank meiner tierärztlichen Neurowissenschaftsvorlesung an der Uni. Aber ich war nie in der Lage, eine Brücke zwischen meinen medizinischen Kenntnissen und den Träumen zu bauen. Meine Hoffnung war, dass Steve das könnte.

Jetzt senkt er den Stift. »Also, Joel, ich habe mich seit fast zwanzig Jahren nicht mit diesen Dingen befasst. Ich könnte dir ein paar Stichworte dazu sagen, aber eigentlich wäre das Raten. Allerdings habe ich noch ein paar Kontakte. Was ich überlege, ist, ob Diana Johansen dir vielleicht weiterhelfen kann.«

»Wer ist das?«

»Mittlerweile eine führende Neurowissenschaftlerin. Ich habe mit ihr zusammen studiert. Ich könnte sie sicher dazu bewegen, mit dir zu sprechen. Sie leitet ein universitäres Forschungsteam und hat Kontakte überallhin.«

»Du glaubst, sie könnte nachforschen?«

»Vielleicht. Ich weiß nicht, wie das alles heutzutage läuft. Für was Offizielles müsste sie Gelder beantragen. Man bräuchte ethische Prüfungen, und es könnte sein, dass du dich einer gründlichen medizinischen Untersuchung unterziehen müsstest.«

»Du meinst damit«, sage ich entmutigt, »dass es keine schnelle Lösung gibt.«

»Du hast doch nicht ehrlich geglaubt, dass es dagegen eine Pille gibt, oder?« Seine Stimme wird weicher, als tröstete er ein zahnendes Baby.

In dem Moment fährt es mir durch die Brust: die Hoffnungslosigkeit, schwer wie eine fallen gelassene Hantel. »Nein, wohl nicht.«

»Ich tue, was ich kann, versprochen.« Steve sieht mir in die Augen. »Und danke, Joel. Dass du mir vertraust.«

Ich nicke, und ein paar Sekunden vergehen.

Steve reibt sich das Kinn. »Ich muss sagen, dass ich irgendwie erleichtert bin.«

»Erleichtert?«

»Na ja, das erklärt einiges. Hast du deshalb Vicky von dir weggestoßen?«

»Wahrscheinlich.«

»Und was ist mit Callie?«

Ich blinzle hektisch. »Was?«

»Sie ist der wahre Grund, warum du hier bist, oder?«

»Wie kommst du darauf?«

»Letzte Woche habe ich sie angerufen, nur um zu hören, ob sie irgendwas braucht. Ich fragte, wie ihr beide euch vertragt, und …« Er grinst. »Sagen wir es mal so, sie hat gar nicht mehr aufgehört zu reden.«

Ich weiß, dass mich das glücklich machen sollte. Aber das war natürlich alles vor dem gestrigen Abend. Bevor die Süße unseres Kusses schlagartig bitter wurde.

Wir haben immer noch nicht miteinander geredet. Ich verließ die Wohnung heute Morgen ungefähr eine Stunde nach Melissa, aber von Callie war nichts zu sehen oder zu hören.

»Hast du ihr irgendwas davon erzählt?«

»Nein.«

»Und wer weiß sonst noch davon?«

»Nur du. Und dieser Arzt von damals.«

»Du hast es deiner Familie nicht gesagt? Freunden?«

»Nein. Niemandem.«

Steve stößt einen Pfiff aus. »Joel, viel weiß ich ja nicht, aber so viel doch, dass Reden gut ist.«

»Nur mit dem richtigen Gesprächspartner. Deshalb bin ich hier.«

»Aber Callie versteht dich vielleicht. Das weißt du erst, wenn du es probiert hast.«

Darauf entgegne ich nichts.

»Okay.« Er legt sich eine Hand in den Nacken und seufzt schwer. Wegen allem, was ich ihm erzählt habe? »Lass mich als Erstes mal mit Diana reden.«

»Danke.«

»Hey, ich sollte mich bei dir bedanken. Du hast Poppy vor …« Aber an dieser Stelle verstummt er, und ich weiß, warum. Weil manche Dinge schon verflucht schwer auszumalen sind, ganz zu schweigen vom Aussprechen.

Daraufhin sehen wir einander nur an, während die schnelle Musik durch die Tür dringt. Es ist, als wären wir Trinker, die aus einer zwielichtigen Kneipe geschmissen wurden und nicht mehr wissen, wo es nach Hause geht.

»Dann glaubst du mir?« Selbst jetzt noch traue ich mich kaum, mich darauf zu verlassen.

»Ja«, sagt er sanft. »Ich glaube dir, Joel.«

Irgendwo tief in mir lockert sich ein sehr alter Knoten.

»Ich wünschte, ich könnte dir die Antworten geben, die du möchtest. Aber ich rufe Diana noch heute Nachmittag an. Ich bin auf deiner Seite, Joel. Wir knacken das, versprochen, selbst wenn es dazu eine Teamarbeit braucht.«

Dieses Wort, *Teamarbeit*, macht mich kopfscheu. Die Vorstellung, ein Forschungsobjekt zu sein, ein Laborexperiment. Erwähnte Steve nicht medizinische Untersuchungen, ethische Prüfungen? Vielleicht würde Dianas Beteiligung Aufmerksamkeit erregen, Öffentlichkeit erzeugen. Aus ihr eine dieser Promi-Wissenschaftlerinnen machen, die andauernd an unpassenden Stellen auftauchen wie Quizshows und Radiosendungen über steigende Immobilienpreise.

»Lass mich darüber nachdenken«, sage ich hastig. »Ruf Diana noch nicht an. Ich muss erst ein paar Sachen erledigen.«

Wie versprochen denke ich den ganzen Heimweg darüber nach. Steve hat Recht. Ich sollte Callie vertrauen. Ihr alles erzählen.

Vor allem aber möchte ich das zum ersten Mal in meinem Leben vielleicht sogar selbst.

31

Callie

Um drei Uhr taucht er auf.

»Hallo«, sagt er über die Theke. In seiner rußgrauen Jacke und der schwarzen Mütze wirkt er robust und ernsthaft, auf eine Waldgänger-Art. »Hast du fünf Minuten Zeit?«

»Sie hat den ganzen Nachmittag«, höre ich Dot sagen, ehe ich antworten kann. Ich drehe mich um, und sie zeigt auf die Uhr. »Ehrlich. Noch zwei Stunden, bis wir schließen, und wir sind praktisch ein Geistercafé. Passend zu dem Typen da drüben.« Sie deutet mit dem Kopf auf den alten Mann mit der Schiebermütze am Fenster. »Geh. Mach mir eine Freude, bitte. Ich verspreche auch, anzurufen, wenn sie vor der Tür Schlange stehen.«

Dot weiß nicht, was gestern Abend passiert ist. Ich habe ihr noch nicht mal erzählt, dass wir uns geküsst haben.

Als ich mich wieder Joel zuwende, breitet sich eine Traurigkeit in meiner Brust aus – es kommt mir so falsch vor, ihn nicht lächeln zu sehen.

»Ich habe eine interessante Auswahl an Hunden da draußen«, sagt er. »Hast du Lust, Murphy auf einen Spaziergang mitzunehmen?«

Vor der Tür stelle ich Murphy Joels Hunden vor, die sich alle sehr eifrig mit ihm bekannt machen, indem sie sich gegenseitig am Hinterteil beschnüffeln.

»Der gelbe Labrador ist Rufus. Der Malteser ist Tinkerbell und der Dalmatiner Spot. Es gibt noch einen, Bruno, aber der verträgt sich nicht so gut mit anderen, deshalb führe ich ihn separat aus.«

Wir gehen los, die Hunde an den Leinen zerrend voraus. Ein Winterdunst in der Luft lässt die Welt wie unter Wasser erscheinen, die Sonne sieht aus wie eine leuchtend weiße Gasblase am Himmel.

»Also, Callie, hättest du unter Umständen Lust auf einen Kuchen-Gang?«

»Was soll das denn sein?« Trotz allem muss ich lächeln.

»Na ja, im Prinzip bedeutet das, ein Idiot lädt dich auf Kuchen ein, gefolgt von einem Gang durch den Park, bei dem er sich entschuldigt und versucht, sich zu erklären.«

Ich denke an Melissa, daran, wie unglücklich ich war, als ich sie und Joel gestern zusammen sah. Aber ich brauche nur einen Blick auf Joels Gesicht zu werfen, um zu beschließen, dass ich ihn anhören muss.

Wir machen einen Abstecher zu der sizilianischen Konditorei und gehen dann weiter in den Park, wo wir die Hunde von der Leine lassen. Sie rennen los wie aus dem Käfig gelassene Frettchen, der Matsch spritzt nur so.

»Hier. Das ist deiner.« Joel streckt mir die Papiertüte hin wie ein Friedensangebot.

Ich nehme mir die letzte *Sfincia* – sizilianische Ricotta-Teigbällchen, in Zucker gewälzt und narkotisierend süß.

Er wischt sich Zucker von den Fingern. »Ich hab dir noch

gar nicht richtig zu deinem neuen Job gratuliert. Das ist fantastisch. Großartig.«

Ich sehe ihn von der Seite an, plötzlich schüchtern. »Ohne dich hätte ich mich gar nicht beworben. Und was du mir gesagt hast, dass es auf die Leidenschaft ankommt, das hat wirklich geholfen.«

Im Gehen erhasche ich Joels Duft. Er ruft mir sofort wieder unseren Kuss in Erinnerung, das Kribbeln in der Wirbelsäule, hitzig und durchdringend. Ein Kuss, von dem ich gehofft hatte, er hätte für uns beide eine magische Bedeutung.

»Es tut mir so leid, Callie.«

»Der Kuss?«

»Nein! Der war … toll. Ich meinte Melissa. Ich hatte völlig vergessen, dass sie kommen wollte. Wir hatten das vor Wochen ausgemacht.«

Er sagt die Wahrheit. Die Anspannung in seiner Miene reicht, um mich davon zu überzeugen.

»Ich bin ihr heute Morgen im Laden begegnet«, sage ich. »Wir haben uns nicht lange unterhalten. Ich bin mehr oder weniger geflohen.«

Vor uns springen die Hunde im Kreis umeinander herum, ihr spielerisches Kläffen hebt irgendwie die Schwerkraft auf.

»Hinter dem, was passiert ist, steckt mehr als Melissa. Und ich möchte dir davon erzählen, aber ich weiß auch, dass du keine Lust auf Dramen hast. Nach Piers.« Joel zuckt zusammen und kneift kurz die Augen zu. »Entschuldige. Das kam jetzt falsch raus. Du bist mir gar nichts schuldig.«

»Schon gut«, versichere ich ihm sanft, ratlos, was er mir wohl erzählen möchte. »Du kannst mir alles sagen.«

Er atmet tief aus wie jemand, der sich gleich von einem sehr hohen Sprungbrett stürzt. »Sorry. Das ist schwieriger, als ich dachte.«

»Ich möchte nicht, dass du dich meinetwegen unwohl fühlst.«

»Gar nicht, im Gegenteil, mit dir fühle ich mich wohler als mit irgendjemandem seit langer Zeit.«

Wir sind am Steg angekommen, wo die Tretboote für den Winter vertäut sind. Der Dunst streicht tief über die Wasseroberfläche wie eine gespenstische Tarnung für balzende Stockenten und Graugänse. Am gegenüberliegenden Ufer steht das Bootshaus von der Wasserski-Party still und verlassen da.

»Ich habe …« Joel bricht ab und reibt sich den Nacken. »Entschuldige, das ist echt nicht leicht.«

Ich berühre seinen Arm, damit er weiß, dass es okay ist. Aber innerlich bin ich allmählich fast so verängstigt, wie Joel aussieht.

»Ich habe Träume, Callie.« Seine Stimme flackert, wie ein Radio mit schlechtem Empfang. »Ich träume … was mit den Menschen, die ich liebe, passieren wird.«

Sekunden treiben vorbei.

»Oh … ich …«

Joel lächelt zaghaft. »Nur damit das klar ist: Ich weiß, wie das klingt.«

Ich versuche nachzudenken. »Wenn du sagst, du siehst, was passieren wird …«

»Ich kann in die Zukunft sehen. Tage, Monate, manchmal Jahre im Voraus.«

»Ist das …«

»Mein Ernst?« Er sieht mich an. »Leider ja.«

»Nein, ich wollte sagen …«

»Sorry. Ich hab dich unterbrochen. Zweimal hintereinander.«

»Schon okay. Ich wollte fragen, ob das nicht auch Zufall sein kann.«

»Schön wär's.«

Wir stehen am Seeufer. Ich habe keine Ahnung, was ich sagen oder tun soll. Wie kann das stimmen? Und doch wirkt Joel wie einer der aufrichtigsten Menschen, denen ich je begegnet bin.

»Nur dass du das weißt: Falls du mit dem Gedanken spielst zu flüchten«, er neigt den Kopf in die Richtung, aus der wir gekommen sind, »würde ich es dir absolut nicht verdenken. Ich kann einfach wieder der komische Typ von unten werden, wenn du möchtest. Gar kein Problem. Versprochen.«

Hastig beteuere ich: »Du warst für mich nie der komische Typ von unten.« Trotzdem. Was er mir erzählt hat, ist erschütternd, ein klaffendes Loch in der Logik, und ich habe keinen blassen Schimmer, was ich damit anfangen soll. »Was du da sagst, widerspricht den Naturgesetzen. Der Realität.«

»Ja, stimmt. Aber ich kann versuchen, es zu erklären.«

Also laufen wir weiter, während er mir die Hundeattacke auf seinen Cousin Luke schildert, den Krebstod seiner Mutter, seine Familie und Verluste und Beinaheunfälle und quälende durchgrübelte Nächte. Er berichtet von der furchtbaren Erfahrung mit dem Arzt an der Uni. Er gesteht, dass er hasst, weg von zu Hause zu sein aus Angst, etwas Schreckliches zu träumen, das er verhindern muss, und ich kann nachvollziehen, dass er deshalb noch nie verreist ist.

Als er einen Traum erwähnt, den er an Halloween hatte,

in dem sein Vater behauptet, nicht sein richtiger Vater zu sein, macht es bei mir klick.

»Da hab ich dich gehört«, sage ich. »In der Nacht habe ich dich schreien hören.«

Seine Bestürzung ist fast mit Händen greifbar. »Entschuldige. Ich habe ihm im Traum nachgerufen.«

»Das macht doch nichts. Es war nur, also, ich konnte hören, wie schlimm das für dich war. Hast du …«

»Mit ihm gesprochen? Nein.«

»Warum nicht?«

Als er leise lacht, sehe ich seine Augen feucht werden. Er braucht einen Moment, um zu antworten. »Was zum Henker sollte ich denn sagen?«

Danach redet er noch fast zehn Minuten ohne Pause weiter, und als er schließlich fertig ist, wechseln wir einen Blick, der mir Gänsehaut macht.

»Callie, ich weiß, dass das alles möglicherweise nicht so leicht zu verstehen ist. Oder gar zu glauben. Ich habe es selbst nicht geglaubt, lange nicht. Es hat Jahre gedauert, bis ich es akzeptiert habe. Deshalb erwarte ich natürlich nicht, dass du mir die ganze Geschichte sofort abnimmst.«

»Ich glaube dir nicht *nicht*.«

»Oh.« Erleichterung zuckt über sein Gesicht. »Tja, das ist mehr, als ich erwartet habe.«

Zwei Höckerschwäne fliegen aus dem See auf, das Schlagen ihrer Flügel klingt wie das Pochen eines Herzschlags auf dem Ultraschall.

»Wer weiß noch davon?«

»Fast niemand. Nur Steve. Er hat eine Bekannte, die mir vielleicht helfen kann, aber ich rechne mal nicht allzu fest damit.«

Mir fällt ein, was Melissa vorhin im Laden zu mir sagte.
»Ich glaube, Melissa weiß Bescheid.«
»Nein, ich habe es ihr nie erzählt. Sie glaubt, ich hätte Schlafstörungen.«
Als ich ihre Worte wiederhole, habe ich überraschenderweise ein schlechtes Gewissen, sie zu verpetzen. Sie war nicht unbedingt unfreundlich zu mir; sie hat ihr Revier verteidigt, das schon, aber das ist verzeihlich. »Sie hat mich gefragt, ob ich weiß, was in deinem Buch steht.«
»Sie blufft«, sagt er. »Ich lasse es nie aus den Augen.«
Wir unterhalten uns weiter. Er erzählt mir, dass seine Schwester Tamsin nächstes Jahr schwanger wird – die Vorstellung, dass er das schon vorher weiß, ist für mich unfassbar –, und dann malt er die Struktur von Schlafzyklen auf meine Handfläche, was einen Schmetterlingsschwarm in meinem Bauch aufscheucht. Er zeigt mir sein Notizbuch, schildert mir, wie er versucht hat, sich selbst zu behandeln, mit Lavendel und warmer Milch, Besäufnissen bis zur Bewusstlosigkeit, Kräutertees, Schlaftabletten, Nahrungszusätzen und weißem Rauschen. Nichts funktioniert.
Um nicht durchzudrehen, schränkt er inzwischen seinen Schlaf ein und trinkt weniger, glaubt, dass Bewegung seiner Stimmung förderlich ist.
»Kannst du denn irgendwas tun?«, frage ich ihn dann. »Damit die Träume nicht in Erfüllung gehen?«
»Bei Unfällen zum Beispiel, ja, wenn ich rechtzeitig da bin.« Er schluckt. »Sachen wie Krebs sind schon schwieriger. Beziehungsweise unmöglich.«
Ich nehme seine Hand, spüre die Schwere seiner Last, als wäre es meine eigene.

Viel später, als wir wieder am Haus angekommen sind, sagt Joel aus heiterem Himmel: »Wenn du magst, passe ich auf Murphy auf. Wenn du in Waterfen anfängst.«

Mein Kopf macht eine Kehrtwende. Ich habe mich schon widerstrebend nach Hundetagesbetreuung erkundigt. »Das geht nicht.«

»Warum nicht?«

Ich sehe Murphy an, der zu mir aufblickt. »Weil das zu viel verlangt ist.«

»Du verlangst ja nicht. Ich biete es dir an. Ich bin doch tagsüber zu Hause. Ich passe auf ihn auf und nehme ihn mit, wenn ich die anderen Hunde ausführe. Er wird begeistert sein.«

Ich bin wahnsinnig gerührt. »Ich weiß gar nicht, was ich sagen soll.«

»Dann sag Ja.«

»Ich … das wäre …«

»Es ist echt kein Problem.«

Ein Bild von Joel als Tierarzt blitzt vor meinem geistigen Auge auf. Ich weiß jetzt schon, dass er bestimmt eine ruhige Hand hatte, ausgeglichen und fürsorglich und freundlich war. »Ich kann mir dich gut als Tierarzt vorstellen«, sage ich.

Er starrt auf den Teppichboden im Hausflur, die Hände in die Taschen gesteckt. »Eher nicht«, sagt er schroff. »Ich war nicht besonders gut.«

»Wie meinst du das?«

»An dem einen Tag im Café, als ich eingeschlafen bin – so war ich in der Arbeit am Ende. Der Unterschied war nur, dass ich dort gegangen bin, ehe sie mich darum bitten mussten.«

»Wie lange ist das her?«

»Drei Jahre.« Er räuspert sich. »Davor habe ich jeden Penny zurückgelegt. Ultralangweilig, aber ich dachte mir schon, dass ich eines Tages Ersparnisse brauche.«

»Sich selbst Freiheit zu kaufen, hat überhaupt nichts mit langweilig zu tun.«

Er lächelt, als wäre das so ungefähr das Netteste, was je jemand zu ihm gesagt hat. Und auf einmal beuge ich mich vor, um ihn zu küssen. In mir lodert alles auf, als ich mich an ihm, in ihm verliere, als sein Mund auf meinen Hals wandert, auf mein Schlüsselbein, zurück zu meinem Hals. Ich schiebe sein T-Shirt hoch, spüre seinen festen Bauch, die heiße nackte Haut. Unser Kuss wird wilder, und wir pressen uns an die Wand, die Körper miteinander verschmolzen, die Lippen entfesselt, jede Bewegung ein Taumel, als wir einander zu verstehen geben, wie sehr wir das hier wollen.

Es kostet übermenschliche Anstrengung, sich Minuten später voneinander zu lösen.

Stoßweise atmend streiche ich mir die Haare zurück. »Ich sollte mal ...«

Joels Brustkorb hebt und senkt sich ebenfalls heftig. Er berührt mich am Handgelenk. »Bis morgen?«

Ein unendlich aufregendes Versprechen. »Ja. Bis morgen. Ja.«

32

Joel

Ich brauche ein oder zwei Minuten, um zu mir zu kommen, als ich aufwache. Keine Träume.

Erleichtert drehe ich mich auf den Rücken und starre an die Decke. Dorthin, wo mein Schlafzimmer endet und Callies beginnt.

»Ich glaube, das Universum möchte, dass wir es miteinander probieren«, flüstere ich dem Fleckchen bröckeligem Putz zu, über dem ich mir ihr Bett vorstelle.

Ich weiß jetzt schon, dass ich es kaum erwarten kann, sie zu sehen. An ihrer Tür zu klopfen, Kaffee oder Brunch vorzuschlagen. Den überschäumenden Rausch, sie zu küssen, wieder zu erleben.

Sämtliche Gründe, warum ich das nicht sollte, sind immer noch da: die Angst, was ich sehen könnte, falls ich mich in sie verliebe, und alles, was das mit sich bringt.

Aber sämtliche Gründe, warum ich doch sollte, überwiegen sie allmählich.

Sie weiß von meinen Träumen. Ich habe vor dem ersten Menschen seit Kate, der mir wirklich etwas bedeutet, meine Seele entblößt. Vor Callie, die mir Hoffnung ins Herz gehaucht hat. Und trotzdem hat sie mich gestern im

Flur geküsst. Etwas zieht uns zueinander, machtvoll wie die Schwerkraft. Und jetzt, nach all den Wochen, bin ich vielleicht endlich bereit, die Schwerkraft siegen zu lassen.

Im Laufe der Jahre habe ich Möglichkeiten vorbeiziehen sehen, Verbindungen, die ich absichtlich nicht vertieft habe. Wie mit Kierans Cousine Ruby, die nach fünf Minuten schon unter dem Tisch mit mir gefüßelt hat. Mit der klugen Tierarzthelferin, mit der ich in einer Kneipe ins Gespräch kam, als Doug mich mal zum Ausgehen überredet hat. Mit der Frau im Postamt, über deren schmutzigen Witz über Verpackungsgrößen ich heute noch grinsen muss, wenn ich auch seitdem diese Filiale meide.

Aber Callie stellt sie alle in den Schatten.

Ich drehe den Kopf ins Kissen und gestatte mir ein Lächeln. Und währenddessen ertönt das widerstrebende Scheppern von Callies Wasserrohren. Der Klang ihrer laufenden Dusche ist wie ein tosender Applaus an meiner Zimmerdecke.

Und da ist er: der erste unmelodiöse Refrain dieses Morgens.

»I want to know what love is ...«

Besser hätte ich es nicht formulieren können.

Fast dreiundzwanzig Minuten halte ich mich davon ab, bei ihr zu klopfen.

»Morgen«, sagt sie schüchtern, als ich schließlich einknicke. Sie trägt Jeans und Pantoffeln, dazu einen riesigen Strickpulli in der Farbe von Morgendunst.

Oh mein Gott, sieht sie schön aus. Was wollte ich noch mal sagen?

Ich lächle sie an. »Wie sieht's mit deinem Appetit aus? Skala von eins bis zehn.«

Sie beißt sich auf die Unterlippe und klemmt sich eine Haarsträhne hinters Ohr. »Eine satte Neun.«
»Kann ich dich mit einem Frühstück locken?«
»Immer.«
»Worauf hast du Lust?«
Sie errötet leicht. »Ähm, ich steh total auf Pancakes.«
»Wie praktisch. Da kenne ich genau das Richtige.«

Der Pancake-Laden ist winzig. Es gibt ihn noch nicht lange, aber er hat jetzt schon eine treue Fangemeinde, die selbst an Sonntagen Ende November vor der Tür Schlangen bildet. Aber heute haben wir Glück und ergattern die letzten beiden Barhocker am Fenster. Callie ist aufgeregt, sagt, sie wollte das Lokal schon ausprobieren, seit es aufgemacht hat.

Die Kellnerin ist so schroff wie kalte Luft, aber ich versichere Callie, dass die Pancakes es wert sein werden.

»Arme Frau. Ich wäre vielleicht auch mies drauf, wenn sonntags morgens gleich so viel los wäre«, gesteht Callie. Mir ist aufgefallen, dass sie andere im Zweifelsfall immer in Schutz nimmt. Sie neigt mir den Kopf zu. »Ich muss sagen, dass ich jetzt extrem gespannt auf diese Pancakes bin.«

Mein Magen macht einen Satz vor Hunger und noch etwas anderem.

Jetzt sieht sie sich um. »Wahnsinn, wie voll es hier ist. Wenn ich auch nur annähernd geschäftstüchtig wäre, dann wäre ich neidisch.«

»Das ist nur eine optische Täuschung. Der Laden ist mini.«

Sie stupst mich mit dem Ellbogen an. »Das war übrigens nett. Gestern.«

Hoffnung flattert wie ein Fähnchen in meinem Bauch, als

sie mir unverwandt in die Augen sieht. Trotzdem muss ich fragen. »Nett im Vergleich zu was? Zahnarzt? Steuererklärung?«

Sie lacht und verzieht gleichzeitig das Gesicht. »Entschuldige. *Nett* ist ein schreckliches Wort.«

»Nach allem, was ich dir erzählt habe, ist *nett* das beste Wort aller Zeiten, glaub mir.«

Ein paar Minuten später kommen unsere Pancakes, hohe Stapel von sirupdurchtränkten Buttermilchkissen. Klebrig und karamellig und mit einem Häubchen aus aufgeschäumter Butter.

Callie betrachtet sie eingehend. »Okay, jetzt kapiere ich die Schlangen.«

Als wir zu essen anfangen, versuche ich, ihren Gemütszustand einzuschätzen, Licht und Schatten ihrer Körpersprache zu lesen wie eine Sonnenuhr. Ist sie so fröhlich und entspannt, wie es den Eindruck macht? Unerschüttert gar von meinen gestrigen Offenbarungen? Ich kann es kaum fassen.

Nach einer Weile frage ich sie, Brustkorb so straff wie eine Trommel, ob sie Gelegenheit hatte, über das nachzudenken, was ich ihr erzählt habe.

Sie wischt sich den Mund ab. Dreht mir das Gesicht zu. »Ja. Und ich möchte nicht, dass es dem im Weg steht, was sich zwischen uns entwickelt. Uns im Weg steht.«

Erleichterung durchströmt mich, und doch … »Ich weiß, dass es vielleicht schwer zu glauben ist, Callie.«

Sie nimmt meine Hand. »Nein, ich …«

»Ich habe überlegt, wie ich es dir beweisen kann.«

»Das musst du nicht.«

»Möchte ich aber.«

Sie nippt an ihrem Kaffee, wartet.

»Morgen Abend gibt es auf der Market Street einen Rohrbruch an einer Hauptwasserleitung. Mitten im Berufsverkehr, totaler Stillstand. Meine Schwester wird drinstecken und ihren Yogakurs verpassen.«

Ich sehe Callie darüber nachdenken. *Mal von allem anderen abgesehen*, sagt sie sich. *Er kann unmöglich einen Wasserrohrbruch bewerkstelligen, selbst wenn er so durchgedreht wäre.*

»Joel, du musst das wirklich nicht ...«

»Doch. Nur damit du weißt, dass ich nicht verrückt bin.«

Als wir unseren Kaffee austrinken, fragt Callie nach Vicky. Schlagartig bin ich dankbar, dem Fenster gegenüberzusitzen, statt sie über einen Tisch hinweg ansehen zu müssen.

»Wir haben uns vor acht Jahren getrennt.«

»Und wie lange wart ihr zusammen?«

»Drei Jahre.«

»Wart ihr glücklich?«

Ich starre auf die von Raureif überzogene Straße. »Zuerst ja.«

»Wer hat Schluss gemacht?«

»Sie. Ich glaube, zu dem Zeitpunkt wollte sie einfach jemand Normalen.«

Callie legte die Hände um ihren Becher. Wartet, dass ich das näher ausführe.

»Ich war kein besonders guter Freund«, bekenne ich. »Ich war ziemlich mit mir selbst beschäftigt. Bisschen kaputt. Schlechter Umgang wahrscheinlich.«

»Du bist sehr ehrlich.« Sie wirkt beeindruckt.

»Und das alles stört dich gar nicht?«

Sie wendet sich mir zu, das Gesicht so offen wie ein Blatt, das sich dem Regen darbietet. »Man muss nicht perfekt sein, um liebenswert zu sein.«

»Nein, aber idealerweise sollte mehr für als gegen einen sprechen.«

Ich erzähle ihr nicht, dass ich die Liste behalten habe, die Vicky mir am Ende überreicht hat. Ich kann sie immer noch auswendig, Wort für Wort.

»Hast du je von Vicky geträumt?«

»Du meinst, ob ich sie geliebt habe?«

Callie wirkt plötzlich verlegen. »Ja.«

»Nein. Ich habe nie von ihr geträumt.«

»Und hast du denn schon mal ... geliebt?«

Hinter uns wird eine Gruppe von Studenten an ihren Tisch gerufen. Sie hasten vorbei, ein Wirbel von Energie und Optimismus, der in mir eine seltsame Nostalgie weckt. Wonach, kann ich nicht genau sagen.

»Ein Mal. Vor langer Zeit.« Ich werfe ihr einen Seitenblick zu, räuspere mich. Erzähle ganz knapp von meiner Beziehung mit Kate. »Du darfst gern jederzeit flüchten«, sage ich im Anschluss.

»Das sagst du ständig.«

»Ich verkaufe mich hier nicht sonderlich gut.« *Nicht dass ich jemals damit gerechnet hätte, das zu wollen.*

Sie legt ihre Hand auf meine. Obwohl ihre Haut warm ist, erschauere ich. »Doch, das tust du.«

Ich sehe ihr in die Augen. Und irgendwo in meinem Inneren lichtet sich ein Anker.

33

Callie

Ich bin online, lese mit großen Augen eine Eilmeldung auf der Website von Eversfords Lokalblatt.

Ein Rohrbruch an einer Hauptwasserleitung sorgt an diesem Abend für erhebliche Staus in der Innenstadt. Auf der Market Street und angrenzenden Straßen steht der Verkehr praktisch still, Fahrer berichten von Verzögerungen von bis zu einer Stunde.

Ich atme tief aus. Nicht dass ich Joel vorher nicht geglaubt hätte, aber das hat es real und unbestreitbar gemacht. Am liebsten würde ich ihn an mich ziehen, ihn festhalten und nie wieder loslassen.

Ich bin nicht ganz sicher, warum, aber ich wollte es mit eigenen Augen sehen – es kam mir beinahe wie ein Wunder vor –, deshalb klopfte ich bei Joel und fragte, ob er Lust auf eine Runde Fastfood hätte. Wir haben es uns am Fenster eines Burgerladens auf der Market Street gemütlich gemacht, so dass wir einen Premiumblick auf das Chaos haben.

»Bin ich ein schlechter Mensch?«

Joel taucht eine Pommes in Ketchup. »Warum? Weil du unbedingt zum Gaffen herkommen wolltest?«

Ich ziehe eine Grimasse. »Nur damit das klar ist, wenn es ein Unfall wäre oder ...«

»Hey, schon gut.« Er stupst mich mit dem Ellbogen. »Ich mache es selbst manchmal.«

»Nur um dich zu vergewissern, dass du nicht träumst?«

Er lacht, und danach essen wir eine Weile stumm weiter.

»Tja«, sagt er schließlich. »Immerhin kannst du nicht behaupten, dass ich nicht weiß, wie man mit Frauen umgeht. Fastfood und ein Totalstau in der Rushhour, was gibt es Tolleres?«

»Du hattest damit nichts zu tun, das war ganz und gar mein Vorschlag.« Ich denke wieder daran, warum wir hier sind. »Aber es ist doch verrückt, oder? *Du wusstest, dass das passieren würde.*«

Sein Grinsen verblasst etwas. »Glaub mir, der Unterhaltungswert lässt ziemlich schnell nach.«

Draußen werden Autotüren geöffnet. Ein Streit zwischen zwei genervten Fahrern entwickelt sich.

Als sie sich mit erhobenen Fäusten voreinander aufbauen, greift Joel nach seinem Getränk. »Sollen wir abhauen? Den Teil möchte ich nicht unbedingt miterleben.«

»Das ist nicht deine Schuld, das weißt du, oder?«, sage ich, als wir den Imbiss verlassen und zügig weggehen, unsere Getränke in der Hand. »Es ist ein Wasserrohrbruch. Den hättest du nicht verhindern können.«

»Ich hätte irgendwas tun können. Bei den Wasserwerken anrufen, damit sie das überprüfen können.«

»Niemand wurde verletzt«, erinnere ich ihn sanft.

»Nein. Und dir das zu zeigen, schien mir wichtiger.«

34

Joel

Wir gehen zurück in Callies Wohnung. Ich bin erleichtert, dass ich ihr meine Behauptung beweisen konnte, obwohl sie mich nicht darum gebeten hat. Trotzdem hat mich der ganze Vorfall ein bisschen aufgewühlt. Also wechsle ich das Thema und erkundige mich nach ihrem Tag.

Sie erzählt mir, dass sie mittags Ben ihre Kündigung eingereicht hat.

»Wie hat er es aufgenommen?«

»Besser als erwartet. Er wird Dot befördern, glaube ich, und dann einen Ersatz für sie suchen.« Ich seufze. »Er war total nett. So verständnisvoll. Was mein schlechtes Gewissen noch verstärkt hat, als würde ich ihn im Stich lassen. Vielleicht sogar auch Grace.«

Wir sitzen nebeneinander auf dem Sofa, obwohl nur unsere Blicke einander berühren. Vor dem Fenster hängt eine Mondsichel in der Dunkelheit. Der Himmel glitzert vor Sternen.

»Er war verständnisvoll, weil es ein großartiger Schritt für dich ist«, versichere ich ihr. »Ein völlig neues Kapitel.«

Callie hat sich die Haare geflochten und über eine Schulter gelegt. Das gibt ihren schlanken Hals frei, einen der langen Ohrringe mit echten, gepressten Blumen. »Wahrscheinlich war es überfällig. Ich hatte so eine komische Angst, kurz nach Grace' Beerdigung. Immer wieder wachte ich mitten in der Nacht auf und fragte mich, was wohl über mich gesagt würde, wenn ich mal sterbe. Es war fast schon eine fixe Idee. Esther glaubte, ich versuche zu vermeiden, mich mit Grace auseinanderzusetzen. Du weißt schon, die Traurigkeit auszublenden, indem ich mich auf meine eigenen Unzulänglichkeiten konzentriere.«

Ich denke an meine Mutter zurück. Wie obsessiv ich mich nach ihrem Tod mit meinen Träumen befasste. Damals begann ich auch, mir alles aufzuschreiben, jeden kleinen Mist festzuhalten, den ich träumte.

»Ich hatte Angst, die Trauerrede für mich würde sich wie ein Arbeitszeugnis anhören«, sagt Callie. »Du weißt schon: *Sehr zuverlässig. Geschätzte langjährige Mitarbeiterin von Eversford Metallverpackungen. Pünktlich, fleißig ...* Das hat mir wohl den letzten Schubs gegeben, meinen Bürojob zu kündigen und das Café zu übernehmen. Ein paar Monate lang war ich ein bisschen durchgedreht, glaube ich.«

»Inwiefern durchgedreht?«

Sie zuckt die Achseln. »Na ja, ich habe lauter unkluge Sachen gemacht. Zum Beispiel war ich der Meinung, dass ich unbedingt eine superschräge Frisur mit Pony brauchte, die ich natürlich abgrundtief gehasst habe. Dann wollte ich meine gesamte Wohnung dunkelgrau streichen, aber es sah furchtbar aus, weshalb ich nach der Hälfte Angst um meine Kaution bekam und alles wieder weiß überstreichen musste.« Sie stößt ein selbstkritisches Seufzen aus. »Was noch? Mich bei einer Online-Dating-Plattform angemeldet – Katastrophe. Mich betrunken und ...« Sie verstummt.

»Oh nein.« Ich lache. »Du kannst jetzt nicht einfach aufhören. Dich betrunken und was, durchgebrannt? Verhaftet worden? Eine fünfstellige Zeche in einer Bar vertrunken?«

Sie dämpft die Stimme auf ein Flüstern. »Mir ein Tattoo stechen lassen.«

Ich grinse. »Hervorragend.«

Pause.

»Also, was ist es?«

»Was ist was?«

»Das Tattoo.«

Sie beißt sich auf die Lippe. »Ach egal.«

»Wie, was und wo?«

»Das ist eine sehr lange Geschichte.«

Ich sehe auf eine unsichtbare Uhr. »Ich hab Zeit.«

»Na gut. Also, ich hab mich betrunken und … mich tätowieren lassen.« Sie atmet geräuschvoll aus und faltet brav die Hände auf dem Schoß.

So leicht lasse ich sie nicht davonkommen. »Das hast du mir ja schon erzählt. Ich brauche leider Details.«

Wieder kaut sie auf der Lippe. Klemmt eine Haarsträhne in den Zopf zurück. »Na ja, ich hatte mir in den Kopf gesetzt, dass ich einen Vogel wollte. Aber da ich betrunken war, konnte ich nicht anständig erklären, was ich meinte. Ich wollte eine Schwalbe, elegant und hübsch sollte sie sein. Zart, verstehst du? Ich hab versucht, sie zu zeichnen, aber ich kann wirklich überhaupt nicht malen und …«

»Wo ist es?«

»Auf der Hüfte.«

Ich ziehe eine Augenbraue hoch. »Darf ich es sehen?«

»Von mir aus, aber nicht lachen.«

»Versprochen.«

Sie zieht den Bund ihrer Jeans gerade eben ausreichend nach unten.

Ich sehe nach unten. Dann zu ihr auf. »Das ist … wow.«

»Ich weiß.«

Es ist tatsächlich eine Schwalbe. Glaube ich. Aber wenn, dann eine auf Steroiden. Knallrot und knallblau und unerwartet raumgreifend. Rund und massig, mit comichaften Zügen. Sie hat eine Schriftrolle im Schnabel und eine Eindringlichkeit im Blick, die nur versehentlich entstanden sein kann.

Oder vielleicht war der Tätowierer auch high.

»Sie ist ziemlich, äh, also, sie …«

Sie reißt die Augen auf. »Du musst dir ehrlich keinen abbrechen. Als ich wieder nüchtern war, hab ich geweint. Ich hab verzweifelt Tattoo-Entfernungen gegoogelt, mir geschworen, nie wieder so was Verwegenes zu tun.«

»Was sollte denn …« Ich muss mich räuspern. »Was sollte denn auf der Schriftrolle stehen?«

»Ach, der Typ dachte, ich will die für einen Namen. Es wundert mich, dass er sich nicht einfach einen ausgedacht und draufgeschrieben hat, ohne mich zu fragen.«

»Großer Gott. Man staunt.«

Sie bewirft mich mit einem Kissen. »Du hast versprochen, nicht zu lachen.«

»Ich lache ja nicht. Ich finde es süß.«

»Es ist nicht süß. Es ist ein schlechtes Graffito, das man nicht abwaschen kann. Ich spare darauf, es mir weglasern zu lassen.«

Ich nehme ihre Hand. »Ich finde, du solltest stolz darauf sein. Scheiß auf das Lasern. Das Tattoo gehört zu dir.«

Sie bricht in Gelächter aus, die Lippen rosig und voll vom Abdruck ihrer Zähne. »Ist das dein Ernst?«

»Allerdings. Du hast was Verrücktes gemacht, was Mutiges. Du solltest einfach nur glücklich sein, wenn du das Tattoo siehst.« Ich werfe noch einen Blick auf ihre Hüfte. Aber als ich daraufhin wieder in ihr Gesicht sehe, bin ich es, der Glück empfindet: einen satten, synaptischen Schub davon. »Mach weiter verrückte Sachen«, sage ich und drücke ihre Hand.

»Ehrlich? So wie das Tattoo?«

Ich grinse. »Warum denn nicht? Solange es eine gute Art von verrückt ist. Deine Art von verrückt.«

»Ich habe das Gefühl, Waterfen wird ziemlich irre werden. Für mich zumindest.« Sie lacht wieder. »Was kommt als Nächstes – hast du Lust, mit mir nach Chile zu fahren?«

Das ist ein Witz, eigentlich weiß ich das. Aber so nah wie mit Callie war ich noch nie daran, dem Leben, wie ich es kenne, zu entfliehen. Allein schon sie kennenzulernen, ist, wie in ein fremdes Land zu reisen. Einen Ort, über den ich schon oft nachgedacht, den zu erforschen ich aber nie den Mut gehabt habe.

Gleichzeitig beugen wir uns vor. Treffen uns zu einem Kuss, fliegen in den Orbit.

35

Callie

Esther hat Geburtstag, und sie hat Joel und mich zu einer Party bei sich eingeladen.

»Ich war schon seit Jahren nicht mehr auf einer Privatparty«, gesteht er, als wir uns umziehen.

»Warum nicht?«

»Das ist nicht so richtig mein ... natürliches Habitat.« Er sagt, es habe damit zu tun, dass er ungern Freundschaften eingehe, sich sein Leben lang als Außenseiter gefühlt habe.

Ich bügle gerade mein Kleid für diesen Abend, das dunkelblaue mit dem Gürtel, das genau richtig um die Hüften sitzt und perfekt zu Peeptoes und einem furchtlosen Lippenstift passt. »Keine Angst. Keiner wird was merken.«

Er küsst mich. »Das hoffst du.«

»Und wenn, ist es mir egal«, murmle ich.

Ich habe so eine Ahnung, dass wir heute Abend auf der Party das Hauptgesprächsthema sein werden, aber da er nervös ist, behalte ich das für mich.

Esther öffnet uns die Tür mit einem Anstecker, auf dem steht VIERZIG UND FABELHAFT.

»Gavins Vorstellung von witzig.« Sie küsst uns beide. »Ich werde erst sechsunddreißig.«

»Ich bin Joel.« Er streckt ihr die Hand entgegen.

Esther grinst, als hätte sie das ganze Jahr noch nichts so Lustiges gehört. »Du bist ja spaßig. Komm rein. Alle werden dich lieben.«

Als wir durch den Flur gehen, erwarte ich ständig, dass Grace durch eine Tür kommt, mit rosigen Wangen und einem Hauch von Gin im Blick, ein volles Glas in jeder Hand und unbegrenzt Küsse für alle.

Das Schöne an Joel ist, dass seine Herzlichkeit über sein Eremitengemüt hinwegtäuscht. Kaum haben wir was zu trinken bekommen, als Gavin ihn schon in ein Gespräch über nachhaltige Architektur verwickelt, was sich zu einer Diskussion mit Esther über den Versuch der Mittelschicht, ihre Häuser zu Geld zu machen, entwickelt, und danach spreche ich eine Ewigkeit nicht mehr mit ihm. Immer wenn ich mich mit einem schnellen Blick vergewissern will, dass es ihm gut geht, unterhält er sich intensiv mit jemand anderem, und schließlich verliere ich ihn zwischen einigen mir Fremden fast gänzlich aus den Augen. Aber dann finden unsere Blicke sich doch immer wieder, Satelliten in einem Sonnensystem, und dann kribbelt es in meinem Bauch wie ein Sternschnuppenregen.

Als ich schließlich eine Hand um die Taille spüre, stelle ich fest, dass eine oder sogar zwei Stunden vergangen sind.

Es ist Esther. »Ich wollte dir nur sagen, wie stolz ich auf dich bin.«

»Stolz?«

»Ja, dass du jetzt das machst, was du schon immer wolltest. Ich hätte dich all die Jahre stärker ermutigen sollen.«

Das hat sie, denke ich. Sie fand, dass ich zu schnell aufgegeben habe, als meine ersten Bewerbungen nach der Uni nicht klappten, war strikt dagegen, dass ich meine Träume begrabe. *Du bist der einzige Mensch, den ich kenne, der einen Vogel allein am Flug erkennt,* sagte sie einmal an einem kalten Wintermorgen zu mir, als ich ihr einen Schwarm Spießenten über unseren Köpfen zeigte, wie feine Stickerei auf dem welligen Stoff des Himmels. *Und wer sonst kann Bäume nach der Rinde bestimmen? Du solltest deine Leidenschaften verfolgen. Das Leben ist zum Leben da.*

Aber zu dem Zeitpunkt war mein Selbstvertrauen von den ersten Absagen schon schwer angeschlagen. In der Ökologie gab es so viel Konkurrenz, daher erschien es mir ungefährlicher und weniger herzzerreißend, meine Ambitionen auf Eis zu legen, Esther zu versichern, ich werde mich bald wieder darum kümmern. Also sprach sie mich nach einer Weile nicht mehr auf das Thema an.

»Das hast du«, sage ich jetzt zu ihr. »Ich glaube, ich war nur damals noch nicht bereit, auf dich zu hören.«

»Ich liebe diese Kette.« Sie deutet mit dem Kopf auf meinen Hals. »Ich war dabei, als sie sie gekauft hat.«

Es ist eine kleine Eichel aus Zinn, ein Weihnachtsgeschenk von Grace, nicht lange nachdem sie Ben kennengelernt hatte. Es war ein Wink mit dem Zaunpfahl, glaube ich, von wegen Eicheln und Bäume und meinen Hintern hochkriegen.

Esther umarmt mich noch einmal und macht sich dann auf die Suche nach Gavin.

Später finde ich Joel mit Gavin und Esther in der Küche im Keller. Es erleichtert mich, dass sie ihm offenbar nicht übelnehmen, wie es anfing, das ganze Durcheinander mit Melissa. Oder dass sie sich zumindest darauf geeinigt haben, mich erst morgen per WhatsApp damit zu ärgern.

»Hallo.« Ich lege die Arme um Joel. Er hat irgendwo seinen Pulli ausgezogen und ist jetzt warm und weich in nur einem T-Shirt. Sein Duft ist mir jetzt schon vertraut wie der einer wiederkehrenden Blüte. »Ich hab dich verloren.«

»Hallo. Ich habe dich verloren, glaube ich.«

»Du hast angefangen. Nein, du hast angefangen«, kichert Esther. Sie ist zu Rotwein übergegangen, ihre Lippen sind purpurfarben.

Ich grinse. »Worum geht's gerade?«

»Um Ben«, sagt Esther. »Dauernd redet er davon, dass er seinen Job kündigen, das Haus verkaufen und wegziehen will.«

»Echt?« Heute Abend habe ich noch nicht viel mit Ben gesprochen, aber er wirkte leicht beschwipst, als ich ihn in der Kloschlange traf.

»Wir sind unschlüssig, ob wir ihm das ausreden sollen«, sagt Gavin.

»Nein, warum denn?«

Esther kaut an einem Fingernagel. »Na ja, damit er nichts überstürzt.«

Ich schlinge den Arm noch fester um Joels Oberkörper. »Aber Grace ist seit fast zwei Jahren tot«, sage ich ruhig.

Wir alle schweigen kurz.

»Ich meine, es wäre doch super«, fahre ich dann fort, »wenn Ben endlich mal wieder ein bisschen hoffnungsvoller wäre, oder? So was Optimistisches hat er nicht mehr gesagt, seit sie gestorben ist.«

»Hauptsache, er baut sich was Neues auf und rennt nicht

einfach nur weg«, sagt Esther weise, während irgendwo in der Nähe ein Glas zerbricht.

Gavin steckt den Kopf durch die Tür. »Das ist Ben. Auweia, er kotzt.«

»Also ehrlich, Gäste.« Mit einem Zwinkern leert Esther ihr Glas. Dann gehen sie und Gavin und lassen Joel und mich allein.

Von der Terrasse fällt ein Schatten auf das Kellerfenster. Es ist bewölkt, die Nachtluft milchig vor Dunst.

»Willst du nach ihm sehen?«, fragt Joel.

»Nein, nicht nötig. Esther ist super in Krisensituationen.« Ich runzle die Stirn. »Ich hoffe nur …«

Er wartet ab.

»Dass Ben sich keine Sorgen um das Café macht. Ich meine weniger, dass ich gekündigt habe. Mehr, dass es nicht mehr das Gleiche ist. Dass alles sich ändert.«

Joels Miene ist nachdenklich. »Aber langfristig ist das vielleicht gut. Wenn er schon davon spricht, noch mal neu anzufangen.«

Ich verziehe einen Mundwinkel. »Ja. Ich werde mal mit ihm reden. Wenn er sich von heute Abend erholt hat.«

Joel lässt den Blick durch die Küche schweifen. »Das ist ein wirklich tolles Haus.«

»Finde ich auch.« Ich streiche mit den Fingern über die Rillen und Dellen der alten Eichenholzplatte. »So gemütlich und traditionell.«

Er nickt. »Genau richtig für eine Familie.«

»Sie haben versucht, ein Baby zu bekommen«, sage ich plötzlich, ohne recht zu wissen, warum. »Esther und Gavin.«

»Ach, entschuldige, ich wollte nicht …«

»Nein, ich weiß.«

»Sie haben also …«
»Probiert. Bevor Grace starb. Aber dann haben sie aufgehört.«
»Das hat der Tod so an sich, glaube ich. Bringt einen dazu, Bilanz zu ziehen. Auf Pause zu drücken.«
Mein Lächeln fühlt sich schwach an. »Solange man nicht vergisst, irgendwann wieder auf Start zu drücken.«
Eine Sekunde lang bleiben wir beide reglos stehen, lauschen dem amerikanischen Blues, der von oben durch den Holzfußboden wimmert, dann beugt Joel sich zur Seite und küsst mich. Es ist ein wunderbares Gefühl, zusammen hier unten zu sein, geborgen im warmen Bauch dieses Hauses wie Beuteltiere vor der Außenwelt.
»Ich hab dich verschmiert«, sagt er, als wir uns kurz voneinander lösen.
Seine Lippen sind rot von meinen. »Ich dich auch.« Und dann küsse ich ihn wieder. Nachdrücklich und leidenschaftlich. Schnell sind unsere Körper dicht aneinandergepresst, unsere Lippen feucht und heiß. Wir werden zum Pulsschlag des anderen, dort in dieser wohligen Küche, gewärmt von dem alten Holzofen und geschützt von den knarrenden, leicht schrägen Wänden des Raums.

36

Joel

Callie schläft neben mir im Bett, Kleid zerknittert, Haare zerzaust. Unseren Kuss haben wir vorhin aus Esthers Küche direkt mit nach Hause gebracht. Auf die Treppe vor dem Eingang, wo ich hektisch nach dem Schlüssel suchte, dann in den Flur. Durch die Tür in meine Wohnung und halb auf mein Sofa, bevor wir es endlich ins Schlafzimmer schafften. Gemeinsam fielen wir auf die Matratze, erkundeten einander mit fiebrigen Händen. Unsere Herzen pochten, die Haut wurde feucht. Irgendwann stieß ich die Lampe mit dem Fuß vom Nachttischchen (Wie waren wir so herum gelandet?), was uns in köstliche Dunkelheit tauchte. Ich spürte ihr Becken zucken, als sie lachte, wurde halb wahnsinnig vor Begehren.

Eine Woche ist es her, dass wir uns zum ersten Mal geküsst haben, und ich bin dabei, mich in sie zu verlieben, und zwar heftig. Aber ich will es richtig machen. Langsam angehen. Uns Zeit geben. Sie bedeutet mir jetzt schon so viel, dass ich das Bedürfnis habe, nichts zu übereilen.

Weshalb sie jetzt zusammengerollt wie eine Katze neben meiner Hüfte liegt, während ich mir einen TED-Talk über Massenpaniken ansehe, Kopfhörer auf den Ohren.

Vielleicht empfinde ich wegen Melissa so. Weil mein Gehirn irgendwie versucht, eine Grenze zwischen ihr und Callie zu ziehen. Oder vielleicht muss ich mir sicher sein, dass ich es nicht vermasseln werde, bevor wir viel mehr tun als uns küssen.

Wie dem auch sei. Wir gäben ein seltsames Bild ab, denke ich, wenn man uns jetzt von oben betrachtete. Ich in meiner eigenen kleinen Welt. Callie schlafend neben mir, voll bekleidet.

37

Callie

Die Sonne ist ein öliges Flackern hoch am Himmel eines frischen Dezembermorgens. Heute ist mein erster Tag in Waterfen, und ich befinde mich mitten in einer Moorlandschaft, holpere im Führerhäuschen eines Traktors voran, den offenbar ich steuere. Neben mir auf dem Klappsitz ist meine neue Chefin Fiona, auf unserem Anhänger türmen sich Zaunpfosten, und hinter uns stapft ein Trupp Angestellter und Ehrenamtlicher zu Fuß durch die tiefen Rillen, die unsere Reifen hinterlassen.

Ich quetsche das Lenkrad mehrmals fest, nur um mich zu vergewissern, dass das hier wirklich passiert und ich nicht im Schlaf in einen von Joels Träumen abgedriftet bin.

Es fällt mir schwer, mich nicht beim Fahren von meiner Umgebung ablenken zu lassen. Die Landschaft glitzert vor Winter, Sonnenlicht funkelt auf dem bereiften Boden. Zweimal sehen wir das lohfarbene Huschen eines durchs Unterholz fliehenden Rehs, während vor der makellosen Himmelsleinwand eine Kornweihe ihre Kreise zieht.

»Mit einem Traktor kann man nicht stecken bleiben, oder?« Wir nähern uns einem Fleckchen glänzend nasser Erde, das eine beunruhigende Ähnlichkeit mit Sumpf hat.

»Oh doch, das geht«, antwortet Fiona fröhlich. Sie ist dunkelhaarig und rotwangig und hat das pragmatische Naturell einer Hebamme.

»Und was macht man dann?«

»Man lässt es.«

»Was lässt man?«

»Man bleibt nicht stecken.« Sie lächelt. »Sonst ist man wirklich gearscht.«

Ich halte den Blick auf den Morast vor mir gerichtet. »Aha. Verstehe.«

Sie lacht. »Mach dich locker. Es ist genau wie Autofahren. Du merkst schon rechtzeitig, wenn du die Bodenhaftung verlierst.« Ich spüre, dass sie mich ansieht. »Du hast doch einen Führerschein, oder? Hab ganz vergessen, mich danach zu erkundigen.«

Grinsend bestätige ich, dass ich einen besitze. Nach fast zwei Jahren im Café, wo bei jedem verschütteten Tröpfchen Kaffee ein Verriss auf TripAdvisor drohte, ist Fionas entspannter Ansatz wie die Erlaubnis zum Atmen. Ich spüre jetzt schon, dass mein Gehirn die Spur wechselt, dass in meinem Kopf mehrere Gänge heruntergeschaltet wird. Vielleicht würde ich sogar emotional, wäre ich nicht gerade für landwirtschaftliches Gerät verantwortlich und vollauf damit beschäftigt, nicht kopfüber im nächsten Graben zu landen.

Mit der Zeit werde ich diesen Traktor lieben lernen, versichert Fiona mir. Sie beschreibt hypnotische sonnendurchtränkte Sommertage beim Entkrauten und Abkappen, lange, meditative Nachmittage auf den Moorwiesen, umschwirrt von Schmetterlingen. Ich sei zur schlimmsten Zeit des Jahres zu ihnen gestoßen, sagt sie. »Was eigentlich sogar gut ist, denn ab jetzt kann das Wetter ja nur besser werden.«

»Irgendwie mag ich den Winter aber«, sage ich.

Ihr Lächeln ist mitleidig. »Wir haben noch nicht angefangen, das Grabensystem zu reinigen.«

Der Vormittag vergeht damit, einen wilddichten Schutzzaun zu errichten, was mich extrem nervös macht. Ich habe eine Heidenangst, einen Fehler zu machen und einen meiner Kollegen mit einem zurückschnalzenden Draht ins Krankenhaus zu katapultieren. Gleichzeitig belebt mich das – es ist ein unerwartetes Aufputschmittel, sich so stark konzentrieren zu müssen, um nicht jemanden aus Versehen zu enthaupten oder den Traktor in den Sumpf zu setzen oder das Gleichgewicht zu verlieren und in einen Graben zu fallen. Es ist die Adrenalinspritze, nach der ich mich seit meinem ersten Arbeitstag in der Dosenfabrik sehne.

Auf Schilfhaufen, mitten im Moor, machen wir Mittagspause. Schwitzend und keuchend von der Arbeit ziehen wir Fleecepullis und Jacken aus, obwohl es nicht viel über null Grad hat. Wir beobachten den Sturzflug eines jagenden Turmfalken, die kalte Luft streicht wie Wasser über unsere feuchte Haut. Von einigen kahlen Bäumen in der Nähe fällt das Krächzen von Dohlen wie Regen.

Während wir Suppe und Sandwichs inhalieren, wendet sich das Gespräch dem Fernweh zu. Dave, ein Ehrenamtlicher und gelernter Ökologe, bricht nächste Woche zu einem Schutzprojekt nach Brasilien auf, wo er in einem staatlichen Naturpark Wildtiere überwachen und erforschen wird. Seit er mir das erzählt hat, bin ich voller Ehrfurcht.

Fiona fragt uns nach unseren Wunschzielen.

»Lettland«, sagt Liam. Er ist breitschultrig und schroff,

mit Haaren in der Farbe von Honig, und Fionas Assistent. Er kam vor fünf Jahren dazu, als ihm klar wurde, wie ungeeignet er für die Rechnungsprüfung war. »Schönheit, Ruhe und Frieden, niemand da, der einen nerven kann.«

»In Lettland warst du doch schon«, meint Fiona. »Das zählt nicht.«

Ich lächle, denke an die Reiseführer in meiner Wohnung, frage mich, ob Liam und ich möglicherweise einiges gemeinsam haben.

Liam zuckt die Achseln. »Woanders will ich nicht hin.«

»Nichts Exotischeres?«, fragt Dave, obwohl mir die Erheiterung in seinen Augen verrät, dass sie dieses Gespräch nicht zum ersten Mal führen. »Afrika zum Beispiel?«

»Nee. Du weißt, dass ich ein Kaltblüter bin. Außerdem habe ich schon so viel von der Welt gesehen, wie ich sehen will.«

Fiona wendet sich an mich. »Was ist mit dir, Callie? Traumziel?«

»Der Lauca-Nationalpark. Du weißt schon, in …«

»Chile«, fallen alle mit ein.

Ich beuge mich etwas vor. »Da gibt es so einen Vogel …«

Dave fängt zu lachen an. »Ah ja, der berühmte Diademregenpfeifer.«

Liam schnaubt und hält sich die Chipstüte über den Mund. »Da hast du noch bessere Chancen, einen Schneeleoparden zu sehen.«

»Oder ein Einhorn«, kichert Dave.

»Ich kenne jemanden, der mal einen gesehen hat«, sagt Fiona.

Ich nicke eifrig, weil ich mich an die Frau in meinem Uni-Kurs erinnere. »Ich auch.«

Dave grinst. »Tja, wenn du mal ein Foto ergatterst, schick es mir bitte.«

Fiona sieht mich an. »Kümmer dich nicht um den. Mein Freund sagt, die Gegend ist großartig, wirklich einzigartig. Und dieser Vogel wäre eine Wahnsinnsentdeckung.«

»Genau.« Liam zerknüllt seine leere Tüte und sieht auf die Uhr. »Das ist ja alles gut und schön, aber der Zaun muss fertig werden.«

»An den wirst du dich gewöhnen müssen«, sagt Fiona mit einem Zwinkern. »Er hat was von einem Husky. Muss immer in Bewegung bleiben.«

Ich mag Liam jetzt schon, er wirkt wie genau mein Typ. Also bin ich die Erste, die von dem Schilfhaufen springt und ihm zurück zum Zaun folgt.

Als ich nach Hause komme, klopfe ich bei Joel, lasse mich grinsend von ihm in eine Umarmung ziehen. »Sorry, ich bin ganz verschwitzt und stinkig.«

»Verschwitzt und wunderbar«, widerspricht er. »Erzähl mir alles.«

Ich beschreibe ihm meinen Tag, zeige ihm die Blasen an meinen Handflächen. »Mir war gar nicht klar, wie unfit ich bin. Aber dafür habe ich Traktorfahren gelernt.«

»Am ersten Tag? Das nenne ich mal ins kalte Wasser geworfen werden.«

»Oh ja. Wenigstens hatte ich gar keine Zeit, erst in Panik zu geraten.«

»Nette Leute?«

»Ja, sehr. Echt toll.« Ich lächle Murphy an. »Wie war er?«

»Na ja, anfangs hat er dich schon vermisst. Aber dann habe ich ihn mit meiner Killer-Kombi aus Spaziergängen, Bällen,

Leckerchen und Bauchkraulen rumgekriegt.« Er senkt die Stimme zu einem Flüstern. »Ganz unter uns, ich glaube, er steht auf Tinkerbell.«

Ich muss lachen. »Die ist doch viel zu alt für ihn. Sie ist fast zehn.«

»Mach es nicht schlecht. Die Ablenkung hat Wunder gewirkt.«

In meinem Inneren spüre ich eine Anspannung nachlassen, wie ein erschlaffendes Segel, wenn der Sturm abklingt. »Vielen Dank.«

»Sehr gern geschehen. Was zu trinken?« Er holt eine Flasche aus dem Kühlschrank und einen Korkenzieher.

Im Gegensatz zu meiner ist Joels Wohnung immer so sauber und ordentlich, eine Ruhekapsel. Im Wohnzimmer stehen nur ein Zweisitzer mit einer sittsam über die Lehne gebreiteten petrolfarbenen Decke, ein normal großer Fernseher, Bluetooth-Lautsprecher. Abgesehen davon nur eine Topfpflanze auf dem Kamin und ein Tischchen, auf dem normalerweise sein Notizbuch und Stift liegen.

Ich lasse mich aufs Sofa fallen. »Du hast anständigen Wein gekauft.«

»Wie bitte?«

»Wenn er einen Korken hat, bedeutet das, er war teuer. Oder hab ich mir das ausgedacht?«

»Tja.« Er gießt ein. »Angeblich ist das gut. Für die Korkeichenwälder. Ich habe mich eingelesen, jetzt wo du im Naturschutz arbeitest und so.« Er durchquert den Raum und reicht mir ein Glas, das sich kalt wie Frost anfühlt. »Hier, zum Wohl. Ich lasse dir in der Zeit ein Bad ein.«

Oh, mein Herz. Mein Herz frohlockt.

»Danke.« Aber er ist schon auf dem Weg ins Bad, um das

Wasser aufzudrehen. Ich sehe ihm nach – seine breiten Schultern, seine dunklen Haare – und empfinde ein starkes Sehnen.

Nach mehreren intensiven gemeinsamen Wochen haben Joel und ich immer noch nicht miteinander geschlafen. Ich weiß, dass er nichts überstürzen möchte, dass seine Einstellung zu Beziehungen kompliziert ist, dass er seine eigene Kompetenz in Herzensangelegenheiten anzweifelt. Deshalb habe ich überhaupt nichts dagegen, es langsam angehen zu lassen. So wie es gerade ist, fühlen wir uns beide wohl.

Als die Wanne voll ist und ich ins Bad gehe, hat Joel eine Kerze angezündet und ein frisch gewaschenes Handtuch zum Wärmen auf den Halter gehängt. Es ist wie ein langsamer Tanz zärtlicher Gesten, lauter Dinge, die ich früher für Piers tat und er nie erwiderte, vermutlich, weil er nicht glaubte, dass ich der Mühe wert war.

Bis vor Kurzem hat Joel wahrscheinlich noch nicht mal eine Kerze besessen, geschweige denn das Lavendelschaumbad, das er ins Wasser gegossen hat. Es ist, als wartete er seit Jahren darauf, jemanden zu haben, für den er das tun kann.

38

Joel

Die Hälfte von Callies erster Woche in Waterfen ist vorbei, und wir laufen von einem Abendessen bei meinem ehemaligen Chef Kieran und seiner Frau Zoë nach Hause. Nach der Wärme ihres fußbodenbeheizten Esszimmers (sie haben eine helle Backsteinvilla in einer von Eversfords teuersten Alleen) fühlt sich die Welt draußen bösartig kalt an.

»Ist Kieran dein einziger echter Freund?«, fragt Callie mich sanft. Unser Atem kondensiert weiß in der Dezemberluft.

»Steve ist auch ein guter Freund.« Besser als die meisten, wenn man bedenkt, was er alles mit mir auszustehen hatte.

»Warum?«

»Warum was?«

»Warum sind Kieran und Steve deine einzigen richtigen Freunde?« Sie hat sich bei mir untergehakt und stellt die Frage, als wäre es nichts Besonderes. Aber ich weiß, dass das nicht stimmt. Wahrscheinlich grübelt sie, ob ein Mann, der keinen schweren Persönlichkeitsdefekt hat, wirklich Mitte dreißig werden kann, ohne eine ganze Gang vorzuweisen zu haben. Einen allgegenwärtigen Junggesellenabschiedstrupp in Bereitschaftsstellung. Doug mit seiner Schar an Getreuen (ehemalige Schulfreunde, Rugbykameraden, Kollegen, angeheiratete Freunde) war nie dieser Ansicht. Er ärgert mich ständig wegen nicht stattfindender Grillpartys an meinem Geburtstag, Sommern ohne Hochzeitseinladungen. Weltmeisterschaften ohne eine Meute zum Anstoßen.

»Seit das Träumen anfing, habe ich mich nicht sonderlich um Freundschaften gekümmert. Manchmal kam es mir vor wie ein Vollzeitjob. Alles im Blick zu behalten, nicht den Verstand zu verlieren. Das ist heute noch so, wenn ich mal ehrlich bin.«

Ein typisches Beispiel war gestern. Ich träumte, dass die Kreditkarte eines nahen Angehörigen geklont und sein Konto geleert wird. Ich habe noch ein paar Monate Zeit, aber was soll ich tun? Ihm raten, bis Juni nur bar zu bezahlen, sich besseren Computer-Virenschutz zu besorgen? Den ganzen Morgen habe ich hin und her überlegt und mich letztendlich entschieden, ihm zu mailen. Eine Notlüge über einen Freund, der sich damit auskennt und davor gewarnt hat. Was mein Verwandter damit anfängt, ist seine Sache.

Als ich das nächste Mal aufsah, war es schon fast Mittag. Ich konnte mich kaum erinnern, dass Callie zur Arbeit gegangen war. Ich habe ihr nicht mal einen Kuss beim Aufwachen gegeben oder ihr einen Kaffee gekocht, gefragt, ob sie Lust hat, am Wochenende was zu unternehmen. Winzige Chancen, eine Verbindung aufzubauen, die mir durch die Finger rinnen.

»Das ist so schade«, sagt Callie jetzt.

Ich räuspere mich. »Was man noch nie hatte, vermisst man auch nicht. Und Freundschaften sind nicht so leicht zu pflegen, wenn man alles, was einen ausmacht, für sich behalten muss.«

»Vielleicht muss es dich nicht ausmachen.«

Oh doch, denke ich. *Daran kann ich nichts ändern.*

Wir gehen weiter, vorbei an schmiedeeisernen Geländern mit Borten aus Winter-Jasmin.

»Tja, meine Freunde lieben dich«, sagt sie. »Ich wurde völlig überrannt mit Nachrichten am Tag nach Esthers Party.«

Ich lächle. »Das ist schön.« Denn wenn man schon nicht normal sein kann, ist es das Nächstbeste, einigermaßen den Anschein zu erwecken.

»Weißt du, andere Leute sehen einen nicht immer genauso wie man sich selbst.«

Ich schmecke die Süße ihrer Worte, drücke ihre Hand mit meinem Ellbogen. »Apropos, hast du dich schon immer insgeheim als Kandidatin für *Wer wird Millionär* gesehen?«

Sie lacht. »Was?«

»Wie kann ein einzelner Mensch so viel Allgemeinwissen anhäufen? Du weißt einfach alles.« (Nach dem Abendessen haben wir *Trivial Pursuit* gespielt. Und kurz gesagt: Callie hat uns alle nassgemacht.)

Wenig überraschend ist sie die Bescheidenheit in Person. »Schön wär's. Ich war nur gut in Wissenschaft und Technik.«

»Und Erdkunde. Ich meine, woher weißt du so viel über Peru? Und ich kenne sonst niemanden, dem spontan die Hauptstadt von Tansania einfällt.«

Callie bohrt das Kinn in den Schal. »Ha. Das hat Piers an mir gehasst.«

»Was hat er gehasst?« Es fällt mir schwer, mir überhaupt irgendwelche unangenehmen Eigenschaften bei Callie vorzustellen.

»Dass ich vieles wusste. Er dachte, ich will ihn bloßstellen.«

»Wie ein Kind.« An sich bin ich nicht sonderlich geneigt, ihn schlechtzumachen. Der Kerl hat die Beziehung mit der tollsten Frau der Welt in den Sand gesetzt. Er liegt schon hundert zu null hinten.

»Sagen wir mal, wenn er heute so verloren hätte wie du, hätte er eine Woche lang geschmollt.«

In gespielter Empörung ziehe ich die Augenbrauen hoch. »Entschuldige mal – wie *ich*? Ich war nicht ansatzweise so schlecht wie Zoë. Sie wusste nicht mal, wer das Telefon erfunden hat.«

Callie fängt zu kichern an. Umklammert meinen Arm fester. »Hattest du auch den Eindruck, dass sie unbedingt *Mr. Telephone* sagen wollte?«

»Ja, und sie hat sich nur zurückgehalten, weil Kieran sie andauernd getreten hat.«

Sprühend vor Heiterkeit treffen sich unsere Blicke. Wir krümmen uns vor Lachen. Ein einsamer nächtlicher Hundebesitzer macht einen großen Bogen um uns und sieht sich verstohlen über die Schulter, als er die ansonsten stille Straße hinaufläuft.

Ich erzähle Callie nichts davon, dass Kieran mich vorhin in der Küche verhört hat, als ich beim Geschirrabräumen half. (Vor Jahren habe ich von Tamsin gelernt, dass man, wenn man Kinder hat, die kleinen Dinge zu schätzen weiß.)

»Wo hast du die Frau gefunden?«

Die Frage war rhetorisch gemeint. Callie hatte ihm die Geschichte schon bei der Pastinakensuppe erzählt, eine Hand auf meine gelegt, die Fußsohle auf meiner Ferse. Also lächelte ich nur.

»Freut mich für dich.«

»Danke.«

»Sieht aus, als ginge es endlich wieder aufwärts.«

Ich stelle Teller in die Spülmaschine. Aus dem Esszimmer höre ich Zoë quietschen vor Lachen über etwas, das Callie gesagt hat. Das Plätschern von Wein in Gläsern.

Ich drehte mich zu ihm um. »Tut mir leid, dass ich dich im Stich gelassen habe.«

»Joel.« Ganz sanft legte er mir die Hand auf die Brust. »Das haben wir doch schon geklärt.«

In den Jahren, in denen wir Kollegen waren, erwies Kieran sich als der stabilisierende Einfluss, den zu brauchen ich nicht gewusst hatte. Gelassen und unerschütterlich, wie er war, behielt er immer meine schwierigsten Patienten und klinischen Entscheidungen im Blick. Wenn die harte Arbeit getan war, gingen wir auf ein Bier und eine Partie Billard aus. Und ich wartete nur auf die Lachfältchen, die sich immer, kurz bevor er losprustete, um seine Augen bildeten. Denn wenn das geschah, war es vorbei: Dann konnte ich mich auch nicht mehr halten.

Später bildeten sich noch andere Falten in seinem Gesicht. Aber die waren der Frustration geschuldet, weil er mich immer weiter von dem Leben, das ich mir geschaffen hatte, abrücken sah. Doch er verlor nie die Beherrschung. Er wartete geduldig, als beobachtete er, wann ich aus der Strömung, die mich mitgerissen hatte, ausscherte. Mich auf den langen und mühsamen Rückweg ans Ufer machte.

Jetzt zog ich das obere Gitter der Spülmaschine heraus und legte die Suppenschüsseln umgedreht hinein. Kieran ließ die Hand sinken.

»Das war ein einziges Mal, Joel.« Als müsste er das aussprechen.

Einmal zu oft.

»Es war nicht deine Schuld.«

Manches kann man eine Million Mal gesagt bekommen und trotzdem nie ganz glauben. Zum Beispiel, dass ein Vogel ohne Pause von Alaska nach Neuseeland geflogen ist. Oder dass ein geliebter Mensch im Schlaf verschieden ist, obwohl man die ganze Zeit neben ihm saß und seine Hand hielt.

Ein paar Sekunden lang war die Küche so still wie der Weltraum.

»Hey, könntest du mir einen Gefallen tun?«, fragte Kieran auf einmal. »Es hat mit Callie zu tun.«

Ich ziehe eine Grimasse. »Ich soll es nicht versauen?«

Kieran zuckte die Achseln. »Genau. Mir gefällt, wie sie dich ansieht. Als wärst du der einzige Mensch im Raum. Das gibt es nicht oft.«

Da umklammerte ich die Kante der Arbeitsfläche. Hoffte, Kieran bemerkte es nicht. »Sag mir, wie ich das schaffen kann, ohne es irgendwie doch kaputtzumachen.«

Er bemerkte es. »Eigentlich ist es ziemlich einfach.«

»Klär mich auf. Bitte.« Obwohl er das nicht kann, natürlich nicht. Weil er keine Ahnung hat, was meine innersten Ängste anfacht.

»Du musst dich einfach darauf einlassen. Spring. Mit dem Kopf voran, rückhaltlos.«

Danach gingen wir wieder zu Zoë und Callie ins Esszimmer. Aber den restlichen Abend konnte ich immer nur denken: *Wie zum Henker lässt man sich auf eine Beziehung ein, wenn man sich nicht traut, sich zu verlieben?*

39

Callie

Nach den ersten zwei Wochen in Waterfen spüre ich etwas in mir wiederaufleben.

Ich fühlte mich noch nie so eins mit meinem Körper. Staunend nehme ich das Zucken und Rucken seit Langem schlummernder Sehnen und Bänder wahr, als mein Blutkreislauf in Fahrt kommt, meine Lunge sich ausdehnt und meine Muskeln langsam erwachen. Ich schleppe Holz und harke Schilf und wate durch Wasser, erlebe dabei den rauen Reiz der Atemlosigkeit. Ich lache über die Absurdität des Schwitzens bei unter null Grad, freue mich am geschmeidig ausgeführten Schwung einer Sense. Und ich werde langsam süchtig nach der betäubenden Erschöpfung des Abends, der tiefen Ermattung, wenn ich auf Joels Sofa sinke und er mir mit den Daumen die Knoten aus dem Rücken massiert.

Piers zog mich immer auf, wenn ich Marmeladengläser nicht aufdrehen oder den Korken nicht aus einer Sektflasche ziehen konnte. *Du solltest mich jetzt sehen*, sage ich im Geiste zu ihm, während ich den Anhänger mit zwanzig Kilo schweren Holzklötzen belade, mit brennendem Rücken Unkraut aus den Gräben rupfe und zu hohen Haufen auftürme, neue mehrstöckige Unterkünfte für die Mäuse.

Jeden Tag dreht sich die Welt zwischen meinen Fingern, über meinem Kopf, unter meinen Füßen. Ich empfinde ein irdisches Gefühl von Heimkehr.

Am Freitagnachmittag fragt Fiona mich, ob ich verheiratet sei. Hier draußen ist das schwer zu erkennen, schätze ich mal, weil niemand Ringe trägt aus Angst, sie könnten ins Ökosystem eindringen.

Wir schneiden gerade Schilf im Moor. Fiona und ich sind mit Harken dran, während Liam und zwei Ehrenamtliche die Motorsägen bedienen. Der Wind beißt heute und treibt den Nieselregen seitwärts, aber die Arbeit ist so anstrengend, dass ich nur noch ein T-Shirt trage.

Wie unfassbar lebendig ich mich gerade fühle, hat selbstverständlich auch mit Joel zu tun. Ich fühle mich extrem von ihm angezogen, auf eine Weise, die mir völlig neu ist. Seine Hände meinen Körper erforschen zu lassen, seinen Mund auf meinem zu spüren, ist wie eine tägliche Dosis Dynamit tief in meinem Inneren.

Aber er möchte immer noch warten, bevor wir weiter gehen. Das flüstert er mir manchmal zu, wenn er abbricht, bevor wir den Punkt erreichen, an dem es kein Zurück mehr gibt. *Ich will es nicht überstürzen. Ist das okay? Du bedeutest mir zu viel.*

So anders als Piers oder jeder andere Freund, den ich bisher hatte. Und obwohl ich natürlich kaum erwarten kann, Sex mit Joel zu haben, machen die Selbstbeherrschung und das Zurückhalten alles noch spannender.

»Nein«, antworte ich. »Bin ich nicht. Aber ich habe einen Freund.«

»Wohnt ihr zusammen?«

Lächelnd streiche ich mir die Haare aus den Augen. »Mehr oder weniger. Wir wohnen im gleichen Haus.«

Fiona harkt Schilf, als schlachtete sie es zum Abendessen. Ich beneide sie um ihre im Laufe vieler Jahre perfektionierte Technik; sie kann mit jeder Gabel doppelt so viel aufheben wie ich, und ich weiß, dass ich sie nur bremse. »Ach ja? Wie ist er so?«

Ich beschreibe ihn – ich liebe es, über Joel zu reden, seinen Namen auf der Zunge zu schmecken. Gleichzeitig komme ich mir fast kindisch vor, als erzählte ich ihr von einem Fantasiefreund. Fiona denkt wahrscheinlich, dass ein Monat gerade mal eben als Affäre zählt, keinesfalls als Beziehung. Wobei das schwer zu beurteilen ist. Die Feinheiten der Körpersprache sind viel schwerer zu deuten, wenn man gerade Schwerstarbeit in einem Röhricht leistet.

»Was macht er?«

»Er war früher Tierarzt.«

Ein paar Sekunden lang reagiert sie nicht. Dann: »Moment mal, Joel. Aber nicht Joel Morgan?«

»Doch! Kennst du ihn?«

Sie nickt, harkt dabei weiter. »Er hat meiner Schäferhündin das Leben gerettet. Sie hatte am Strand einen Köder am Angelhaken gefressen und samt Schnur verschluckt.«

»Aua. Die Arme.«

»Allerdings. Und sie ist auch generell kein Fan von Tierärzten. Aber Joel war fantastisch. Sehr ruhig. Netter Typ, ich werde nie vergessen, wie gut er mit ihr umgegangen ist.«

Mit Freuden nehme ich ein Kompliment in seinem Namen an. »Das klingt genau nach ihm.«

»Eine Woche später wollte ich mich noch mal richtig bedanken, aber da hieß es, er sei nicht mehr da.«

Wir arbeiten ein Weilchen weiter. Ich keuche wie eine Dampflok, und meine Handflächen brennen vor lauter Blasen, trotz meiner dicken Schutzhandschuhe.

»Und, was macht er jetzt?«

»Er nimmt sich gerade eine kleine Auszeit«, sage ich, so zwanglos ich kann, als wäre es keine große Sache. »Er führt für ein paar Nachbarn, die nicht mehr so mobil sind, die Hunde aus.«

»Aha. Na, sag ihm, er soll schnell wieder anfangen. Er war ein toller Tierarzt. Spitze.«

»Danke. Richte ich aus.«

»Und wenn er so nett zu Menschen wie zu Tieren ist, würde ich sagen, da hast du einen guten Fang gemacht.«

Ein paar Stunden später treffe ich mich mit Joel beim Chinesen. Ich bin halb verhungert, immerhin habe ich gerade mehr oder weniger acht Stunden lang schwere Gewichte gestemmt.

»Ich war vorhin im Café. Dot lässt grüßen«, sagt er. Seit ich nicht mehr dort arbeite, geht er seltener hin. Heute Abend wirkt er müde, da er diese Woche nicht viel geschlafen hat, aber seine Augen sind trotzdem voller Wärme, als er in meiner Miene zu lesen versucht, wie mein Tag verlaufen ist.

»Du meinst, sie sind noch nicht bankrott?«

»Hey, du bist erst seit zwei Wochen weg. Konzernpleiten brauchen ihre Zeit.«

Grinsend trinke ich einen Schluck Wasser. »Ist es komisch dort ohne mich?«

»Bisschen. Besonders wenn Dot sich an meinen Tisch setzt und nicht mehr gehen will.«

»Hast du Sophie schon kennengelernt? Dot meinte, sie

habe diese Woche angefangen.« Sophie ist Bens enthusiastische neue Angestellte, die angeblich schon vorgeschlagen hat, Uniformen einzuführen, auf Selbstbedienung umzustellen und – in Dots Worten – »die Speisekarte rücksichtslos mit Avocado zu schänden«.

Grace war allergisch gegen Avocados. Sie bekam davon so starke Krämpfe, dass sie sich krümmen musste.

Jetzt reibt Joel mein Bein mit dem Fuß und mustert mich mit seinen pechschwarzen Augen. »Ja. Aber sie kann dir natürlich nicht das Wasser reichen. Sie ist ein bisschen barsch.«

Stirnrunzelnd zerbreche ich eine Frühlingsrolle. Grace wollte unbedingt, dass das Café eine freundliche Atmosphäre verströmte, ein Ort, an dem es keine festgelegten Kaffeebechergrößen gab, an den man allein gehen konnte, ohne sich unwohl zu fühlen.

Manchmal konnte man ihr Lachen auf der Straße hören, durch die Luft schwirrend wie Konfetti. Sie war auch oft draußen, plauderte mit Passanten, während sie die Tische abwischte. Grace gab der Welt um sich herum alles von sich, wie ein erleuchtetes Fenster bei Nacht, man konnte nicht in ihrer Nähe sein, ohne sich gewärmt zu fühlen.

Als Joel sich nach meinem Tag erkundigt, erzähle ich ihm Fionas Hundegeschichte. »Sie sagt, du hättest ihrer Schäferhündin das Leben gerettet, eine Woche bevor du gekündigt hast.«

Er gießt uns Wasser aus dem Krug nach, zuerst mir, dann sich. »Angelhaken?«

»Genau die.« Offen gestanden finde ich es höchst beeindruckend, dass jemand hier und jetzt einen Hund mit einem Angelhaken im Bauch hereinbringen könnte und Joel exakt wüsste, was zu tun ist.

»Netter Hund, wenn ich mich recht erinnere.«

»Angeblich mag sie normalerweise keine männlichen Tierärzte.«

»Fiona oder der Hund?«

Ich lächle. »Der Hund.«

»Ach, sie war nicht so schlimm. Solche haben meistens nur Angst.«

»Vielleicht wusste sie es.«

»Wusste was?«

»Dass du einer von den Guten bist.«

Er rutscht auf seinem Stuhl herum, mit Komplimenten kann er nie gut umgehen.

»Fiona lässt ausrichten, du sollst dir keine zu lange Auszeit nehmen. Fantastisch warst du, hat sie wörtlich gesagt. Wobei ich dich zufälligerweise auch ziemlich fantastisch finde.«

»Nimm dir Chow mein«, murmelt er verlegen und gestikuliert mit seinen Stäbchen. »Sonst wird es noch kalt.«

40

Joel

Callie und ich kommen gerade aus dem Gartencenter-Schrägstrich-Kaufhaus, nachdem wir eine Stunde lang optisch und akustisch mit einem Winterwunderland bombardiert wurden, das heller erleuchtet war als Las Vegas. Der Laden ist wie Weihnachten auf Halluzinogenen, eine geradezu psychotische Reizüberflutung. Als Schlittengeläut verkleidete Tamburine, der latente Mief von Lebkuchenaroma. Eine Armee von marktschreierischen Elfen.

Normalerweise hole ich mir meine Weihnachtsstimmung bei meiner Schwester ab. Als aber Callie erfuhr, dass man sich im Gartencenter einen Baum leihen kann, den man hinterher dem Erzeuger zurückgeben und im nächsten Jahr wiederverwenden kann, fragte sie, ob ich nicht Lust hätte, den ganzen Spuk mitzumachen.

Ich sagte Ja. Allerdings war das, bevor ich helfen musste, drei Tage vor Weihnachten eine Tanne quer über einen vollen Parkplatz zu schleifen.

»Deshalb kaufen die Leute also künstliche«, ächze ich.

»Aber die aus Plastik sind so freudlos.«

Ich deute mit dem Kopf hinter mich. »Ich hab noch nie was Freudloseres erlebt als dieses Wunderland. Was sie übrigens meiner Meinung nach ein bisschen zu dick auftragen.«

»Ich glaube, du bist nur sauer, weil du nicht zum Weihnachtsmann durftest.«

»Bin ich nicht. Er hatte eine Sonnenbrille an.«

»Zu viele Lichter?«

Ich schüttle den Kopf. »Zu viele gestern Abend. Der war verkatert, hundertpro.«

Callie lacht. »Der Arme. Stell dir seine Qualen vor.«

»Lieber nicht. Schreiende Kinder. Weihnachtslieder in Dauerschleife. Der überwältigende Drang, sich zu übergeben … Jetzt, wo wir drüber reden: Das klingt verdächtig nach Weihnachten mit meiner Familie.«

Endlich sind wir am Auto und lehnen den Baum an die Stoßstange. Ich drücke mir die Hände ins Kreuz, schwanke in der frischen Luft. Steve wäre entsetzt, wenn er sehen würde, wie erbärmlich wenig Kraft ich im Oberkörper habe. Ich würde wahrscheinlich keine fünf Minuten in Callies Job durchhalten (im Gegensatz zu mir ist sie kaum ins Schwitzen gekommen).

»Wie dem auch sei.« Sie stellt einen Fuß auf das Hinterrad, bereit für unseren ersten Versuch, das Ding auf das Autodach zu hieven. »Das Beste an einem echten Baum ist, dass deine Wohnung wunderbar riechen wird.«

»Moment mal, wann haben wir beschlossen, dass er in meine Wohnung kommt?«

Sie grinst. »Hm, wie soll ich das formulieren?«

»Du glaubst, ich schaffe es niemals die Treppe hoch damit, stimmt's?«

Sie hatte Recht. Also stellen wir den Baum in das Erkerfenster meines Wohnzimmers. Schmücken die Äste mit Lametta und Kugeln, Lichterkette, winzigen Schokolädchen. Es macht mich etwas wehmütig nach vergangenen Zeiten.

Mein Vater strich Weihnachten mehr oder weniger, nachdem Mum gestorben war. Es gab keinen Schmuck, kein besonderes Essen. Mehr, als uns allen Gutscheine für das Einkaufszentrum zu besorgen, war nicht drin.

Ich glaube, alle waren insgeheim erleichtert, als Amber auf die Welt kam und Tamsin anbot, bei ihnen zu feiern. Immerhin hat sie Mums fröhliche Art geerbt. Ich wusste, dass es bergauf ging, als sie mir eines Abends beschwipst gestand, sie habe vor, dieses Jahr an Weihnachten »richtig auf die Kacke zu hauen«.

Endlich geht uns der Glitzerkram aus. Ich stelle mich hinter Callie, schlinge die Arme um sie. Sie lehnt sich rückwärts an meine Brust, und ich vergrabe das Gesicht in ihren duftigen Haaren. So bleiben wir einige Zeit stehen, tauschen Herzschläge aus. *Du musst meins wie verrückt klopfen spüren*, möchte ich sagen. *Ich verliebe mich in dich, Callie.*

»Weißt du«, flüstert sie. »Allmählich denke ich, dass Weihnachten dieses Jahr vielleicht wirklich schön wird.«

Das Gefühl ist mir schmerzlich vertraut. »Dein letztes war wohl ziemlich schlimm.«

Sie dreht sich zu mir um. Ihre Augen sind weich im gedämpften Licht. »Für dich muss es auch eine schwierige Jahreszeit sein.«

»Seit die Kinder da sind, ist es leichter. Alles dreht sich jetzt um sie.«

Sie lächelt. »Die lieben es bestimmt.«

»Im Prinzip organisieren meine Geschwister alles. Ich tauche nur mit den Geschenken auf. Lasse die Kleinen auf mir rumturnen. Versuche, nicht zu viel zu trinken.«

»Klar. Das Mantra vernarrter Onkel überall.«

»Ach, und ich fungiere auch als Schiedsrichter. Letztes Jahr kam es fast zu einer Schlägerei. Scharade.«

»Was sonst?«

»Das Stichwort war ›Good Vibrations‹ von den Beach Boys. Mein Bruder war betrunken. Dachte, er macht es mal unanständig.«

Sie fängt zu lachen an. »Oh nein.«

»Ja, es war ziemlich witzig. Tamsin und ich haben den Kindern die Augen zugehalten. Dad war stocknüchtern und empört. Am Ende sind sie in den Garten gegangen. Ich musste einschreiten.«

Callie grinst, als hätte ich ihr gerade eine wirklich herzerwärmende Geschichte erzählt. »Ich würde wahnsinnig gern deine Familie kennenlernen.«

»Momentan fällt es mir ein bisschen schwer, mit ihnen zusammen zu sein.« Ich versuche, die Traurigkeit hinunterzuschlucken, unversehens von einer Nostalgie überrumpelt, die vielleicht schon bald etwas ganz anderes für mich bedeutet. Obwohl ich noch keine Beweise dafür gefunden habe, kann ich die Eindringlichkeit meines Traums nicht abschütteln. »Ich bin mir unsicher, wie es mir mit dem geht, was ich über meinen Vater weiß oder zu wissen glaube.«

Sie drückt mir ermutigend die Hand.

»Aber es ist Weihnachten«, räume ich ein. »Also werde ich sie mit Sicherheit irgendwann besuchen, und du solltest mitkommen.«

»Das wäre schön.«

Wir setzen uns zusammen aufs Sofa. Gegenüber lodert das Feuer im Kamin. »Was ist mit dir? Fährst du zu deinen Eltern?«

»Normalerweise sind wir am ersten Weihnachtsfeiertag bei meiner Tante. Das ist so Tradition. Aber meine Cousins sind ein bisschen blöd. Deshalb weiß ich nicht genau, ob bei mir so richtig festliche Stimmung aufkommt, wenn ich dort bin.«

Mein Herz macht einen Salto, als ich eine Idee habe. »Also, wenn wir beide unserer Familie aus dem Weg gehen wollen, warum verbringen wir ihn nicht zusammen?«

Sie küsst mich. »Supergern. Ich muss nur meinen Eltern Bescheid geben.«

»Ich will dich nicht …«

»Nein, kein Problem«, sagt sie schnell. »Alles gut. Versprochen.«

Ein paar Sekunden verstreichen. Dann steht sie auf und geht zum Fenster. Lässt die Jalousien herunter, bittet mich, das Licht auszuschalten.

Sie geht in die Hocke und steckt die Lichterkette ein, die wir um den Baum gewickelt haben. Eine Mini-Supernova leuchtet auf und wirft bunte Pünktchen an die Wände. »Vielleicht sehen wir Weihnachten ab diesem Jahr anders«, flüstert Callie.

Ich verdränge jeden Gedanken an die Zukunft und die Vergangenheit. Denn in diesem Augenblick, heute, bin ich glücklicher als seit langer, langer Zeit. »Da könntest du Recht haben.«

41

Callie

Letzten Endes konnte ich meinen Eltern den ersten Feiertag mit Joel nur abringen, indem ich einwilligte, am Heiligabend zum Essen zu kommen, damit sie meinen geheimnisvollen Mann kennenlernen konnten. Mum war, glaube ich, nicht ganz überzeugt davon, dass es ihn überhaupt gibt.

Natürlich hat Joel sie entzückt. Er stellte die besten Fragen, lachte über Dads Witze, sprach herzlich mit Mum.

Bevor wir gingen, als Joel gerade auf der Toilette war, raunte Mum mir zu: »Also ich finde ihn wunderbar, Schätzchen. Sehr bodenständig.«

Dad, den Arm um Mums Schultern gelegt, sagte: »Netter Bursche.« Und das Lächeln der beiden in dem Moment reichte mir als Bestätigung.

Am ersten Weihnachtsfeiertag wache ich von einem Scheppern in der Küche auf. Als ich aufstehe und hingehe, steht Joel barfuß in Jeans und kariertem Hemd da, den Blick ratlos auf eine Pfanne gerichtet. Neben ihm sitzt hoffnungsvoll Murphy.

Joel sieht über die Schulter. »Ich wollte dich fragen, wie du deine Eier magst, aber der Plan hat einen Haken.«

Ich hüpfe auf einen Hocker. »Nämlich?«

»Ich habe keine Ahnung, was man mit Eiern anstellt.« Er verzieht den Mund zu einem Grinsen und reicht mir einen Buck's Fizz. »Gilt das als Entschädigung? Frohe Weihnachten.«

Das Mittagessen verläuft reibungsloser als das Frühstück, hauptsächlich, weil Joel so vorausschauend war, den Inhalt einer ganzen Supermarktkühltruhe aufzukaufen. Deshalb ist es einfach nur eine Frage der Aufteilung zwischen Herd und Mikrowelle. Ich komme mir leicht verrucht vor, wenn ich daran denke, was meine Mutter – die strengste Verfechterin des Selbstgekochten – sagen würde, wenn sie wüsste, dass wir Bratkartoffeln aus der Packung, Soße aus Granulat und Gemüse essen, das Ping macht, wenn es fertig ist. Irgendwie fühlt es sich herrlich rebellisch an.

Als ich ihm das nach dem Essen auf dem Sofa erzähle, grinst er. »Wenn für dich Mikrowellen schon rebellisch sind, haben deine Eltern großes Glück mit dir gehabt.«

»Na ja, sie haben mein Tattoo noch nicht gesehen.«

»Glaubst du, sie wären nicht einverstanden damit?«

»Du kannst dich schon noch daran erinnern, oder?«

Ein paar Momente lang sieht er mir fest in die Augen, dann sagt er leise: »Bin mir nicht ganz sicher. Vielleicht muss ich noch mal einen kurzen Blick draufwerfen.«

Mein Bauch steht in Flammen, als ich seinem Wunsch nachkomme und meine Jeans herunterziehe, um das Bild auf meiner Haut zu entblößen. Joel beugt sich vor, und dann liegt sein Mund auf meinem, ein inniger Kuss, bevor er sich von mir löst und mit einem einzelnen Finger den Umriss des Vogels auf meiner Hüfte nachzufahren beginnt. Mindestens eine Minute vergeht, bevor er langsam, behutsam die Hand in meine Jeans schiebt, Zentimeter für Zentimeter, ohne seinen Blick von meinem zu lösen. Wieder und wieder streifen seine Fingerspitzen den Saum meiner Unterhose, so aufreizend gemächlich, dass es fast unerträglich ist. Und dann, endlich, wandert seine Hand zwischen meine Beine, woraufhin ich den Kopf in den Nacken lege, die Augen schließe und hoch in den Himmel aufsteige.

»Ich hab was für dich«, murmelt er später, sein Atem weich und warm auf meinen Haaren, mit einem Finger immer noch die Tinte auf meiner Haut streichelnd.

Er holt ein Geschenk unter dem Baum hervor. Ich setze mich auf und spüre seinen Blick auf mir, als ich es auspacke und lächle. Es ist eine Karaffe mit zwei Gläsern, genau wie die, aus denen wir an dem Abend beim Italiener getrunken haben, vor meinem Vorstellungsgespräch in Waterfen.

»Damit du dich immer wie in einem Straßencafé fühlen kannst«, sagt er. »Irgendwo am Mittelmeer.«

Ich bin fast zu Tränen gerührt, als ich mich vorbeuge und ihn küsse, ein Danke flüstere.

»Ach, und das noch.«

Ich wickle das zweite Päckchen aus und betaste die weiße Baumwolle eines T-Shirts mit schwarzem Traktor, unter dem steht MEIN ANDERES AUTO IST EIN TRAKTOR. Ich muss lachen. »Ausgezeichnete Wahl.«

»Als ich das sah, musste ich sofort an dich denken.«

»Das hast du einfach so gefunden?«

»Äh, nein. Ich hab es für dich drucken lassen.«

Natürlich. »Danke. Das ist super.«

Er nimmt meine Hand. »Na gut. Komm mit. Es dürfte jetzt dunkel genug sein.«

»Muss ich nervös sein?«

Er lacht. »Ich würde sagen, bei mir liegt man damit nie so ganz falsch.«

Also laufe ich, mit Joels Hand auf meinen Augen, so wackelig wie ein erst Minuten altes Fohlen in den Garten. Ich genieße das Gefühl – die Wärme seiner Handfläche auf meinem Gesicht, die mich sicher durch die Schwärze führt.

Nach einer Weile spüre ich den kalten Hauch der Luft draußen, und Joel nimmt seine Hand weg. Ich schnappe nach Luft. Der Zaun leuchtet von unzähligen bunten Lichtern, unsere eigene kleine Glühwürmchen-Galaxie.

»Na das ist mal eine Leistung«, murmle ich nach ein paar Sekunden. »Einen kriminell hässlichen Garten so schön aussehen zu lassen.«

»Ja«, sagt er leise. »Daraus lässt sich durchaus was machen, oder?«

Ehe ich antworten kann, nimmt er meine Hand und zieht mich zum Schuppen. Da er bisher nicht genutzt wurde, ist er von einer undurchdringlichen Efeuschicht quasi zugemauert. Aber unter dem Dachvorsprung entdecke ich jetzt einen nagelneuen Nistkasten. »Damit wir nächstes Jahr ein paar Junge beobachten können. Rotkehlchen vielleicht.«

Mein ganzes Leben lang warte ich schon auf dich, denke ich, als ich ihn zu einem Kuss an mich ziehe.

Später geht Joel mit Murphy spazieren. Manchmal führt er ihn spätabends noch eine Runde um den Block; eine weitere Methode, vermute ich, den Schlaf hinauszuzögern.

Während er weg ist, rufe ich Grace an. Ich weiß, dass es verrückt ist, aber wir haben ausnahmslos jedes Weihnachten miteinander telefoniert, deshalb muss ich zumindest ihre

Nummer wählen. Das gehört zum Schwierigsten an ihrem Verlust, mir diese alltäglichen Reflexe abzugewöhnen.

Wie immer stelle ich mir vor, dass sie heute abheben wird. Dass ich sie fragen werde, wo sie die ganze Zeit war, und sie mir erzählen wird, sie hat sich mit Soundso verquatscht, einem der zahllosen Menschen, die sie liebten.

Aber ich werde nur vom Piepton ihrer Mailbox begrüßt.

»Frohe Weihnachten, Gracie. Bei mir läuft es gerade echt gut. Ich wünschte, du könntest Joel kennenlernen. Ich glaube, du würdest ihn wirklich mögen. Jedenfalls wollte ich nur sagen, ich hab dich lieb.«

Und dann gestatte ich mir, ein Weilchen zu weinen, weil ich sie vermisse, weil Weihnachten ist.

42

Joel

Es ist spätnachts vom ersten auf den zweiten Weihnachtsfeiertag, und ich liege noch wach. Callie liegt an mich gekuschelt und zuckt im Schlaf wie ein träumendes Tier.

Vorhin war ich schrecklich wütend. Nicht auf Callie, sondern auf mich selbst. Weil ich nicht fähig war, mich über ihr Geschenk zu freuen. Die Broschüre und den Gutschein, auf so dickes, weiches Papier gedruckt, dass er mehr wie eine Hochzeitseinladung wirkt.

Eine Woche Wellness, einschließlich Verpflegung und Zusatzkosten. Nur für mich, ohne sie. Vermutlich konnte sie sich zwei Personen nicht leisten.

Das Retreat sei auf Schlaftherapie spezialisiert, erzählte sie mir so begeistert, dass sie ins Stottern geriet. (Ich brachte es nicht übers Herz, sie daran zu erinnern, dass ich kein Interesse daran habe, tief zu schlafen, weder jetzt noch in Zukunft.) Man wird mich dort in Meditation unterweisen, Yoga. Zum wiederholten Male erkundigte sie sich nach Diana, regte an, mich mit Steve in Verbindung zu setzen, um die Sache anzuleiern. Sie meinte, das nächste Jahr könne das sein, in dem sich alles zum Guten wendet.

Ich habe vergessen, wie es ist, hoffnungsvoll zu sein, optimistisch hinsichtlich Veränderung. Die Vorstellung erscheint mir jetzt so seltsam. Als würde ich einen Ort, an dem ich früher einmal gelebt habe, von oben aus dem All betrachten. Ich denke an all das Geld und die Zeit, die ich im Laufe der Jahre meinen Experimenten gewidmet habe. Dem Lavendel und weißen Rauschen. Den Schlaftabletten und dem Schnaps und weiß Gott, was ich online bestellt habe. Und nie hat es etwas gebracht. *Für dieses Problem gibt es keine Lösung, Callie.*

Eine Zeit lang hat die Droge, mit ihr zusammen zu sein, meine Angst vor den Konsequenzen gedämpft. Aber ihr Geschenk (so gut gemeint es war) hat mich eigentlich nur daran erinnert, dass meine Träume nie aufhören werden.

Nachdem sie eingeschlafen war, habe ich die Wellness-Anlage gegoogelt. Mir brach lautlos das Herz: Das Ganze hat sie annähernd drei Monatsmieten gekostet.

Ich nehme ihre Weihnachtskarte vom Nachttischchen. Zwei Eisbären, die sich die Nasen reiben, unterschrieben mit *Alles Liebe.*

Ich starre das Wort an, bis es mir ein Loch in den Kopf brennt.

43

Callie

Am zweiten Feiertag bleiben wir lange im Bett liegen, öffnen aber die Jalousielamellen, so dass das Zimmer von eisig weißem Licht durchströmt wird. Ich streiche träge über Joels nackte Brust, zeichne die Muskeln nach, die wunderschöne Landschaft seiner Rippen. Sein Notizbuch liegt geschlossen auf seinem Schoß, in dem Gummiband klemmt ein Stift, also muss er wohl letzte Nacht einen Traum gehabt haben.

»Wie geht es dir damit, heute deine Familie zu treffen?« Ich habe vergeblich versucht, mich in Joel hineinzuversetzen, unerwartet Grund zu haben, an der Vaterschaft meines Dads zu zweifeln.

»Gut. Ich freue mich darauf, dass sie dich kennenlernen.«

Ganze acht Mitglieder einer nagelneuen Familie, das ist so nervenaufreibend wie ein Vorstellungsgespräch für einen Job, den man unbedingt kriegen möchte. Joel hat an Heiligabend meine Eltern beeindruckt, und ich hoffe, ich schaffe das Gleiche.

Trotzdem. »Nein, ich meinte wegen deines Vaters.«

Er wendet sich mir zu. »Tja, mal abgesehen von allem anderen könnten zehn Stunden in seiner Gesellschaft anstrengend werden.«

Ich habe so das Gefühl, dass er dem Thema ausweicht. Vielleicht ist es zu schmerzhaft. »Aber an Weihnachten lässt er dich doch bestimmt in Ruhe.«

»Ich hoffe ein bisschen, dass es hilft, wenn du dabei bist.« Er zieht eine Grimasse. »Wobei ich dich vermutlich warnen sollte. Mein Bruder und seine Frau werden sich nach dem Essen streiten.«

»Ach, ist das immer ...«

»Das habe ich geträumt«, erklärt er ruhig. »Irgendwas davon, dass die Kinder nicht so viel Schokolade essen sollen. Aber wenn wir abspülen, können wir uns davor drücken.«

»Gute Idee.« Doch obwohl ich grinse, bringt es mich insgeheim aus der Fassung; seine Vorhersagen erstaunen mich jedes Mal.

Wenig überraschend hält Joel sich nicht länger damit auf. Stattdessen seufzt er und schielt nach dem Wecker. »Wir sollten wahrscheinlich bald mal los.«

»Gleich«, flüstere ich, lege eine Fingerspitze auf seine Brust und lasse sie dann langsam zu seinem Bauch hinunterwandern.

»Ja, du hast Recht«, murmelt er, als seine Augenlider sich flatternd schließen. »Ich meine, es ist Weihnachten. Kein Grund zur Eile.«

Der Kontrast zwischen Joel und seinen Geschwistern ist schwer zu übersehen. Nicht nur in ihren Eigenheiten, sondern auch äußerlich, Dunkelheit gegen Kupfer, wie eine Blüte im Winter, ein exotischer Vogel in heimischen Gefilden.

Ich bemerke eine sachte Veränderung in seinem Benehmen bei unserer Ankunft. Dennoch sieht man ihm keinerlei

Unbehagen an, als er in die Hocke geht, um seine Nichten und den Neffen zu küssen, als er Neil die Hand schüttelt und seinem Bruder auf den Rücken klopft. Was mir wieder vor Augen führt, wie geübt er darin ist, seine Gefühle für sich zu behalten.

Tamsin hat das Essen mitgebracht, ein üppiges Festmahl aus Resten von gestern, vollgepackt mit Geschmack, wie Selbstgekochtes eben wird, wenn es eine Nacht Zeit zum Durchziehen hatte. Sobald wir uns hinsetzen, findet Joels Fuß meinen, während über dem Tisch unsere Blicke Tango tanzen. *Danke*, scheint er zu sagen, *dass du mitgekommen bist*.

Beim Essen wird ein wenig gestichelt, hauptsächlich von Doug. »Empfinden Pflanzen nicht auch Schmerz?«, ist seine Reaktion darauf, dass ich ebenfalls Vegetarierin bin. Und dann, als ich über die Benutzung von Kettensägen spreche: »Und du suchst bestimmt das Weite, wenn der Baum umkippt, ha.« Später allerdings wird es einen Moment lang mucksmäuschenstill, als Lou mich nach meinen Eltern fragt und ich erzähle, dass mein Vater früher als Onkologe gearbeitet hat.

Hinterher, als Doug Schokolade verteilt, flüchten Joel und ich in die Küche, um zu spülen. Ohne es zu wollen, horche ich nach Anzeichen für einen Streit, und tatsächlich passiert es. Laute Stimmen, zuknallende Türen und irgendwann schnelle Schritte auf der Treppe.

Etwas später kommt der Vorschlag, einen Spaziergang zu machen, vermutlich in der Hoffnung, die frische Luft werde sich beruhigend auf alle auswirken. Also biete ich an, der Familie ein Feld in der Nähe zu zeigen, auf dem sich, wie ich zufällig weiß, in der Dämmerung die Rotmilane gern für die Nacht versammeln. Die Kinder sind unverhältnismäßig begeistert, weil sie sich unter dem Namen wer weiß was vorstellen, bis Tamsin ihnen lächelnd erklärt, dass es sich um einen Raubvogel handelt. Ich fühle mich schrecklich, als hätte ich einen Ausflug ins Kino angekündigt und dann auf Supermarkt zurückgerudert. Trotzdem, es wird ihnen sicherlich gefallen.

Zwielicht überspült die Furchen des Feldes, verscheucht die sinkende Sonne. Auf der gegenüberliegenden Seite, vor dem feurigen Himmel, kreisen die Vögel über einem Wäldchen, elegant durch die Luft gleitend. Sie breiten sich aus wie Qualm, werden immer mehr, erst zwei, dann acht, dann zwanzig. Fünfundzwanzig. Dreißig. Zusammen mit Joel gehe ich neben Buddy, der Murphy den Kopf krault, in die Hocke, erkläre ihm die Tricks und Kniffe der virtuosen Flugkünste der Milane. Fasziniert beobachtet er, wie sie sich vom Wind tragen lassen, schwarze Sprenkel in der Dämmerung, die schließlich langsam, einer nach dem anderen, aus dem Himmel herabrieseln.

Und so verbringe ich den zweiten Weihnachtsfeiertag: damit, dass ich Joel und seine Familie in die zarte Erhabenheit der Natur einführe. Mehr hätte ich nicht verlangen können.

44

Joel

Am Ende war es geradezu unheimlich unkompliziert, die Tür zu einem völlig anderen Leben aufzustoßen. Ich hätte es leicht übersehen können: dieses Aufleuchten in der Dunkelheit von Dads Speicher, wohin ich vor dem Weihnachtsessen geschickt worden war, um noch zwei Stühle zu holen.

Es war der Staubbeutel für den einzigen Luxus, den Mum sich gegönnt hatte, einen großen Leder-Shopper in der Farbe von Marzipan. Diese Tasche begleitete sie überallhin. Auf kurzen Einkaufstouren, Busfahrten in die Stadt. Langen Reisen zu unseren Großeltern in Lincolnshire. Und schließlich auf ihrem letzten Weg ins Krankenhaus.

Mir fiel das Logo des Staubbeutels ins Auge. Es war genau dasselbe goldene Schildchen wie das mir von ihrer Tasche so vertraute. Als ich ihn hochhob, fühlte er sich schwerer an, als er sollte. Also öffnete ich den Staubbeutel und dann die Tasche darin.

Ein aufwühlender Ansturm von Düften. Jahrzehntealtes Leder, stockfleckige Erinnerungen. In der Tasche lagen die Dinge, die sie bei ihrem allerletzten Krankenhausaufenthalt dabeigehabt hatte. Sie hatte sie nie ausgepackt.

Das weiche Baumwollnachthemd mit den bonbonrosa

Blümchen. Ich hielt es ins Licht der flackernden Neonröhre, erinnerte mich daran, dass mein Kinn an diesem Kragen geruht hatte, als ich sie zum letzten Mal umarmte. Eine Zahnbürste mit verbogenen Borsten (typisch Mum, so gewissenhaft mit ihrer Hygiene, dass sie sich das Zahnfleisch blutig putzte). Und ihre Brille. Ich drehe sie hin und her. Sie schmiegte sich immer so perfekt in die Konturen ihres Gesichts, schien ihre Liebenswürdigkeit noch zu vergrößern.

Und auch das Buch, das sie damals gerade las. Es war ein Thriller von einem Autor, dessen Namen ich mir nie hatte merken können, obwohl ich noch weiß, dass sie monatelang vergeblich versucht hatte, ihn fertig zu lesen. Eine Seite war umgeknickt, ungefähr bei zwei Dritteln des Buchs. Das muss die Stelle gewesen sein, an der sie angelangt war, als sie starb.

Ich blätterte erfolglos durch, bis ich auf der vorderen Umschlaginnenseite landete. Und da war es.

Später fahre ich uns nach Hause. Callie hat die Füße auf das Armaturenbrett gestellt, so dass man die Weihnachtsmannsocken in all ihrer Pracht sehen kann (Danke, Dad).

Es ist viel Verkehr heute Abend, aber das stört mich nicht. Am liebsten würde ich ewig mit Callie in diesem Wagen bleiben, ohne so bald irgendwo anzukommen. Ein langsam, dauerhaft glimmendes gutes Gefühl.

Der Tag war annehmbar. Durch das Weihnachtschaos und die hyperaktiven Kinder konnte ich mal Pause machen von den Sorgen um die Situation mit Dad. Zudem baut mich auf, dass ich, nachdem ich letzte Nacht geträumt habe, wahrscheinlich die nächsten Tage keinen Traum zu befürchten habe. Was für meine Verhältnisse größtmögliche Entspannung bedeutet.

»Soll ich dir ein Geheimnis über Doug verraten?«

»Aber immer doch«, sagt Callie.

»Er hat Angst vor Bäumen.«

Sie lacht, wie die meisten Leute, wenn sie das erfahren.

»Er hat Angst, dass ihm Äste auf den Kopf fallen. Bei starkem Wind arbeitet er von zu Hause aus. Angeblich ein amtlich bestätigter Dendrophobiker.« Ich sehe sie an. »Also diese ganzen blöden Bemerkungen über dich und deine Fluchtreflexe bei der Arbeit mit Kettensägen waren reiner Machismo. Großmäuligkeit.«

Sie grinst schläfrig und legt die Wange an die vom Regen getupfte Scheibe. »Dachte ich mir schon. Er ist ein ziemliches Alphamännchen, dein Bruder, oder?«

Ich nicke, dann runzle ich die Stirn. »Kommt daher übrigens der Ausdruck ›sich aus dem Staub machen‹? Dass man wegläuft, wenn der Holzstaub durch die Luft fliegt?«

»Nein, hat das nicht was mit Schlachtgetümmel zu tun? Außerdem funktioniert das nicht so. Eigentlich sollte man, wenn man den Schnitt richtig ansetzt, genau wissen, wohin der Baum kippt.«

»Schön«, sage ich eine Spur zu nachdrücklich.

Die Straße vor uns wird zu einem Fluss aus roten Lichtern.

Als ich bremse, legt Callie mir eine Hand aufs Bein. »Joel, denkst du nicht manchmal …« Jetzt, in der Wärme des Autos, klingt ihre Stimme träge. »Also, hast du deine Träume schon mal als, na ja, als Gabe betrachtet?«

»Als Gabe?«

»Ja, ich meine, in die Zukunft sehen zu können, bedeutet

eine ganz schöne Macht.« Ihre Finger trommeln auf meinen Oberschenkel. »Der Abend mit dem Wasserrohrbruch hat mich wirklich ins Grübeln gebracht.«

»Worüber?«

Ich spüre, dass sie mich von der Seite mustert. »Dass deine Träume dich in eine privilegierte Position versetzen. Dinge zu wissen, die sonst niemand weiß.«

»Nein.« Mein Tonfall ist steif. »So habe ich das wirklich noch nie gesehen.«

»Sorry«, sagt sie nach einer kleinen Pause. »Ich wollte nicht verharmlosen, wie sie dich belasten.«

Die Autos vor uns fahren wieder an. »Nein, nein, ich weiß schon, was du meinst.« Wie üblich herrscht in meinem Inneren ein Durcheinander widerstreitender Gefühle. »Jedenfalls danke, dass du heute mitgekommen bist. Jemandes Familie zum ersten Mal zu treffen, ist immer ein bisschen heftig.«

»Du musstest meine ja auch kennenlernen. Und ich hatte einen sehr schönen Tag, deine Familie ist nett.«

»Bei den Kindern bist du super angekommen. Sorry wegen Buddy.« Er wollte Callie (nicht etwa mich) partout nicht gehen lassen. Als wir ins Auto stiegen, konnten wir ihn immer noch brüllen hören.

»Aber nein. Er ist zauberhaft. Genau wie Amber und Bella. Kinder mochte ich schon immer. Ich konnte mich nach der Schule lange nicht entscheiden, ob ich in die Kinderbetreuung oder in den Naturschutz will.« Sie lachte. »Schon komisch, dass es dann keins von beidem war.«

»Ist doch egal. Jetzt machst du es.«

»Stimmt.« Sie seufzt glücklich. »Also, was war das, was du vorhin auf dem Speicher gefunden hast?«

Ich spüre die Hitze des gestohlenen Schatzes in meiner Jackentasche. »Ein Buch, in der Tasche meiner Mutter. Mit einer Telefonnummer und einem Anfangsbuchstaben drin.«

»Was für ein Buchstabe?«

»W.«

»Kann das jemand sein, den du kennst?«

»Glaube ich nicht. Ich hab die Vorwahl nachgeschlagen, Newquay, in Cornwall. Da war ich noch nie. Keiner von uns, soweit ich weiß.«

»Vielleicht hat sie das Buch aus einem Antiquariat. Oder von einer Freundin geliehen.«

»Ja, vielleicht.«

Ich biege an der Tierarztpraxis ab. Werfe einen schnellen Blick darauf, ob sie noch steht. Wir sind fast zu Hause.

»Findest du, dass mein Vater ein Miesepeter ist?«, frage ich.

»Das ist so ein schönes Wort. Miesepeter.«

Ich lächle.

»Nein. Er macht einen ziemlich unverblümten Eindruck. Aber er sieht dich liebevoll an.«

Ist das wirklich, was Callie wahrnimmt? Meine eigene Perspektive ist mittlerweile so verzerrt. »Das ist vermutlich der matte Glanz der Enttäuschung«, sage ich. »Wie oft hat er erwähnt, dass ich nicht mehr als Tierarzt arbeite?«

»Das ist keine Enttäuschung. Er versteht es nicht.«

»Kann sein. Wobei ich ziemlich sicher bin, dass er lieber zwei von Dougs Sorte hätte.«

»Wie lange hast du dieses Gefühl schon?« Sie klingt um meinetwillen bedrückt.

»Mein ganzes Leben. Weshalb ich denke …«

»Sprich weiter«, drängt sie nach einer kurzen Pause. »Weshalb du was denkst?«

»Das es vielleicht stimmt. Dass ich nicht sein richtiger Sohn bin.«

45

Callie

Ein paar Wochen nach Neujahr fahre ich zu einem Junggesellinnenabschied nach Cambridge. Alana ist eine ehemalige Kollegin aus der Dosenfabrik, allerdings eher ein ehrgeiziger Typ, was erklärt, warum sie inzwischen auf der Karriereleiter einige Sprossen höher steht als damals.

Als Headhunterin für Finanzdienstleister muss sie wohl vergessen haben, dass ich nicht mehr für die Fabrik arbeite, denn zweimal drückt sie mir ihre Visitenkarte in die Hand und beteuert, sie könne mir was besorgen. Beim ersten Mal dachte ich, sie meinte Drogen, und hatte fast Angst, meine Faust wieder zu öffnen.

Der Junggesellinnenabschied ist eine dieser Veranstaltungen, auf denen ich mir nicht sicher bin, ob nicht alle sich gegenseitig insgeheim verachten. Es gibt sechs Brautjungfern, aber sie sind mehr mit ihren Handys als miteinander beschäftigt, und die Trauzeugin hat eine Stechkahnfahrt gebucht, was okay gewesen wäre, wenn nicht Mitte Januar wäre und Alana panische Angst vor Wasser hätte. Also blasen wir das ab und suchen uns stattdessen eine Bar, wo die Trauzeugin schnurstracks aufs Klo geht und einen Anfall kriegt, woraufhin die restliche Brautgesellschaft zu langwierigen Verhandlungen gezwungen ist, um sie zu besänftigen.

Ich habe damals Grace' Junggesellinnenabschied organisiert, Kartbuggy-Fahren bei Brighton, ein Versuch, ihre legendäre Strandbuggy-Tour in Dubai – zumindest teilweise – nachzustellen. Danach gab es ein Curry und im Anschluss Bier in einem echten Pub, die beiden Dinge, die Grace auf Reisen immer am meisten vermisste. Und als Krönung des Tages regnete es auch noch, und zwar die richtige Art Regen, britischer Regen. Kalter, unerbittlicher *Vier-Hochzeiten*-Regen war Grace' bevorzugter Niederschlagstypus.

Mit einem halb vollen Pintglas in der Hand beugte sie sich über mich. Ihre Wimperntusche war mittlerweile verlaufen, weil sie so gelacht hatte. Ich weiß noch, dass ich mir vornahm, ihr wasserfeste zu kaufen, damit sie nicht auf ihrer eigenen Hochzeit aussah wie eine Halloween-Braut. »Ich will, dass du heiratest, Cal.«

»Was?«

»Ich möchte so gern, dass du heiratest.«

»Warum?«

Sie sah sich im Pub um. »Damit ich das alles für dich organisieren kann.«

Mit der Fingerspitze wischte ich ihr etwas schwarze Tusche von der Wange. »Wenn ich den Mann kennenlerne, den ich heiraten will, erfährst du es als Erste.«

Damals kannte ich Piers noch gar nicht, nicht dass eine Ehe bei uns jemals zur Debatte gestanden hätte. Und davor hatte ich eigentlich nur Affären, kurze Techtelmechtel, die zu nichts führten.

Es macht mich heute noch traurig, dass Grace den Mann, den ich heiraten möchte, nie kennenlernen wird.

Der Abend ist endgültig im Eimer, als alle anfangen, sich zu zanken, wer denn nun die Idee mit dem Stechkahn hatte, also schleiche ich mich vor die Tür, um Joel anzurufen.

»Wie läuft's?«

»Grauenhaft, ehrlich gesagt. Das ist der passiv-aggressivste Junggesellinnenabschied, auf dem ich jemals war.«

»Das verheißt nichts Gutes für den großen Tag.«

»Wem sagst du das. Ich spiele mit dem Gedanken, mich zu verkrümeln. Lust, mein Mitverschwörer zu sein?«

Ich höre ihn grinsen. »Immer doch. Meinst du, sie haben was dagegen?«

»Alana lockert sich gerade die Fäuste für eine Prügelei mit ihrer Trauzeugin, daher bezweifle ich das.« Ich zögere. »Wie klingt eine Nacht in einem Billig-Hotel für dich?«

Ich bin in einem Zimmer am Stadtrand untergebracht. Die Trauzeugin hat das Hotel ausgesucht, wegen des Gruppenrabatts, aber Alana wurde dunkelrot im Gesicht, als sie es sah. Es ist die Art Laden, die man nur annehmbar finden kann, wenn man beide Augen geschlossen hat und sich nicht daran stört, dass sämtliche Oberflächen von einem leicht klebrigen Film überzogen sind.

»Billig-Hotel, sagtest du?«

»Sehr schlecht bewertet auf TripAdvisor.«

»Bin schon so gut wie da.«

Ungefähr eine Stunde später klopft er an meinem Hotelzimmer.

»Wow«, sagt er, als ich öffne. »Du siehst unglaublich aus.«

Hocherfreut über eine Gelegenheit, meinen Gummistiefeln und Fleecejacken zu entfliehen, habe ich mir heute

Mühe gegeben mit einem schwarzen Kleid und ziemlich hohen Absätzen, außerdem habe ich meine Haare mit dem Lockenstab bearbeitet und mir einen ausgeprägten Lidstrich mit Wing gezogen. Der Effekt ist mittlerweile reduziert, weil ich die Schuhe ausgezogen habe und die Locken ihren Schwung verloren haben, deshalb ist es besonders nett von Joel, dass er mich trotzdem hübsch findet.

»Ich bin noch unentschlossen, ob ich es gut oder schlecht finde, dass der Typ am Empfang nicht mit der Wimper gezuckt hat, als ich einfach an ihm vorbeigerannt bin.« Joel nimmt mich in die Arme.

Ich küsse ihn zur Begrüßung. »Ich würde sagen, gut. Eindeutig. Danke, dass du meinen Abend rettest.«

»Ach, eigentlich bin ich nur wegen der kostenlosen Kekse hier.«

Ich verziehe das Gesicht. »Sorry. Es gab nur ein Stück Shortbread, und ich hatte ein Hüngerchen.«

»Mist. Wie war es?«

Ich muss lachen. »Alt.«

Zusammen sinken wir auf die Matratze. Zumindest, bis klar wird, dass das Bettgestell Gift für jedes Steißbein ist.

Joel macht eine tapfere Grimasse. »In Wirklichkeit wollen die gar nicht, dass man sich hier reinlegt, oder?«

»Tut mir leid. Es ist schlimmer, als ich dachte. Kaum einen halben Stern wert.«

Vergeblich versucht er, eine Delle in die Matratze zu drücken. »Jetzt bist du zu streng. Das hier ist zum Beispiel echt praktisch. Spart einem den Wecker.«

Es sind zwei Einzelbetten. Da wir eine ungerade Zahl sind, fragte die Trauzeugin herum, und ich hatte nichts dagegen, allein ins Zimmer zu gehen. Also habe ich die beiden

Betten zusammengeschoben, wodurch die Einrichtung noch planloser wirkt als vorher.

Ich sehe mich um. »Das ist das mit Abstand seelenloseste Zimmer, in dem ich je war. Sind diese Vorhänge ernsthaft aus Plastik?«

»Also, also, seelenlos ist ein bisschen ungerecht.« Er gibt mir einen Kuss. »Warte mal kurz. Trink nicht die ganze Dosenmilch aus. Bin in zwei Sekunden wieder da.«

Eine Viertelstunde später steckt er den Kopf durch die Tür.

»Augen zu. Wehe, die Dosenmilch ist nicht mehr da.«

Lachend gehorche ich und lege mir die Hände aufs Gesicht, um nicht in Versuchung zu kommen zu schummeln. Ich lausche und höre Schritte, das Zischen eines Feuerzeugs und das Quietschen von Draht. Schließlich ein Klicken, und es wird dunkel vor meinen Lidern.

»Okay. Du kannst sie wieder aufmachen.«

Auf dem Tisch stehen jetzt Teelichter, in einem Krug ein zerzauster Blumenstrauß. Musik läuft auf seinem Handy, und in der Hand hält er eine Sektflasche. Er zuckt süß die Achseln. »Die Seele hat Selbstbedienung, wie es aussieht.«

»Wie hast du …?«

»Also, die Teelichter hab ich aus dem Speisesaal geklaut. Aber den Sekt habe ich gekauft und dann einen freundlichen Hausmeister gebeten, sein Feuerzeug für den guten Zweck der Romantik zu stiften. Ach, und die Blumen hab ich in der Lobby mitgehen lassen.« Er zwinkert. »Denn wer steht nicht auf Stoffnelken? Sorry, sie sind ein bisschen eingestaubt.«

Ich weiß nicht mehr, ob mich schon mal jemand zum Lachen und Weinen gleichzeitig gebracht hat, aber genau das mache ich jetzt, als ich vom Bett aufstehe und zu ihm gehe, ihm die Arme um den Bauch schlinge. »Du hast gerade den schlimmsten Abend aller Zeiten in den besten verwandelt.«

Unsere Gesichter sind sich jetzt ganz nah. Wir küssen uns fast, aber noch nicht ganz.

»Sollen wir ihn sogar noch besser machen?«, flüstert er.

»Ja.« Das Wort schmilzt mir auf der Zunge. »Ja, bitte.«

Er beugt sich herunter, und es ist ein Kuss voller Feuerwerk, voller wochenlanger Vorfreude. Auf einmal sind unsere Körper wie unter Strom, in null Komma nichts sind unsere Hände überall, zerren an Kleidung und wühlen in Haaren. Fieberhaft reißen wir einander die Sachen vom Leib, lassen uns innerhalb von gefühlt drei Sekunden aufs Bett fallen. Und jetzt schiebt er den Seidenstoff meiner Unterhose herunter, und dieser schwindelerregende Moment, den wir beide schon so lange herbeisehnen, ist da.

»Callie«, keucht er, das Gesicht an meinem liegend. »Du bist alles für mich.«

»Du für mich auch«, erwidere ich atemlos vor Ekstase. Ich möchte ihm sagen, dass ich ihn liebe, denn so ist es, das weiß ich schon seit Wochen, aber stattdessen schließe ich die Augen, spüre ihn sich in mir bewegen, und das hier, das jetzt ist alles, was ich mir gewünscht habe.

46

Joel

»Oh nein. Rufus hasst Valentinstag auch.« Callie lacht, als Iris' Hund das Bein an einer Bushaltestelle hebt. Das Poster, das dort hängt, bewirbt eine romantische Komödie, Filmstart ist der 14. Februar.

»Warum? Wer hasst ihn noch?«, frage ich.
»Nur jeder, den ich kenne. Fanatisch.«
»Fanatischer Hass. Klingt vernünftig. Warum noch mal?«
»Ach, du weißt schon, weil es eine zynische Konzernmasche und kommerzieller Kitsch ist. Ein Symbol für abstoßende Konsumkultur. Hab ich dir schon erzählt, dass Esther jedes Jahr eine Anti-Valentinstagsparty gibt?«

Ich versuche, mir ein Lachen zu verkneifen. »Aber ich dachte, Esther hat eine ganze Hugh-Grant-Videothek.«

»Sie ist nicht gegen Liebe, nur gegen ihre Kommerzialisierung.«

»Weil diese Blockbuster ganz und gar nicht gewinnorientiert sind.«

»Sie würde sagen, sie hat sie aus freien Stücken gekauft ...«
»Alle dreißig.«
»... wohingegen ihr der Valentinstag aufgedrängt wird. Uns. Der Welt.«

»Und was macht man auf diesen Partys so, Rosen verbrennen? Pralinen ins Klo spülen?«

Callie bleibt stehen, um Murphys Vorderpfote aus der Leine zu befreien. »Nicht ganz. Aber sie sind nachdrücklich. Sehr, sagen wir mal, einnehmend.«

»Was, sitzt man im Kreis und lässt sich im Chor darüber aus, wie sehr man den Valentinstag hasst?«

Sie richtet sich auf, die Miene verschlossen. Es ist unmöglich zu erraten, wo sie bei diesem Thema steht. »Na ja, zumindest muss man eine Meinung haben. Und es gibt immer ein Motto. Letztes Jahr war es Zombies.«

»Gibt sie dieses Jahr auch eine?«

»Jawoll. Mit dem Motto ›Heavy Metal im Wandel der Zeiten‹.«

»Wow.« Betont unbefangen reibe ich mir das Kinn. »Als was würdest du denn gehen? Wenn du auf die Party wolltest, meine ich.«

Ihre Mundwinkel zucken. »Weiß nicht. Noch habe ich nicht zugesagt.«

Tut sie letzten Endes auch nicht. Sondern sie verabredet sich zwei Wochen im Voraus mit mir für diesen Abend. Bittet mich, um acht Uhr ins Café zu kommen.

Für mich ist es Neuland. Mich voll und ganz auf den Valentinstag einzulassen. Hätte man mich früher gefragt, hätte ich mich entschieden auf Esthers Seite gestellt. Die Vorstellung, die Liebe zu feiern, fand ich immer schräg.

Aber dann traf ich Callie.

Ich komme eine Viertelstunde zu früh, mit einer Flasche Wein und einem Blumenstrauß. (Ich sage »Strauß«. Interessanterweise will offenbar niemand am Valentinstag zu bemüht wirken: Sämtliche normalen Blumen waren ausverkauft, als ich endlich ins Geschäft kam. Deshalb blieb mir nur ein fertiges Gebinde in der Größe eines kleinen Planeten, aus fünfzehn verschiedenen Sorten und mit exotischem Grün, als hätte es sein eigenes Mikroklima. Aber ich konnte ja schlecht mit leeren Händen auftauchen, also bitte.)

Die Jalousien sind alle geschlossen. Aber innen flackert Licht, so einladend wie eine Waldhütte.

Sie lacht, als sie mir die Tür öffnet. »Ich kann dein Gesicht nicht sehen.«

»Nur damit du Bescheid weißt: Mir ist sehr wohl bewusst, dass ein so absurder Strauß eigentlich ein Trennungsgrund sein müsste.«

Sie späht um die Blumen herum. »Das hängt davon ab, wer ihn mitbringt.«

»Ein mies organisierter Idiot. Sorry. Ich war zu spät dran. Schmeiß sie in den Müll, wenn du willst. Es ist eine ganz eigene Erfahrung, mit so was am Valentinstag durch die Straßen zu laufen. Es gab ungebetene Kommentare von Passanten.«

»Du bist möglicherweise der einzige Mensch, dem ich je begegnet bin, der sich dafür entschuldigt, mir Blumen zu schenken.«

»Bei denen hier geht das nicht anders.«

»Doch, ich liebe sie.«

»Tja, es sind wahrscheinlich genug, um dir einen eigenen botanischen Garten anzulegen.« Ich stelle den Strauß auf die Theke. »Du siehst übrigens wunderschön aus.«

Ihre dunklen Haare sind zu einem hohen Dutt frisiert. Sie schimmert in einem ärmellosen Metallic-Oberteil, dessen Stoff wie flüssiges Gold wirkt.

»Danke. Ich hatte meine Verkleidung für Esthers Party schon fertig. Deshalb dachte ich, warum nicht?« Sie macht eine Zirkusdirektor-Geste. »Ta-da.«

Goldenes Top, goldene Ohrringe in Flamingo-Form. Goldener Lidschatten. Ich brauche einen Moment, um zu schalten. »Heavy Metal, Schwermetall – du bist Gold.«

»Ich wollte das Motto unterlaufen.«

»Freut mich zu hören.« Ich sehe an mir hinunter. Schlichtes blaues Hemd und schwarze Jeans. Ganz auf Nummer sicher. »Jetzt komme ich mir ein bisschen underdressed vor. Du hättest mich warnen können.«

»Warum, als was wärst du denn gekommen?«

Ich gehe in die Hocke, um Murphy schnell zu begrüßen. »Na ja, ich besitze ja einen Einteiler aus Goldlamé. Aber der ist nur für besondere Gelegenheiten.«

»Noch besonderer als heute?«

»Dazu kann ich nur sagen, die Boogie Night im Archway ist schwer zu überbieten.«

»Na, um das zu sehen, würde ich Geld bezahlen.«

»Ich fühle mich zurückversetzt.« Ich stehe auf und ziehe die Jacke aus. »Ins Café zu gehen, mich darauf zu freuen, dich zu sehen.«

Ein sehr scheues Lächeln. »Ich hab mich auch immer auf dich gefreut.«

Meinen üblichen Tisch am Fenster hat Callie mit Kerzen, Besteck und Gläsern gedeckt. In einem Kübel kühlt eine Flasche Wein, Ella Fitzgerald liegt in der Luft.

»Ich habe Ben gefragt, ob wir heute Abend hier sein dürfen. Ich dachte, es wäre nett, weil wir uns doch hier kennengelernt haben. Sorry, wenn das schmalzig ist.«

Ich küsse sie. »Kein bisschen. Es ist schön.«

»Findest du? Ich verspreche dir auch, dass ich dir keinen Espresso und Ei auf Toast serviere.«

»Hast du etwa gekocht?«

»Nein, das nicht, nicht mit einem Panini-Toaster und einer Mikrowelle. Ich hab mich freundlich an das Bistro ein paar Türen weiter gewandt.«

Wir machen uns über Ziegenkäse-Tarte her, dick und frisch aus dem Ofen des Bistros. Unsere Gläser sind voll, die Kerzen flackern romantisch zwischen uns.

»Weißt du«, erzähle ich Callie, »an Weihnachten hab ich im Speicher meines Vaters eine Quittung aus den Flitterwochen meiner Eltern vor vierunddreißig Jahren gefunden.«

Ihre Miene verrutscht kurz, als hätte ich mit »Quittung« eigentlich »ausgesetzten Welpen« gemeint. »Wofür?«

Aus den Lautsprechern klingt jetzt Etta James.

»Ein schickes Abendessen in Christchurch. Rat mal, wie hoch die Rechnung war? Drei Gänge plus Getränke.«

»Zwanzig?«

Ich grinse. »Acht Pfund neununddreißig.«

»Das ist der Wahnsinn. Als hielte man jemandes Geschichte in der Hand.«

»Mum war sentimental. Sie hat so was immer aufgehoben. Einmal hat sie uns die Busfahrkarte gezeigt, die Dad ihr nach ihrer ersten Verabredung gekauft hat.«

»Eine Romantikerin.«

»Sie hat sich Mühe gegeben. Dad war deutlich weniger rührselig als sie.« Lächelnd schüttle ich den Kopf. »Weißt du, Valentinstag war in der Tierarztpraxis immer ein kleiner Albtraum.«

»Echt? Warum?«

Erinnerungen drängen heran. »Hunde, die Pralinenschachteln klauen, Katzen, die Blumen zerkauen. Geschenkpapier und Tesafilm in Mägen. Umgeworfene Kerzen. Die Liste war endlos.«

Callie trinkt einen Schluck Wein und senkt das Glas. Ich könnte ihr den ganzen Tag in die Augen sehen und nicht blinzeln wollen. »Aua. Da würde jeder zum Valentinszyniker werden.«

»Fast«, sage ich. »Aber nicht ganz.«

Nach dem Dessert nehme ich ihre Hand. »Das war ein toller Abend.«

»Fand ich auch.«

»Es macht mir Angst, wie großartig sich das anfühlt.«

Unsere Finger verknoten sich. Fest, unauflöslich. »Warum?«

»Weil ich nie …« Sie weiß ansatzweise, was ich von der Liebe halte. Aber nicht, dass ich beschlossen hatte, sie für immer zu meiden. Und der Zeitpunkt ist kaum der richtige, um ihr das alles zu erläutern.

»Ich liebe es, mit dir zusammen zu sein, Joel«, flüstert sie.

»Ich liebe … es auch, mit dir zusammen zu sein.«

»Weißt du was«, sagt sie mutiger. »Ich liebe *dich*. Ich traue mich, es auszusprechen. Ich liebe dich, Joel.«

Vielleicht aus Reflex sehe ich auf den Tisch. Callie hat auf dem Dessertteller, den wir uns geteilt haben, ein Herz in die Schokosauce gemalt, flankiert von unseren Initialen.

Das C zerfließt zuerst.

»Ich liebe dich«, flüstert sie noch einmal, als müsste das unbedingt und zweifelsfrei bei mir ankommen.

»Du hast Angst, es zu sagen, stimmt's?«

Ich dachte, Callie schliefe. Ich versuche, wach zu bleiben, höre mit halbem Ohr einem TED-Talk zu, während ich gleichzeitig das Buch anstarre, das ich bei Dad gefunden habe. Seit Wochen frage ich mich, was ich damit machen soll. Verfolge ich die Spur weiter, oder lasse ich die Vergangenheit ruhen?

Ich könnte mir die Adresse zu der Telefonnummer besorgen, ausfindig machen, wer dort wohnt. Aber was dann? Jetzt, wo die Möglichkeit besteht, weiter nachzuforschen, habe ich plötzlich Bedenken. Habe Angst vor dem, was ich erfahren könnte. Davor, was es bedeuten könnte.

Zuerst verstehe ich nicht richtig, was sie sagt. Ich ziehe den Kopfhörer herunter.

»Du hast Angst zu sagen *Ich liebe dich*.«

Sie trägt mein uraltes Nike-Shirt, die Haare ums Gesicht ausgebreitet. Sie sieht so süß verletzlich aus, dass ich einen Moment lang überlege, ob sie im Schlaf spricht.

»Ich habe keine Angst, mit dir zusammen zu sein.« Stimmt nicht ganz. Aber wenigstens bin ich jetzt neugierig auf die Zukunft. Ich habe die vollständige Lähmung überwunden. Trotzdem, Liebe ... Liebe ist das eine, das ich noch nicht zuzulassen wage.

»Du weißt, was ich für dich empfinde.« Aber schon während diese Worte meinen Mund verlassen, krümme ich mich innerlich. Heißer Anwärter auf die dürftigste halbherzige Gefühlsäußerung überhaupt?

Callie möchte, dass ich der Sache auf den Grund gehe. Sie hat mich schon ein oder zwei Mal gefragt, ob ich mich um einen Termin bei Diana gekümmert habe. Ob ich nicht ihren Weihnachtsgutschein einlösen möchte (was mit Sicherheit absolut nichts bringen wird). Und natürlich kann ich ihr das nicht verdenken.

Vielleicht sollte ich gar nicht mit ihr schlafen, wenn ich ihr nicht mal sagen kann, dass ich sie liebe.

Ich taste unter der Decke nach ihrer Hand. Das Zimmer ist kalt an diesem Valentinstagabend, aber ihre Haut fühlt sich daunenwarm an.

»Ich weiß, dass du mich liebst.« Ihre Stimme wird zu einem Murmeln. »Du musst keine Angst haben.«

Ich habe keine Angst, denke ich. *Ich bin starr vor Schreck.*

47

Callie

Die Wochen gleiten so dahin, und langsam tröpfelt der Frühling heran, die Welt wird heller, bunter. Nachdem sie so lange vom Winter flach gedrückt wurde, scheint die Erde sich in alle Richtungen auszuwölben. Ihre Lunge füllt sich mit dem frischen Vogelgezwitscher, und Laub mästet die Äste und Zweige. Schmetterlinge flitzen zwischen leuchtenden Narzissen herum, und in Waterfen setzt die Brutzeit mit voller Macht ein. Ich liebe es, mich vom Zilpzalp zur Arbeit pfeifen zu lassen, während Rotschenkel durch die Wiesen staksen und Kiebitze an einem sich immer weiter ausdehnenden Himmel die Weihen ärgern.

Obwohl es vieles gibt, was ich am Winter liebe, ist es nach wochenlangem Reinigen von Gräben und Herumwatscheln in hohen Gummistiefeln eine Erleichterung, den Boden unter meinen Füßen härter werden zu spüren. Es bleibt länger hell, und die Sonne wird allmählich wärmer. Die Luft hat den Geruch von Erde und abgestandenem Wasser abgeschüttelt, ihn eingetauscht gegen liebliche April-Blüte und Nektar. Und während die Natur sich wieder instand setzt, stellen wir die Kettensägen und Motorsensen ab und beginnen damit, Zäune auszubessern und Gerätschaften zu warten, genießen die leichteren Arbeiten wie Disteln jäten und Wiesen mähen. Ich vertiefe mich in Brutvogelstatistiken und verbringe Stunden damit, die Augen gen Himmel zu richten oder ins Gebüsch zu horchen in der Hoffnung auf ein plötzliches Aufflattern, eine verräterische Feder, ein heiteres Trillern.

In unserem Nistkasten am Gartenschuppen hat sich ein Rotkehlchenpaar eingerichtet. Hin und wieder sehen Joel und ich das Weibchen, ein Huschen von Orange, den Schnabel randvoll mit Blättern und Moos, Polsterung für die Eier. Es ist ein Privileg, sie beobachten zu dürfen, als vertraute sie uns und dem kleinen hölzernen Heim, das Joel für sie ausgesucht hat. Wenn alles gut geht, erleben wir in einigen Wochen das Flüggewerden der Jungen, unbeholfene braune Flaumbällchen, die sich wackelig ihren Weg in die Welt bahnen.

Und unten am Fluss steht die Weide üppig und grün vor frischem Laub. Manchmal klettere ich nach der Arbeit hinauf, nur für fünf Minuten, um die wohlige Wärme ihrer Rinde zu spüren, Grace wieder nah zu sein, zu erforschen, wie unsere Initialen einen weiteren Winter überstanden haben. Mit jeder Jahreszeit befürchte ich, sie wird mir entschwinden wie Herbstlaub, das von der Erde aufgenommen wird, Farben getrübt und Muster verblasst, bis seine Form und Komplexität sich zu Staub zersetzen.

Immer sage ich ihr, dass ich sie lieb habe, dort oben in dem Baum. Es fühlt sich ein wenig an, wie es zu Joel zu sagen, insofern als ich auf eine Antwort warte, die vermutlich nie kommen wird.

Wir machen uns fertig für eine Buchpräsentation einer Freundin von Zoë, als ich mich durchringe, das Thema anzusprechen. Ich denke schon länger darüber nach, seit Weihnachten eigentlich, und auch wenn es ein Risiko ist und nach hinten losgehen könnte, werde ich es wagen.

Ursprünglich wollte ich ihn morgen beim Frühstück fragen, gemütlich beim Kaffee, damit er es sich in Ruhe überlegen kann, ohne Druck. Aber als ich mir im Schneidersitz vor Joels Schlafzimmerspiegel die Haare mit dem Lockenstab frisiere und er sich hinter mir im Stehen das Hemd zuknöpft, erscheint mir der Zeitpunkt so günstig. Denn so wie jetzt gerade könnte es sein – zusammen zu Hause, gemütlich.

»Flipp nicht aus.« So fange ich an.

Na super, Callie.

Joel lächelt mich im Spiegel an. »Das würde mir nicht im Traum einfallen.«

»Ich habe überlegt ...«

Er nickt. *Sprich weiter.*

»... ob wir nicht ... ich meine, wäre es nicht vielleicht ...?« Und dann verkrampfe ich mich total. Ich finde die Worte nicht, jetzt, wo er mich ansieht, seine kohledunklen Augen meinen Blick auf sich ziehen.

Er wartet. »Immer noch nicht ausgeflippt.«

Ich atme tief ein und springe. »Ich dachte, wir sollten vielleicht zusammenziehen.«

Er bleibt reglos stehen. Die Sekunden dehnen sich aus. »Möchtest du das?«

Ich mustere ihn. *Aha, jetzt flippst du aus.* Aber ich bleibe trotzdem mutig und zeige ihm das Nicken, das ich im Herzen spüre. »Ja. Und du?«

»Ich hatte noch nicht so richtig ...«

»Du findest es zu früh.«

»Nein, das ist es nicht.«

»Keine Angst«, sage ich sanft. »Du musst nicht sofort antworten.«

Insgeheim hoffe ich, dass er widersprechen und mir ein Ja oder Nein geben wird, aber es kommt nichts. Er sagt nur: »Ist gut. Danke.«

Wir sitzen dicht gedrängt in dem schlecht belüfteten Buchladen. Als Joel gegen Ende der Veranstaltung meine Hand nimmt und flüstert, dass er frische Luft braucht, bin ich erleichtert.

»Müssen wir ein Exemplar kaufen?«, fragt er, als wir draußen stehen, beide froh, im Freien zu sein. Es war warm heute, und in der abendlichen Brise auf unseren Gesichtern flattern noch Sonnenstrahlen.

Ich schubse ihn sacht. »Ja! Es ist eine Buchpräsentation. Warum sind wir sonst hier?«

»Ich kapiere es nicht so ganz. Ist es jetzt Science-Fiction oder Erotik?«

Ich grinse. »Stell es dir als erotische Science-Fiction vor.«

Er lacht. »Aha. Wusste ich doch, dass es einen griffigen Namen dafür gibt.«

»Aber natürlich. Auch Roboter brauchen Liebe.«

Feierabend-Einkaufsbummler laufen an uns vorbei. Ein Pärchen isst Eis, ein Mann schlendert in T-Shirt und Sonnenbrille über den Bürgersteig. Ihr Anblick hat etwas berauschend Optimistisches, das so typisch für den Frühling ist, wie Vögel, die Nester bauen, oder Knospen, die sich zu Blüten entwickeln.

»Entschuldige, Callie«, sagt Joel unvermittelt. »Wegen vorhin. Ich hab ehrlich ... Mein Gott. Ich habe wirklich mies reagiert.«

Ah ja, das Zusammenziehen. Es war ein Fehler, das erkenne ich jetzt. »Nein, ich hab dich überrumpelt. Mach dir keinen ...«

»Ich habe nachgedacht.« Er räuspert sich. »Was hältst du davon, wenn du bei mir einziehst?«

Mein Herz bekommt Flügel. »Bei dir?«

»Ja. Ich meine, versteh mich nicht falsch. Ich liebe deine Wohnung, aber ist meine nicht praktischer, mit dem Garten und Murphy und so?«

Ich kann mir das Grinsen nicht verkneifen. »Bist du dir sicher? Du musst nicht.«

»Ich weiß. Aber es fühlt sich richtig an.«

»Finde ich auch.«

»Solange du damit klarkommst. Du weißt schon, mit allem.«

»Sonst hätte ich nicht gefragt.« Ja, ab und zu springt er frühmorgens auf einmal aus dem Bett, um sich ziemlich hektisch Notizen zu machen und vor sich hin zu murmeln. Wenn wir die Nacht miteinander verbringen, schlafen wir selten gleichzeitig ein; häufig ist er noch mit Murphy draußen, wenn ich schon längst im Bett liege, oder er bleibt einfach nur auf, um den Schlaf zu meiden. Und manchmal wird unsere Nachtruhe durch einen seiner Träume gestört. Aber na und? Keine Unvollkommenheit kann meine Liebe zu ihm mindern.

Jetzt senkt er den Kopf und hält seinen Mund dicht vor meinen. »Vorausgesetzt natürlich, dass du nicht insgeheim meine Wohnung hasst.«

»Insgeheim mag ich sie lieber als meine.«

»Dann machen wir das?«

»Wir machen das.«

Einen Sekundenbruchteil, bevor Joel mich küsst, habe ich den Eindruck, er wollte mir noch etwas anderes sagen. Aber als ich den Atem anhalte, um es zu hören, treffen seine Lippen auf meine, und der Augenblick ist vorbei.

48

Joel

Callies Gesicht ist mit Matsch gesprenkelt, Haarsträhnen haben sich aus ihrem Pferdeschwanz gelöst. Sie lehnt sich auf dem Sofa an mich, wohlig zufrieden am Ende eines sonnendurchströmten Tages in Waterfen. Ich freue mich für sie, nach so vielen Wochen düsteren Winters. Eisige Finger, Kleidung mit Schlamm verklebt. Nicht dass sie sich je beklagt hätte.

Draußen schwindet das Freitagabendlicht aus dem Himmel.

Murphy hat das Kinn auf das Knie meiner Schwester gelegt, die Augen geduldig auf ihr Gesicht gerichtet. Als wüsste er genau, warum sie hier ist.

»Ich bin schwanger.«

Sofort bin ich auf den Beinen, ziehe Tamsin in meine Arme. Ich hoffe, sie merkt nicht, dass meine Freude zwar echt, meine Überraschung aber vorgespielt ist. Denn ich habe Harry bereits in meinen Träumen kennengelernt. Seine makellose Stirn geküsst, seine rosige Neuheit bestaunt. Mich von Liebe niedergewalzt gefühlt.

»Du bist die beste Mami, die ich kenne«, murmle ich in ihre Haare. »Herzlichen Glückwunsch.«

Ich breite einen Arm aus, damit Callie auch noch in unseren Kreis kann. Zu dritt stehen wir verschlungen zusammen, lachen und wischen uns Tränen ab.

Während Callie uns noch etwas zu trinken holt, frage ich Tamsin, wie weit sie ist. (Ich weiß natürlich schon, dass sie ungefähr in der achten Woche ist. Es bleibt immer ein unangenehmes Gefühl, jemandes persönliche Neuigkeiten vor ihm selbst zu kennen.)

Als sie es bestätigt, lächle ich. »Neil ist bestimmt hin und weg.«

»Ach, du kennst ihn ja. Selbst wenn er im Lotto gewinnen würde, würde er nur sagen: ›Cool.‹« Sie streichelt Murphy weiter. »Aber ja. Das ist eins der wenigen Male, die ich Tränen in seinen Augen gesehen habe.«

»Ein Weihnachtskind also.« Callie gibt Tamsin noch eine Tasse Kräutertee. (Den habe ich extra besorgt, sobald ich von Harry geträumt hatte.) »Wie aufregend.«

Tamsin prustet los. »Erinnere mich an seinem oder ihrem nächsten Geburtstag und all die kommenden Jahre daran. Miserable Planung.«

»Wollt ihr wissen, was es wird?«

»Nein. Es soll eine Überraschung werden.«

Ich werfe Callie einen verstohlenen Blick zu und wende mich schnell ab. Es scheint mir so falsch, dass wir das Beste schon wissen (*Ihr bekommt einen Jungen und werdet ihn Harry nennen*), und zwar volle sieben Monate vor Tamsin. Obwohl ich jetzt schon eine vertraute unterschwellige Angst spüre: *Ich will immer nur Gutes von ihm träumen.*

Tamsin nippt an ihrem Tee. Sie trägt ein beige-blau kariertes Baumwollkleid und ein Paar von diesen Sandalen mit geflochtenen Sohlen. Die Sonnenbrille auf ihrem Kopf bändigt ihren kupferfarbenen Wasserfall von Haaren. »Mum war ungefähr in der achten Woche mit Doug, glaube ich, als sie Dad geheiratet hat.«

Irgendwo gibt es ein etwas unbehagliches Foto davon. Ich, noch keine zwei, eingeklemmt zwischen meinen steif auf der Treppe vor dem Standesamt stehenden Eltern.

Im Geiste verschiebt sich meine Wahrnehmung des Bildes. Wirkten sie so betreten, weil das Kind auf Mums Arm das eines anderen Mannes war? Wusste Dad Genaues? Oder ahnte er es nur unterbewusst?

Was ist passiert, Mum? Warum haben wir nie darüber gesprochen?

»Der da ist unehelich«, sagt Tamsin zu Callie. Sie zwinkert mir zu. »Wir glauben, dass er deshalb ein bisschen, du weißt schon, anders ist.«

Mir stockt das Blut in den Adern. *Unehelich – oder der Sohn eines anderen?*

Eine Hand auf ihren noch flachen Bauch gelegt, sieht Tamsin Callie an. »Ich kann es trotzdem kaum glauben. Neil und ich probieren es, seit Amber ein Jahr alt ist. Ich dachte ehrlich nicht, dass es noch klappt.«

»Wir freuen uns so für euch«, sagt Callie.

»Ich hoffe nur …« Tamsin verstummt.

Mein Magen zieht sich zusammen. »Nicht«, flüstere ich.

»Aber es hat so lange gedauert. Was, wenn irgendwas …«

»Wird es nicht.«

»Das kannst du nicht wissen.«

»Doch. Das weiß ich.« Meine Augen wiederholen es noch mal langsamer für sie. *Doch. Das weiß ich.*

»Woher?«

Callie umklammert meine Hand. Ich zwinge mich zu

einer neutralen Miene. Es geht heute nicht um mich, es geht um Tamsin. »Vertrau mir einfach, ja?«, sage ich. »Alles wird gut gehen. Versprochen.«

Es scheint genug zu sein. Sie nickt, nur einmal. Tupft sich mit dem Taschentuch, das Callie ihr gegeben hat, ein paar Tränen ab. »Das passiert vermutlich, wenn man sich was zu sehr wünscht.«

»Zu sehr gibt es nicht.«

Sie ringt sich ein Lächeln ab. »Und was ist mit euch?«

»Was soll sein?«

»Na, habt ihr nicht Lust, mich zur Tante zu machen?«

Ich lasse Callies Hand nicht los, blocke die Frage aber ab. »Tam, es sind erst sechs Monate.« Callie ist noch nicht mal offiziell eingezogen. Allerdings hat sie Steve schon Bescheid gesagt. Und Maulwurfshügel aus ihren Sachen haben sich überall in der Wohnung gebildet. Ich schiele nach ihren Kräutern und Topfpflanzen, die jetzt auf der Fensterbank aufgereiht stehen. Sie hat sie gestern gebracht, zusammen mit dem Blumenkasten, und der plötzliche Ausbruch von Grün fühlt sich an wie ein frischer Luftzug. Diese Woche hat sie noch vor, Kübel auf die Terrasse zu stellen, die sie mit Sommerblumen für die Bienen und Schmetterlinge bepflanzen will.

»Es gibt seltsamere Dinge«, sagt Tamsin.

Stimmt. Die gibt es. Andauernd. Und dann, unerwartet, ein Blitzstrahl von einem Gedanken. Einer, bei dem Callie schwanger ist und ich glückselig bin.

Trotz allem, was mir an der Liebe Angst macht, denke ich unwillkürlich, dass es eigenartig wundervoll wäre. Callies Bauch zu betrachten und zu wissen, dass unser Söhnchen oder Töchterchen dort drin eingekuschelt liegt.

Aber ich sage nur »Schwestern«. Ich schiebe den Gedanken weg. Verstecke mich hinter meinem Kaffeebecher.

Nachdem Callie eingeschlafen ist, gehe ich noch eine Runde mit Murphy. Währenddessen trudelt eine Nachricht auf meinem Handy ein. Sie ist von Melissa. Sie fragt, was ich so treibe, dass wir uns zu lange nicht gesehen hätten. Ich solle mal von mir hören lassen.

Es ist nicht das erste Mal. Weihnachten hat sie sich gemeldet, dann im Februar wieder. Beide Male schrieb ich eine Antwort, schickte sie aber nicht ab. Auch wenn das unlogisch ist, erschien es mir feiger, per Nachricht Schluss zu machen, als gar nichts zu sagen.

Jetzt weiß ich, dass das dumm war. Ich muss ihr zurückschreiben. Also mache ich das, so neutral wie möglich. Ich berichte ihr, wie es mit Callie läuft, sage, es sei wahrscheinlich besser, wenn wir uns nicht mehr texten. Ich möchte behutsam sein, darf aber nicht uneindeutig bleiben.

Ich erkläre alles, drücke auf Senden, schäme mich. Dafür, wie ich sie behandelt habe und wie sich die Sache zwischen uns entwickelt hat. Ich hoffe, dass sie mir eines Tages verzeihen kann.

49

Callie

Anfang Juni schlägt Joel vor, meinen offiziellen Einzugstermin mit Steinofenpizza in der Stadt zu feiern. Obwohl sie so groß sind, dass wir sie kaum aufessen können, gehen wir hinterher noch auf ein Dessert.

»Das haben wir uns verdient nach den ganzen Kisten«, versichere ich Joel bei gigantischen Stücken Schokotorte und Käsekuchen. »Sorry, dass es so viele waren. Ich hätte schwören können, dass ich beim Einzug noch nicht so viel Zeug hatte.«

»Ach, nicht schlimm. Wahrscheinlich werde ich aber morgen Muskelkater an ein paar interessanten Stellen haben.«

»Ich auch. Ich glaube, seit das Wetter schön ist, haben sich meine Muskeln zurückgebildet. In letzter Zeit hab ich nur auf dem Traktor gesessen, ich bin kaum ins Schwitzen geraten.«

»Klingt doch ganz gut.«

»Tja, schon. Es ist nicht schlecht. Wahrscheinlich sollte man es genießen, solange es geht.«

Joel macht sich über seinen Käsekuchen her. Er sieht heute so gut aus wie immer in einem hellen Jeanshemd, die

Ärmel zu den Ellbogen hochgekrempelt. »Genau. Muss ja doch besser sein als der Winter.«

Darüber denke ich einen Moment nach, während ich eine Ecke Schokotorte mit dem Löffel abschneide. »Ich weiß nicht. Der Winter hat auch was für sich. Es liegt eine Schönheit in der Rauheit.« Etwas verlegen zucke ich die Achseln, weil ich es nicht richtig erklären kann. Die meisten normalen Menschen verabscheuen den Winter, mit seinem grauen Himmel und schräg fallendem Nieselregen, dem ewigen Frösteln.

Joel grinst. »Es ist total okay, anders als die anderen Kinder zu sein.«

Lächelnd beschreibe ich ihm Urlaube in meiner Kindheit, in denen Dad und ich immer draußen waren, wandern gingen, unterwegs alles Mögliche sammelten. »Deshalb zog es mich nach Chile, glaube ich. Diese Vorstellung von freier Natur, sich wirklich in die Wildnis zu begeben.« Außerdem erzähle ich Joel, wie toll Lettland aussieht, begeistere mich wieder ganz neu, als ich von Liams Liebe zu dem Land berichte.

»Und warum hast du es dann nie gemacht, Callie?« Joel furcht die Stirn. »Ich meine, du hast diese ganzen Bücher und Träume von den Ländern, die du sehen willst.«

Obwohl ich weiß, dass es nicht als Kritik gemeint ist, zucke ich ein wenig zurück. »Es schien irgendwie nie der richtige Zeitpunkt. Ich bin von Natur aus vorsichtig, und meine Welt war immer relativ … sicher, selbst als Kind. Und als ich dann doch probiert habe, mich von Grace inspirieren zu lassen, einfach mal was anders zu machen, ging es schrecklich schief.« Ich denke an mein Tattoo, die furchtbare Katastrophe mit der spontanen Ponyfrisur.

»Kein Grund, es nicht weiter zu probieren.«

»Ja, ich weiß. Und ich würde wirklich gern eines Tages nach Chile fahren und diesen Vogel sehen, und wenn nur, um Dave und Liam Lügen zu strafen.«

»Ist der so selten?«

Ich ziehe mir den Löffel aus dem Mund. »Er ist eine Art Mysterium.« Eine Erinnerung glitzert in meinem Kopf auf. »Mein Vater hat mal einen seltenen Vogel gesehen. Mum und ich waren gerade einkaufen, und Dad rief sie in heller Aufregung an, sie soll ihm doch bitte eine Kamera bringen. Also mussten wir ins Auto springen und nach Hause rasen, um eine zu holen, und dann noch mal eine halbe Stunde in einem Affenzahn zu dem See an der Umgehungsstraße fahren. Mum hat andauernd wild die Spur gewechselt.« Ich lache. »Ich meine, ich bin keine Vogelkundlerin, aber ich war erst sieben, und es war ziemlich spannend. Ich habe es nie vergessen. Es war wie in einem Fernsehkrimi.«

Joel sieht mir in die Augen. »Tja, vielleicht wird es Zeit für dich, eine Rarität zu finden.«

»Nicht jetzt, wo ich endlich meinen Traumjob habe«, sage ich bestimmt. »Das Reisen wird warten müssen.«

Was ich nicht sage, ist, dass es natürlich nicht nur um den Job geht. Es geht darum, von Joel getrennt zu sein, meiner eigenen wunderbaren Entdeckung, einem lang ersehnten seltenen Fund hier auf heimischem Boden. Es käme mir so falsch vor, ohne ihn zu sein. Selbst nur für wenige Wochen. Selbst, um einen Traum zu verfolgen.

Zurück am Haus stecke ich gerade den Schlüssel in die Tür, als ich Joels Hände um mich spüre, sein Lächeln auf meinem Hals. Er murmelt etwas, das ich nicht verstehe, also ziehe ich den Kopf zurück und frage, was er gesagt hat, und er flüstert, ich könne alles tun, was ich will, solle nie denken, etwas ginge nicht.

Daraufhin taumeln wir gemeinsam in den Flur, und er presst mich ans Geländer. Unser Atem beschleunigt sich zwischen Küssen. Wir zerren an der Kleidung des anderen, ziehen nicht mal unsere Jacken aus, öffnen nur ausreichend Knöpfe und Reißverschlüsse, um es geschehen zu lassen. Irgendwie landen wir auf dem Teppich, die Blicke ineinander verschmolzen und lustvoll, Körper vor Verlangen zitternd. Und als wir uns zu bewegen beginnen, spüre ich meine ganze Liebe zu ihm, als wäre mein Herz gerade in tausend Sternschnuppen zersprungen.

50

Joel

Ich habe eingewilligt, Callie zu Hugos Hochzeit zu begleiten, eines alten Freundes der Familie Cooper.

Wir begriffen schnell, warum Callies Eltern sich gedrückt hatten. Unübersehbar haben der Umzug in die Schweiz und der berufliche Einstieg in Private Equity Hugo nicht übermäßig gutgetan, persönlichkeitstechnisch. Nach unserer Ankunft in dem schlossähnlichen Herrenhaus, in dem die Feier stattfand, sprach er Callie zweimal mit dem falschen Namen an und fragte mich dann, ob ich Mitarbeiter des Caterers sei. (Ich nahm an, dass er damit meinen eine Spur zu schicken Anzug meinte. Aber da er offenbar noch nicht mal über einen Blondinenwitz-Humor verfügt, kann man sich nicht sicher sein.)

Hugos neue Frau Samantha macht einen ganz netten Eindruck. (Wenn auch leicht unbedarft, da sie freiwillig den Vollpfosten heiratet. Viel Glück oder so.)

Mein trüber Eindruck von Hugo trübte sich noch stärker, als wir an einen Tisch mit seinen ältesten Verwandten gesetzt wurden. Keiner von ihnen ist noch im Vollbesitz seiner geistigen Kräfte, daher müssen Callie und ich uns weitgehend selbst amüsieren. Was nicht so übel ist. Die Essensfrage zu klären, zum Beispiel, erweist sich als interessante intellektuelle Herausforderung.

»Da muss es eine Verwechslung gegeben haben. Das ist Fleisch.« Callie spricht mit zusammengebissenen Zähnen und starrt das Miniatur-Filet-Wellington auf ihrem Teller an. Ihr Lächeln sieht aus wie auf ihr Gesicht programmiert.

Den ganzen Tag kann ich schon nicht den Blick von ihr lösen. Möchte sie auf das Schlüsselbein küssen, meine Finger auf die zarte Haut legen. Sie hat die Haare zu einem weichen Dutt gelegt, und ihr Kleid ist eine fließende Kreation in leuchtendem Grün. Die Ohrringe, die sie trägt, haben die Form eines Blatts und sind mit Smaragden besetzt, ein Geschenk von mir, nachdem ich das Kleid gesehen hatte.

Vor ein paar Wochen kam ich ins Schlafzimmer, als sie gerade Outfits anprobierte. Dieses landete Sekunden später auf dem Fußboden wie ein seidiges Kleeblatt.

Aber daran darf ich jetzt, umgeben von lauter Achtzigjährigen, wirklich nicht denken. Sie sind unberechenbar. Einer hat gerade angefangen, komplett aus dem Takt mit dem Streichquartett mitzuschunkeln, dessen aktuelles Stück verdächtig nach »Toxic« von Britney Spears klingt.

Callie sieht sich nach einem Kellner um. »Ich hab in dem Fragebogen angekreuzt, dass wir Vegetarier sind.«

»Fragebogen?«

»Aber ja. Mussten wir ausfüllen, wie bei einer Stellenbewerbung. Und die Geschenkeliste war regelrecht autokratisch.«

Ich leere mein Weinglas. »Wie viele Junggesellenabschiede hatte Hugo noch mal, sagtest du?«

»Drei.«

Ich beuge mich vor. »Wie viele Hochzeitsfeiern?«

»Zwei. Diese hier und eine in Zürich.«
»Wie viele Hochzeitsreisen?«
»Zwei. Eine groß, eine klein.«
Ich erhebe mein Glas. »Lass uns nie wie Hugo werden.«
»Darauf trinke ich.«
Wir stoßen an. »Hab ich dir übrigens schon mal gesagt, wie unglaublich du in dem Kleid aussiehst?«
»Sechs Mal. Sieben, wenn du den Abend mitzählst, an dem es auf dem Boden gelandet ist.«
»Aber es ist mein Ernst. Das ist nicht nur ein dreister Verführungsversuch.«
Sie legt eine Hand auf mein Knie. »Dagegen hätte ich nichts. Hab ich dir denn schon gesagt, wie schmuck du in diesem Anzug aussiehst?«
Lächelnd erinnere ich mich daran, letzte Woche in diesem Anzug mit ihr in die Umkleidekabine des Kaufhauses getaumelt zu sein. Während wir an Reißverschlüssen und Knöpfen nestelten, überlegte ich halb, ob wir vielleicht verhaftet würden. Erkannte dann aber ziemlich schnell, dass es mir vollkommen egal war.
Ein Kellner erscheint. »Kann ich Ihnen helfen?«
Callie reckt den Kopf und flüstert ihm zu, wir seien Vegetarier.
Er erstarrt, als wäre er überwältigt von ihrer Schönheit, was ich ihm einigermaßen verzeihen kann. »Leider haben wir keine Anfragen für vegetarisches Essen bekommen.«
Gar keine? Bei einer Hochzeitsfeier mit über einhundertfünfzig Gästen?
Wir warten darauf, dass er uns ein Angebot macht, aber er starrt uns nur an. Eindeutig rechnet er damit, dass Callie sagt, es sei kein Problem. Dass wir einfach für heute zu

Fleischessern werden. Oder vielleicht bildet er sich ein, sie hätten Augenkontakt.

»Aha«, ist alles, was er schließlich sagt.

Er besitzt sogar noch die Frechheit, ihr zuzuzwinkern, bevor er geht.

»Wow.« Ich grinse. »Der steht aber echt auf verlegene Vegetarier.«

Ihre Stirn furcht sich. »Wie meinst du das?«

»Ich glaube, der mochte dich.«

»Nein, er war nur durcheinander.«

Wie üblich ahnt sie gar nicht, wie schön sie ist.

Callie beugt sich tiefer über ihren Teller, pikst das Filet Wellington mit der Gabel an. »Und was machen wir jetzt?«

»Ich glaube, uns bleibt nur eine Möglichkeit.«

»Nämlich?«

Ich hebe mein frisch gefülltes Weinglas. »Flüssige Ernährung.«

Also verzichten wir aufs Essen und sind die Ersten auf der Tanzfläche, sobald das Licht gedämpft wird. Callie nimmt mich an der Hand. Ihr Lächeln ist wie eine Glühbirne in dem abgedunkelten Raum.

Wir tanzen, wir singen, wir lachen, bis uns schwindlig ist. Der perfekte, perfekte Tag.

Gegen Mitternacht fliehen wir, aufgedreht und mit aufgelösten Haaren. Es ist eine klare Nacht, die Luft vom Sommer geschwängert. Callies Schuhe baumeln an ihren Fingern, als wir über den taufeuchten Rasen zu dem Flügel gehen, in dem wir untergebracht sind. Ihr Kleid schwingt um ihre Beine, ihre Hand ist fest um meine geschlossen.

Ich betrachte den sternenübersäten Himmel, sauge den Moment tief ein. *Ich glaube, ich war noch nie so glücklich wie jetzt gerade.*

Callie erzählt von einem Buch, das sie gerade liest, über Wildschwimmen, von einem Naturschriftsteller, den sie sehr mag. Es geht offenbar um den Versuch eines Mannes, sämtliche britischen Inseln anzuschwimmen. »Das macht Lust, in den nächstbesten Fluss zu springen. Und es ist ja auch die richtige Jahreszeit, stimmt's? Viel näher kann man der Natur nicht kommen, als in ihr zu schwimmen.«

Wir erreichen eine weitere ausgedehnte Rasenfläche. »Na, dann.« Ich halte sie fest. »Da.«

»Was?«

»Deine ideale Gelegenheit.«

Am Fuße einer natürlichen Senke liegt ein künstlich angelegter Teich in der Farbe der Mitternacht, einladend wie eisgekühlte Limonade. Die Luft ist heiß, uns ist auch heiß: Selbst mir erscheint die Vorstellung verlockend.

»Meinst du das ernst?«

Statt einer Antwort lasse ich ihre Hand los und ziehe die Jacke aus. Werfe sie auf den Boden und schnüre mir die Schuhe auf.

»Joel, das geht doch nicht.« Sie sieht sich verstohlen um. »Sonst werden wir noch vom Wachdienst abgeführt.«

Ich fange an, mein Hemd aufzuknöpfen. »Dann beeilen wir uns besser.«

Sie lacht halblaut. Sieht sich über die Schulter, einmal kurz. »Okay.«

»Okay?«

»Okay«, wiederholt sie plötzlich beherzt. Sie greift nach hinten und zieht den Reißverschluss ihres Kleides herunter.

Schiebt sich die Träger von den Schultern und lässt es wie eine Flüssigkeit ins Gras gleiten. Sie sieht wunderschön aus in der flaschengrünen Unterwäsche, Arme und Beine rotbraun gebrannt von langen Tagen im Freien. Sie tritt zu mir und übernimmt das Aufknöpfen meines Hemdes. Wir lachen, weil es jetzt Teamwork ist, mich auszuziehen.

Während Callie meinen Gürtel öffnet, den Reißverschluss an der Hose aufzieht, schleudere ich meine Schuhe weg. Und jetzt rennen wir Hand in Hand in Unterwäsche den steilen Hang hinunter zum Teich. Voll im Schwung bremst keiner von uns beiden ab, bevor er sich ins Wasser stürzt. Es ist tiefseekalt, fast wie flüssiger Stickstoff. Als wir wieder an die Oberfläche kommen, johlen und keuchen wir. Wir strampeln und zappeln wie Fische, die sich gegen die Angel wehren. Aber obwohl uns die nassen Haare ins Gesicht hängen und wir kaum Luft bekommen, fangen wir wieder an zu lachen, als unsere Blicke sich begegnen. Wir lachen so heftig, dass wir Gefahr laufen zu ertrinken. Also schwimmen wir instinktiv Richtung Ufer.

Als unsere Hände in Schlamm greifen, hieven wir uns auf die Böschung, Entengrütze an den Waden, beide zu atemlos zum Sprechen.

Wir legen uns auf den Rücken und sehen in die Sterne. Wir hecheln wie Tiere, Gehirn und Blutkreislauf müssen sich erst noch von dem Schock erholen.

Ich spreche zuerst. »Wie fandest du es?«

»Spektakulär.«

Ich drehe den Kopf zur Seite. Ihre Haare sind schwer vom Wasser, eine glitzernde dunkle Masse auf dem Gras wie Seetang auf Sand. »Ehrlich, so gut?«

»Wir gehen wildschwimmen«, sagt sie. »Du und ich. Wir

suchen uns einen Verein. Gibt es Wildschwimm-Vereine? Wir könnten das jedes Wochenende machen, zusammen.«

Ich lehne mich zur Seite und küsse sie, streiche ihr mit der Hand über den Körper. Über dieses wunderschön absurde Tattoo, dessentwegen ich sie noch mehr anbete. »Ist dir kalt?«

Sie zittert, als ich ihr eine Schlingpflanze vom Bein wickle. »Ja.« Dann: »Ich möchte, dass er nie endet. Dieser Moment jetzt gerade mit dir. Ich liebe dich so.«

Mir läuft ein Schauer über die ganze Haut.

Sie hebt ihr Gesicht an meins heran. »Lass mich nicht noch mehr sagen.«

Ich schiebe ihr eine nasse Strähne aus dem Gesicht. »Warum nicht?«

»Weil ich dir keine Angst einjagen will.«

Ich möchte ihr sagen, dass sie mir durch nichts Angst einjagen kann. Aber ich bin mir nicht sicher, ob das stimmt.

Das ferne Wummern der Discomusik weht vom Ballsaal herüber. Ein DJ aus Italien, angeblich mit dem Hubschrauber eingeflogen.

Callie legt sich eine Hand unter den Kopf, wendet sich der Dunkelheit zu, als suchte sie am Himmel die Milchstraße. »Weil es beängstigend ist. Wie stark meine Gefühle für dich sind.« Das verkündet sie ganz nüchtern, die Stimme klar in der warmen Luft.

»Ich weiß.« Noch einmal küsse ich sie. »Mir macht es auch Angst.«

51

Callie

Am nächsten Tag brennt die Morgensonne mir sengend heiß durch den Vorhangspalt auf die Haut. Joels Notizbuch liegt neben ihm, woraus ich schließe, dass er letzte Nacht einen Traum gehabt haben muss. Er erzählt mir nur davon, wenn er möchte, und ich frage nicht immer danach.
»Ich hab einen Verein für dich gefunden«, flüstert Joel.
»Hmhm?« Mein Kopf fühlt sich an wie zu lange gekneteter Teig. Ich habe es gerade eben geschafft, uns beiden einen Becher Instantkaffee mit Dosenmilch zu kochen und zurück ins Bett zu klettern.
»Einen Wildschwimm-Verein. Hier.« Er stellt das iPad vor mir auf. »Sie treffen sich den ganzen Sommer hindurch jeden Sonntagmorgen.«
Ich schließe die Augen. »Oh Gott. Jetzt erinnere ich mich.«
»An den Teich?«
Ich stöhne.
»Und was du gemacht hast, als wir im Zimmer waren?«
Meine Lider klappen wieder auf, raketenschnell.
»Als du beschlossen hast, deine Unterwäsche zum Trocknen aus dem Fenster zu hängen?«, fragt er weiter.
»Oh nein. Ist sie …?«

»Oh ja.« Er klingt, als müsste er sich das Lachen verbeißen. »Ich war im Morgenmantel unten und hab versucht, sie aufzusammeln.«

»Bitte, bitte sag mir, dass der Versuch erfolgreich war.«

»Tut mir leid, Cal.« Jetzt lacht er wirklich. »Die Unterhose hab ich, aber dein BH hängt an einem Gargoyle fest. Da ist unmöglich dranzukommen.«

»Oh mein Gott!« Ich setze mich auf, ein Pochen von planetarischen Ausmaßen findet in meinem Kopf statt. »Lass das bitte einen Scherz sein.«

Er kann sich nicht mehr halten. »Ich wünschte, es wäre einer.«

»Dann müssen wir los. Wir müssen sofort auschecken!«

Joel steigt aus dem Bett, öffnet das Schiebefenster und steckt den Kopf durch den Spalt. »Ja, da könntest du Recht haben. Die Sonne ist aufgegangen. Jetzt ist das gute Stück nicht mehr zu verbergen. Das Grün hebt sich wirklich schön vom Gebäude ab. Immerhin, das Positive ist, dass er da gut trocknet.«

Ich bewerfe ihn mit einem Kissen, aber trotz meiner diversen Leiden lache ich. »Wir müssen ernsthaft abreisen.«

»Können wir nicht noch ein Frühstück reinquetschen?«

»Nein!«

»Wie wäre es mit einer kurzen Darbietung von ›Agadoo‹ unter der Dusche? Das hast du gestern Nacht so schön gesungen.«

Ein klägliches Entsetzen macht sich in mir breit. »Wir fahren ab, und zwar sofort.«

Auf dem Heimweg halten wir an einer Raststätte, wo es nur Instantkaffee gibt, dafür aber fünfzehn verschiedene Varianten von Spiegelei.

Draußen rasen die Autos vorbei, bunte Schemen.

Joel wirkt müde, aber im guten Sinne – ein Müde, das mich an Küsse im Bett im Morgengrauen erinnert oder an lange Abende mit Gesprächen bei Musik und Kerzenschein.

Wie ich im Gegensatz dazu gerade aussehe, möchte ich lieber nicht so genau wissen. Ich wollte so unbedingt das Hotel verlassen, dass ich den Föhn gar nicht erst angefasst habe. Gleiches gilt für Make-up, abgesehen von einem Hauch Wimperntusche und einem tröstlichen Spritzer Parfüm.

»Du weißt schon, dass du gestern auf der Tanzfläche der Hit warst, oder?«, sage ich zu Joel.

»Du meinst als größte Witzfigur?«

»Nein, im Ernst! Für einen bekennenden Eremiten hast du ein paar gute Moves auf Lager.«

»Du bist auch nicht so übel.«

»Komm schon, ich hab zwei linke Füße. Hast du mich nicht fast in die Kapelle fliegen sehen?«

Er schiebt sich den letzten Bissen Eierbrötchen in den Mund und wischt sich die Finger ab. »Das schien sie nicht zu stören. Ich glaube, sie fühlten sich von deinem grenzenlosen Enthusiasmus geschmeichelt.«

»Leicht beunruhigt wäre die passendere Beschreibung.«

»Und bei den Kindern kamst du sehr gut an.«

Das stimmt allerdings. Irgendwann sah ich mich von einer Gang von unter Zehnjährigen umzingelt, denen ich den Twist beibrachte. Nach ein paar sanften Aufforderungen schloss Joel sich an, und die nächsten zwanzig Minuten tanzten wir alle zusammen, nur wir und ein Haufen Kinder auf Zuckerschock, als mir auf einmal ein Gedanke durch den Kopf schoss: *Wir wären tolle Eltern. Wir hätten so viel Spaß. Wie viele Kinder sollen wir kriegen, zwei? Fünf? Zehn?* Ich war zu glücklich und müde, um meine Fantasie zu zügeln, deshalb genoss ich die Vorstellung einfach, berauschte mich fast daran.

Jetzt male ich träge mit dem Zeigefinger Muster auf Joels Unterarm. »Wo hast du tanzen gelernt?«

»Von meiner Mum, offen gestanden. Wir haben oft nach der Schule im Wohnzimmer ein bisschen gegroovt, bis mein Vater von der Arbeit nach Hause kam.«

Ein Brennen in meiner Kehle, dann in meinen Augen. »Das ist so süß.«

»Sag das meinem Bruder.«

Ich sehe auf die Tischplatte. Auf dem Resopal sind gelbe Flecke, die nach dem Curry eines früheren Gastes aussehen.

Joel stellt seinen Kaffeebecher ab und fährt sich mit einer Hand durch die Haare, so dass es kurz nach Hotelshampoo riecht. »Weißt du, dafür, dass er so ein Idiot ist, hat Hugo tatsächlich eine ziemlich großartige Party auf die Beine gestellt.«

»Willst du wissen, was ich denke?«

Durch den Kaffeedampf sieht er mir in die Augen. »Klar.«

»Ich glaube, wir haben sie großartig gemacht. Ich meine, ich bin mir ziemlich sicher, dass du und ich uns auf einem Kartoffelacker amüsieren könnten.«

»Habe ich zwar noch nie ausprobiert, aber wenn du magst, können wir uns auf der Heimfahrt einen suchen.«

In Gedanken an den Teich schüttle ich den Kopf. »Keine Randale mehr auf freien Flächen.«

»Ja, im Auto sind wir sicherer.«

Immer noch zeichne ich Umrisse auf seine Haut. »Wäre toll, so was öfter zu machen. Es war doch nicht schlecht, oder? Woanders zu übernachten?«

»Ja.« Er klingt fast überrascht, als hätte er bis gerade noch gar nicht richtig darüber nachgedacht. »Es war nicht schlecht.«

»Hättest du denn Lust? Das mal zu wiederholen?«

»Ja«, sagt er, zurückhaltend wie immer. Aber als er die Hand umdreht und nach meiner greift, sind seine Augen ein Stummfilm, eine Liebesgeschichte ohne Worte.

52

Joel

Und dann, nur einen Monat später, passiert es. Genau, wie ich es immer befürchtet habe.

Der Traum ist grauenvoll, so real, dass er mich wie ein Blitzschlag durchfährt.

Callie flüstert mich wach, aber ich bin schon da. Ich schüttle sie ab, drehe mich weg. Vergrabe das Gesicht in der Matratze.

Bitte nicht Callie.
Nicht so.
Nein. Nein. Nein.

TEIL DREI

53

Callie

Ich denke immer noch an uns, Joel. Wahrscheinlich mehr, als ich sollte. Die winzigste Kleinigkeit bringt dich zurück zu mir.

Gestern war ich im Freibad, und das hat mich an den Abend zurückversetzt, als du und ich zusammen in den Teich gesprungen sind. Vor ein paar Wochen habe ich einen Drømmekage gebacken und musste mittendrin weinen. Ich war auf einen Junggesellinnenabschied eingeladen und konnte immer nur an Cambridge denken, an die wunderbare Nacht, die wir dort verbracht haben.

Ich habe sogar angefangen, diesen Science-Fiction-Roman zu lesen – weißt du noch? –, und er ist sogar ziemlich gut! Du solltest definitiv mal einen Blick reinwerfen. (Auf Seite neunundsiebzig musste ich übrigens laut lachen. Versuch, die Stimme im Geiste nachzumachen. Wenn du an der Stelle bist, weißt du, was ich meine.) Hoffentlich hast du dein Buch noch, wenn du das hier liest. Wenn nicht, kannst du meins haben.

Es ist so lange her, dass wir gemeinsam gelacht haben. Manchmal hält es mich bei der Stange, daran zu denken, wie viel Spaß wir hatten. Wie du mich innerlich zum Leuchten brachtest, jeden einzelnen Tag.

54

Joel

Der Augusthimmel bläht sich vor Gewitterwolken. Ich stehe an meinem Schlafzimmerfenster, warte darauf, dass das Rauschen der Dusche aufhört.

Das ist schlimmer, als ich je für möglich gehalten hätte.

Über mir knarzen Dielen. Ein neuer Mieter, Danny, ist in Callies Wohnung eingezogen. Er arbeitet viel, ist kaum zu Hause. Hin und wieder taucht er auf, wechselt im Vorbeigehen ein paar unverbindlich freundliche Worte mit uns und verschwindet dann wieder wie ein Gespenst.

Jetzt schon kommt mir Callies Einzug vor ein paar Wochen wie eine Abfolge bald vergessener Erinnerungen vor. Ihr Vater, der uns half, die Kisten die Treppe hinunterzuschleppen, und mir dabei einen Vortrag über Sicherheitsvorkehrungen hielt, als wohnte ich nicht schon seit zehn Jahren dort. Sekt auf dem Sofa an jenem ersten Abend, ein Geschenk ihrer Eltern. Unser Lieblingsessen endlich Seite an Seite im Kühlschrank. Gemeinsames Duschen, geteilte Kannen Kaffee. Mit Murphy im Garten Ball spielen. Mit meinen Fingern die Neuheit ihrer Sachen erforschen. Ihre bunte Mischung von Figürchen und Krimskrams, für sie peinlich, für mich faszinierend wie ein Schatz.

Ich gebe mir allein die Schuld. Ich hätte mich niemals entspannen dürfen, den Anruf bei Steve aufschieben. Denn wenn ich irgendetwas unternommen hätte, würde vielleicht nichts von alledem jetzt passieren.

55

Callie

Nach einer ganzen Weile komme ich schließlich aus dem Bad, bleibe neben der Kommode stehen, die jetzt von meinen Sachen überquillt. Das gefällt mir, oder zumindest gefiel es mir: das nicht ganz Passen, die Vorstellung, dass wir seit meinem Einzug schon aus dem Platz herausgewachsen sind, dass wir von der Welt um uns herum nicht eingegrenzt werden können.

»Es tut mir leid.« Joel steht am Fenster, als würde er mit Freuden rausspringen.

Wenn ich mich an die vergangene Nacht erinnere, möchte ich gleich wieder weinen. Es ist zu schmerzlich, an die Tränen zu denken, die ihm im Schlaf unter den Augenlidern hervorrannen; dass er immer wieder meinen Namen keuchte, als bekäme er keine Luft mehr.

»Joel, das ist nichts, wofür man sich entschuldigen muss.«

Er zögert, steht, so scheint es, kurz davor, den Raum mit Gefühlen zu überfluten. Aber im letzten Moment beherrscht er sich. »Kannst du für heute Abend absagen?«

Mein Kopf gerät ins Stocken. *Heute Abend, heute Abend.*

Endlich fällt es mir ein; wir wollten bei Ben essen, mit Esther und Gavin. »Klar.«

»Ich glaube einfach nicht ...« Er beendet seinen Satz nicht, daher bleibe ich unaufgeklärt über das, was er glaubt, ganz zu schweigen von dem, was er vorhat.

»Joel, bitte tu das nicht.«

»Was denn?«

»Mich nicht einbeziehen.«

Daraufhin sehen wir einander nur an, bestürmt von Traurigkeit und machtlos dagegen.

»Ich meine es ernst, wenn ich sage, dass ich dich liebe«, flüstere ich.

»Das weiß ich.«

»Nicht nur dich, sondern alles an dir.«

Er wirkt beinahe benommen vor Schmerz. Draußen ertönt ein Donnergrollen.

»Es ging um mich, stimmt's?«, frage ich. »In deinem Traum letzte Nacht.«

Seine Augen sind jetzt dunkel und rund, wie die einer Eule. Ungefähr eine Minute lang mustert er mich wortlos, als ginge ich gerade von ihm fort, und er könnte mir nur dabei zusehen.

Seine Stimme klingt sanft. »Du kommst zu spät«, ist alles, was er sagt.

56

Joel

Kurz vor sechs ist sie zurück. Ich habe den Großteil des Tages draußen verbracht, die Hunde ausgeführt, dann mit Murphy im Garten gesessen. Während die Wolken sich über den Himmel wälzten, überlegte ich, was ich tun kann. Was um alles in der Welt ich sagen soll.

Unwillkürlich fiel mein Blick auf Callies Blumentöpfe, jetzt emsig besucht von Bienen und Schmetterlingen. Auch in ihrem Balkonkasten gedeihen die Sommerblumen üppig, die Blüten randvoll mit Nektar. Sie verkörpern Callie so perfekt: bunte Farben statt Grau, Leben, das Trägheit verdrängt.

Unsere jungen Rotkehlchen sind längst flügge, der Nistkasten jetzt verlassen. Aber eine Zeit lang war das Männchen noch präsent, trällerte forsch aus dem Pflaumenbaum nebenan. Callie erklärte mir, dass er seinem Nachwuchs das Singen beibrachte. Wer weiß, ob das stimmt, aber die Vorstellung gefällt mir: ein jahrhundertealtes Notenblatt, auf die Luft geschrieben.

»Hallo.« Es ist ein müdes Hallo, ein Ausatmen. Sie lässt ihre Tasche fallen und legt mir die Arme um den Hals, küsst mich. Schweiß hat einen feinen Rand auf ihrem Gesicht hinterlassen. Sie schmeckt nach Salz und Sorge.

»Wie war dein Tag?«, murmle ich in ihre Haare.

»Furchtbar«, sagt sie zu meinem T-Shirt. Fast bin ich erleichtert, aber nur, weil ich nicht beschwichtigt werden will. Keine Beteuerungen hören will, dass alles gut sei, wenn es doch nicht stimmt. Lieber wäre mir, wenn sie wütend werden, wenn sie die Sache als das bezeichnen würde, was sie ist.

Eine Katastrophe, und zwar eine, die allein mir zuzuschreiben ist.

»Ich musste die ganze Zeit an deinen Traum denken.«

»Wir müssen …« Ich kann die Worte kaum hervorstoßen. »Wir müssen darüber reden.«

Sie entzieht sich der Umarmung. »Ja, das müssen wir. Können wir irgendwo hingehen?«

Ich würde vorziehen, dieses Gespräch nicht in der Öffentlichkeit zu führen. Aber da ich im Begriff bin, Callies Leben zu zerstören, scheint es nur fair, dass sie die Bedingungen bestimmen darf.

Wir entscheiden uns für die Dachbar am Fluss. Das klingt netter, als es ist. Da sie teuer und oben auf einem Bürokomplex untergebracht ist, war sie schon immer weniger beliebt, als man erwarten könnte. Der Blick ist gut, aber die Aussicht nichtssagend: Eversford kann sich weder mit einer markanten Architektur brüsten noch mit einem skurrilen Charme. Dennoch, wir können den Fluss sehen, schimmernd im Sonnenlicht wie eine Spur aus flüssigem Quecksilber. Und das Gewitter ist mittlerweile vorbei. Der Himmel ist weit und klar, ein blassblauer Fallschirm über unseren Köpfen.

Es gibt auch mehr Bäume, als mir bisher bewusst war. Sie schießen zwischen den Gebäuden hervor wie kleine grüne Vulkane.

Wir setzen uns an einen Ecktisch an einer hohen Glasscheibe, vermutlich dort angebracht, damit wir nicht in den Tod stürzen. Ich muss klar denken, deshalb bestelle ich mir einen Kaffee, aber Callie nimmt ein Glas Weißwein. Ich kann es ihr nicht verübeln. Das geblümte Kleid, das sie angezogen hat, ist so unpassend fröhlich, dass es beinahe schmerzt.

Sie spricht zuerst. »Du hast letzte Nacht von mir geträumt, oder?«

Ein Nicken, aber kein Wort. Mein Mund hat sich in Gummi verwandelt.

»Du hast immer wieder meinen Namen gesagt. Du warst völlig außer dir. Mein Gott, es hat mich so ... so traurig gemacht, dich so zu sehen.«

Mein Brustkorb zieht sich zusammen: Jetzt bin ich an der Reihe. Aber selbst nach einem ganzen Tag Grübeln fehlen mir immer noch die Worte, um es auch nur annähernd nachvollziehbar zu machen.

»Cal, ich habe Angst, dass das, was ich sage ...«

Sie unterbricht mich. »Dann lass es. Du musst gar nichts sagen. Ich frage, und du musst nur nicken oder den Kopf schütteln.«

Ich atme ein. Oder vielleicht auch aus. Ihre Entschlossenheit hat mich leicht aus dem Konzept gebracht.

Sie sieht mir eindringlich in die Augen. »Manchmal sind Worte das Schwierigste überhaupt.«

»Heute ja.«

Letzten Endes sind nur drei Fragen nötig. Drei Fragen und wenige Minuten.

»Bin ich gestorben?«

Ja.

»Weißt du, wie?«

Ich zwinge mich, sie mir wieder leblos auf dem Boden liegend vorzustellen. Keine Verletzungen. Kein Blut. Keine Anhaltspunkte. *Nein.*

»Weißt du, wann?«

Ja.

Danach schweigen wir und lassen nur unsere Augen sprechen. Wieherndes Gelächter dröhnt von einem Nachbartisch heran, und tief unter uns brummt der Verkehr. Die Welt weigert sich, stehen zu bleiben. Das Leben rumpelt herzlos weiter.

Ich weiß, dass ich etwas sagen muss. Den dürftigen Plan erklären, den ich habe. »Es könnte was geben ...«

»Warte.« Sie bedeckt meine Hand mit ihrer. Sie fühlt sich seltsam kalt an. »Sag nichts mehr.«

»Aber wenn du ...«

»Im Ernst, Joel. Ich möchte nicht, dass du noch mehr sagst. Du musst mir zuhören.«

Also verstumme ich und richte den Blick wie betäubt auf ihre Halskette mit der Schwalbe im Flug. Es ist dieselbe, die mir vor all diesen Monaten aufgefallen ist, als ich sie im Café zum ersten Mal sah.

»Ich möchte sonst nichts wissen. Nichts von dem, was du geträumt hast. Ich will nicht wissen, was du gesehen hast oder wann es stattfinden wird. Und zwar gar nicht, *niemals.* Okay?«

Ich starre sie an. Die Tränen in ihren Augen sind einem steinharten Ausdruck gewichen. »Cal, ich glaube nicht, dass du ...«

»Doch.« Ihre Stimme klingt schneidend in der milden Abendluft. Sie entzieht mir ihre Hand. »Ich hab es schon verstanden. Das Einzige, was ich jetzt in diesem Moment weiß, ist, dass ich sterben werde. Nicht wann, nicht wie. Dadurch unterscheide ich mich von niemandem hier heute Abend.« Sie wirft einen Blick auf den Kellner, dann auf eine lärmende angetrunkene Gruppe ein paar Tische weiter.

»Aber *ich* weiß es.«

»Ja. Und wenn du es mir erzählen würdest, würdest du mich unheilbar krank machen. Mit einem Schlag.«

»Cal, wie kannst du das nicht wissen wollen? Vielleicht können wir was ...«

»Nein, eben nicht. Du hast doch schon gesagt, dass du nicht weißt, wie es passiert. Du bist genauso hilflos wie ich, Joel, und das weißt du auch.«

»Callie.« Meine Stimme bricht vor Emotion. »Bitte lass mich einfach ...«

»Nein, Joel. Das ist meine Entscheidung. Ich kann mit einem Todesurteil nicht umgehen.«

Ich denke an meine Mutter, der die kostbare Zeit verwehrt wurde, die sie sich gewünscht hatte, um sich vorzubereiten. Dass all meine Ängste, die ich seit ihrem Tod in Bezug auf die Liebe habe, jetzt bei Callie real werden, kann ich kaum ertragen. »Meinst du das wirklich ernst?«

Sie nickt, nur ein einziges Mal.

Wieder nehme ich ihre Hand. Drücke sie fest. Vielleicht versuche ich, Vernunft hineinzuquetschen. »Ich kann nicht damit leben, dass ich es weiß und du nicht.«

»Du möchtest es dir von der Seele reden?«

»Nein, das ist es nicht.« Aber dann frage ich mich, ob doch.

»Du weißt, was das bedeutet, oder?«

»Zu vieles.«

»Es bedeutet, dass du mich liebst.«

Typisch Callie, das Gute daran zu sehen. Es liegt sogar ein sehr, sehr zartes Lächeln auf ihrem Gesicht. »Callie ...«

»Jetzt kannst du es sagen. Das Schlimmste ist eingetroffen. Du musst keine Angst mehr haben.« Und sie beugt sich über den Tisch, küsst mich.

Aber während ich ihren Kuss erwidere, sehe ich sie vor meinem geistigen Auge auf dem Boden liegen.

Da ist kein einziges Zucken, und ihre Haut ist kalt wie Schnee.

57

Callie

In der Woche nach Joels Traum habe ich Mühe, Normalität aufrechtzuerhalten. Statt mich in der Mittagspause zu Fiona und Liam zu setzen, laufe ich allein zum Fluss und klettere auf die alte Weide. Gespräche mit Kollegen haben jetzt schon eine andere Färbung angenommen – es ist einfach schwer, sich an Diskussionen über das gestrige Fernsehprogramm oder die Ausbreitung von Discountern zu beteiligen, wenn Joels und meine Abende durch Differenzen über meinen Todeszeitpunkt verdorben sind.

Am Freitagabend, ermattet vom stundenlangen Schieben eines professionellen Rasenmähers durch Wiesen, steige ich auf den Baum und ziehe Stiefel und Socken aus. Unbemerkt von Spaziergängern, die unter meinen bloßen Füßen hergehen, genieße ich das angenehme Gefühl von Blut, das durch meine Waden in die Zehen rauscht. Libellen schwirren vorbei wie winzige glänzende Helikopter, und vom gegenüberliegenden Ufer kommt das urtümliche Klagen muhender Kühe. Den ganzen Tag war die Luft warm und reglos, sommerstill bis auf das leise Knacken platzender Fruchtstände.

Unentwegt kann ich nur an Joel denken, warmblütig und liebevoll, die fiebrigen inneren Qualen verborgen unter seinem verschlossenen Auftreten. Ich stelle mir vor, dass er mir sagt, was er weiß, stelle mir die Auswirkungen vor, die dieses Beben nach sich ziehen würde. Wie unser Leben sich ändern, was aus uns werden würde.

Es ist unvorhersehbar, wie ich darauf reagieren würde, ob die Information toxisch wäre, mich von Grund auf verwandeln würde. Es ist mit Sicherheit kein Zufall, dass wir biologisch programmiert sind, von solchen Sachen nichts zu ahnen.

Ich male mir aus, meine Tage abzuzählen. Wie die Chemie jeder Erfahrung sich entwickeln würde. Vielleicht würde ich alles, was mir lieb ist, aufgeben, und gleichzeitig käme das Ende immer näher, wie der dunkle Finger eines Tornados.

Ich weiß einfach nicht, wie Joel und ich hoffen könnten, uns ein Leben aufzubauen, bei so viel Grund zur Angst.

Aber Joel trägt all das jetzt schon mit sich herum, und er kann es nirgendwo abladen. Wenn ich ihn wirklich lieben würde, dann würde ich ihn vielleicht ermuntern, mir alles zu erzählen, einwilligen, seine Bürde mit ihm zu teilen. Denn in der Liebe geht es nicht nur um die leichten Entscheidungen, die einfachen Lösungen; es geht um die Knochenarbeit und die Zwickmühlen, die Opfer, die man eigentlich nicht bringen möchte. *Nichts, was sich zu haben lohnt, fällt einem in den Schoß*, sagt mein Vater immer.

Ich starre eine Weile auf die Furche meiner Initiale neben der von Grace in der Rinde, bevor ich nach meinem Handy taste und ihre Nummer wähle.

»Ich sitze gerade in unserem Baum und denke an dich. Also, eigentlich denke ich an Joel. Ich wünschte, ich könnte mit dir reden, Grace. Ich bin mir ziemlich sicher, dass du wüsstest, was ich tun soll, oder zumindest wüsstest du, was du sagen sollst. Wahrscheinlich würdest du mir raten, fürs Erste ahnungslos zu bleiben und weiter in den Tag hineinzuleben. Hab ich Recht?

Du hast immer gesagt, du möchtest sterben, während du was machst, das du liebst. Es tut mir leid, dass dir das nicht vergönnt war. Aber immerhin bist du gestorben, ohne es vorher zu wissen, was doch wohl das Nächstbeste sein muss.« Ich schließe die Augen. »Bitte, Grace, gib mir ein Zeichen oder so was, ja? Irgendwas, ganz egal, nur damit ich weiß, was ich tun soll ... Du hättest Joel wahnsinnig gern gemocht. Du hättest dich so gefreut zu erleben, wie glücklich er mich macht. Es hätte auch dich glücklich gemacht, glaube ich.

Also, vergiss es nicht, okay? Gib mir einfach ein Zeichen.«

Als ich aufgelegt habe, lehne ich mich noch ein wenig an den starren Weidenstamm. Albernerweise halte ich jetzt schon Ausschau danach – nach dem Zeichen meiner Freundin, das mir sagt, dass sie mich gehört hat. Aber die Luft bleibt ruhig und der Fluss stumm.

58

Joel

Zwei Wochen seit meinem Traum. Vierzehn Tage Lähmung. Ich habe im Geiste durch die Seiten von Callie und mir geblättert wie in einem Buch, das zu öffnen ich mich nie traute. Ich weiß, dass ich Gefahr laufe, sie zu verlieren, aber ich kann nicht einfach warten, bis sie mir entrissen wird. Ich muss alles versuchen.

Steve ist außer Atem, als er abhebt. »Joel?«

Ich bin mit Bruno spazieren. Erst jetzt komme ich auf die Idee, auf die Uhr zu sehen, und es ist schon fast neun Uhr abends. »Sorry, hast du schon …«

»Nur ein paar Liegestütze vor dem Bett.« Er stößt die Luft aus wie ein Armee-Ausbilder. »Dann lebst du also noch.«

»Ja, entschuldige, ich habe …«

»Meine Nachrichten ignoriert.«

Kurz fühle ich mich wie ein Kunde, den er schimpft, weil er aus dem Bootcamp ausgestiegen ist. »Ich glaube, ich bin jetzt bereit, mich mit Diana zu treffen.«

»Das hat ja ganz schön lange gedauert.«

»Ja, tut mir leid.«

»Und du meinst es ernst?«

»Sehr.«

»Wie war die, du weißt schon, die Träumerei in letzter Zeit?«

»So schlimm, wie sie nur sein kann.«

Er schweigt einen Moment. »Hat das was mit Callie zu tun?«

»Ich kann es jetzt nicht erklären. Könntest du es bitte für mich arrangieren?«

»Natürlich, Joel. Natürlich.«

Als ich auflege, begreife ich, vielleicht zu spät, dass Freunde wie Steve nicht leicht zu finden sind.

59

Callie

Als ich mich aufsetze, lasse ich meine Augen die Weckeranzeige finden. Es ist zwei Uhr morgens, und ich wurde vom Brummen meines Handys aus dem Schlaf geschreckt.

Joel liegt komatös neben mir. Sanft ziehe ich ihm die Kopfhörer von den Ohren. Er muss aus Versehen damit eingeschlafen sein.

Einen Moment lang betrachte ich sein geschlossenes Notizbuch, male mir die Sätze aus, die es über mich enthalten muss. Wie leicht könnte ich den Verlauf meiner eigenen Zukunft verändern, indem ich einfach nur eine Seite umblättere.

»Ich habe Grace' Mailbox abgehört«, sagt Ben. »Was soll das alles über dich und Joel?«

Oh nein. Er hört ihre Nachrichten ab.

»Sorry«, flüstere ich und lege mir unwillkürlich die Hand aufs Gesicht. »Das kannst du einfach löschen.« Seit ich sie angerufen habe, sind zwei Wochen vergangen, ich hatte es schon ganz vergessen.

Jetzt stehe ich auf und tapse ins Wohnzimmer, Murphy auf den Fersen. Die Nachtluft ist schwül, wie in einer Freibadumkleidekabine. Ich hocke mich zwischen die Töpfe auf die Fensterbank und neige die Jalousielamellen, um den Himmel sehen zu können.

»Ich muss wissen, ob es dir gut geht«, sagt Ben.

»Mir geht's gut.«

Er wartet eine Sekunde. »Du hattest übrigens Recht.«

»Womit?«

»Deiner Nachricht auf der Mailbox. Wenn die Leute sagen, sie wollten sterben, während sie was Schönes machen, meinen sie damit eigentlich, sie wollen nicht wissen, wann es so weit ist.«

Es stimmt, dass Grace das immer gesagt hat, weshalb ich öfter überlege, ob sie nicht hätte sterben sollen, während sie mit Ben auf den Tafelberg steigt oder diesen Halbmarathon auf Lanzarote läuft. Die Antwort kenne ich nach wie vor nicht, wobei ich auf jeden Fall weiß, dass sie nicht hätte sterben sollen, als sie durch diese furchtbare Seitenstraße hastete, spät dran für Pilates. Aber das ist wohl die beklemmende Realität des Lebens: Man darf es sich nicht aussuchen.

Ich verfluche meine eigene Unsensibilität. »Entschuldige bitte, Ben. Ich hab nicht nachgedacht.«

»Cal, sag mir ruhig, ich soll mich um meinen eigenen Kram kümmern, aber was ist los bei dir und Joel?«

Seine Frage, so gut gemeint sie ist, fühlt sich spitz an wie ein Dartpfeil. »Das ist kompliziert.« Eine kraftlose Vereinfachung.

»Okay. Aber eins möchte ich sagen. Wenn du wahre Liebe gefunden hast, Cal, dann lass sie nicht los. Du hast ja keine Ahnung …« Er stockt. »Keiner von uns weiß, was er hat, bis es nicht mehr da ist. Ja, das ist ein Klischee, aber es stimmt.«

In meinem Kopf dreht sich alles, und ich denke an Joel. »Ben, darf ich dich was fragen?«

»Klar doch.«

»Glaubst du wirklich ... glaubst du, es war besser, dass es bei Grace so schnell ging? Oder wünschtest du, ihr hättet mehr Zeit gehabt, du weißt schon, um euch vorzubereiten?«

»Vorbereiten, du meinst zum Beispiel Krebs?«

»Sorry«, murmle ich. »Du musst natürlich nicht antworten, wenn du nicht willst.«

»Nein, schon okay. Wenn ich ehrlich bin, Cal, in Bezug auf Grace muss ich sagen, es war ein Segen, nichts zu ahnen. Ja, es war ein Schock, als sie starb. Brutal. Es fühlte sich an, als hätte dieser Arsch jeden von uns überfahren. Aber ich glaube nicht, dass Grace mit einem Todesurteil klargekommen wäre.«

»Das dachte ich auch.«

»Du bist doch nicht krank, oder?« Bens Stimme klingt wie eine straff gespannte Saite.

»Soweit ich weiß, nicht.«

»Ich kann mich natürlich auch täuschen«, sagt er dann. »Vielleicht wäre es Grace lieber gewesen, ein paar Monate vorgewarnt zu werden. Vielleicht hätte sie noch mehr aus ihrem Leben gemacht, wenn sie es gewusst hätte.«

Ich lächle. »Ich weiß nicht, wie das gehen sollte.«

»Ja, ich auch nicht.«

60

Joel

Diana hat vorgeschlagen, sich mit mir an der Universität zu treffen, an der sie forscht. Es ist Mitte September, kurz bevor die Studenten zurückkehren. Ich versuche, das als gutes Omen zu sehen. Ein neues Semester, eine leere Seite. Die Chance, noch mal frisch anzufangen.

»Setzen Sie sich doch.«

Das Büro, in dem wir uns befinden, ist stickig und vollgestopft, mit Wänden aus Ytong-Steinen und nicht genug Licht. Die ganze Umgebung hat eine Anstaltsatmosphäre, also rutsche ich den Stuhl Richtung Tür. Nur für den Fall.

Sie stellt sich vor, fragt, wie sie behilflich sein kann. Obwohl nicht unfreundlich, spricht sie knapp und schnell. Sie muss Mitte fünfzig sein, wirkt allerdings nicht annähernd exzentrisch genug für eine Professorin. Und mit dieser Buddy-Holly-Brille, der engen schwarzen Jeans und den knöchelhohen Chucks hätte sie genauso gut gerade aus dem Brainstorming einer Werbeagentur kommen können.

»Steve meinte, er hätte mit Ihnen gesprochen. Über meine ... Beschwerden.«

Irritierend: Sie schreibt jetzt schon auf einem Block mit, ohne mich anzusehen. »Sie sagen, Sie können hellsehen?«

»Also, ich ›sage‹ nicht, dass ich es kann. Ich kann es.«
Sie nickt. Kommentiert nicht.

Unbehaglich rutsche ich auf meinem sehr unergonomischen Stuhl herum. »Ist Ihnen so was schon mal begegnet?«

»Nicht persönlich. Können Sie mir ein bisschen mehr über das erzählen, was Sie erleben?«

Vor meinem geistigen Auge wieder die Felskante vor einem tiefen Abgrund. Dieser Arzt damals, die höhnisch verzogenen trockenen Lippen. Aber jetzt bin ich schon hier. Also atme ich durch und sage mir, dass Steve Diana ja schon alles geschildert hat. Und sie sich trotzdem bereit erklärt hat, mit mir zu sprechen.

Ich fange mit etwas Einfachem an. Meinem Traum letzte Nacht. Tamsin, Neil und Amber auf einem Ausflug in den örtlichen Safaripark in den Herbstferien in sechs Wochen. (Löwen und Tiger sind eher keine Bedrohung, allerdings verursachen Affen kleinere Schäden an Tamsins Auto. Wahrscheinlich werde ich sie kurz vorher mithilfe von YouTube vorwarnen.)

Ich rede weiter, komme auf Luke und meine Mutter zu sprechen. Auf Poppy und den Autounfall, die Schwangerschaft meiner Schwester. Ich berichte ihr vom nicht Schlafen und den quälenden Nächten. Von meinem Vater. Und dann erzähle ich ihr von Callie, von dem, was, wie ich weiß, in wenigen Jahren passieren wird. Außer, Diana kann mir helfen. Außer, sie kann etwas tun.

»Ich träume nur von Menschen, die ich liebe«, wiederhole ich.

Die Wissenschaftlerin in ihr zuckt zusammen.

»Steve erwähnte etwas von …« Ich sehe in mein Notizbuch, das offen auf meinem Schoß liegt. »... meinen Frontal- und Schläfenlappen. Und meiner rechten Gehirnhälfte?«

»Hatten Sie schon mal eine Kopfverletzung oder schwere Krankheit?«

»Nein.«

»Geht auch mal was durchs Netz? Ich meine, passieren bedeutsame Dinge, von denen Sie nicht geträumt haben?«

»Ja. Andauernd. Ich kann nicht alles sehen. Es gibt so vieles, was ich nicht weiß.«

»Haben Sie schon mal was geträumt, was nicht eingetreten ist?«

»Nur wenn ich eingreife. Es irgendwie verhindere.«

Sie geht nicht näher darauf ein, was das beinhalten könnte, fragt stattdessen nach meiner Krankengeschichte.

»Tja.« Nach einer Weile wirft sie einen Blick auf ihre Notizen und kringelt etwas ein (ich würde töten, um zu sehen, was). »Ich werde mich bei meinen Kollegen erkundigen. Wir könnten unter Umständen Forschungsgelder beantragen, ethischer Prüfung unterliegend.«

»Wie lange würde das Ganze dauern?«

Sie weicht der Frage leicht aus. »Wir müssten uns die Finanzierungszyklen ansehen, entscheiden, ob wir einen interdisziplinären Antrag stellen. Vorausgesetzt, Sie wären einverstanden, wenn ich Ihre Informationen an meine Kollegen weitergebe, ein paar erste Erkundigungen einhole?«

»Ja«, sage ich dumpf. Aber obwohl ich deshalb gekommen bin, fühle ich mich bei dem Gedanken an eine Untersuchung seltsam auf dem falschen Fuß erwischt. Als wäre ich so lange an einem dunklen Ort gefangen gewesen, dass ich mich erst langsam an das Blenden des Tageslichts gewöhnen muss. Ich versuche, mich wieder zu konzentrieren. »Dann denken Sie, dass Sie mir vielleicht helfen könnten?«

Nach all den Jahren bin ich nicht sicher, ob ich es zu glauben wage.

Diana lehnt sich so weit in ihrem Stuhl zurück, wie ergonomisch möglich. Verstörend entspannt sieht sie wieder auf ihre Notizen. Tippt mit dem Stift darauf. »Na ja, das hängt davon ab, was Sie mit helfen meinen. Natürlich können wir die Zukunft nicht für Sie verändern. Aber vielleicht könnten wir an den Träumen selbst was machen.«

»Sie meinen, verhindern, dass ich sie habe?«

»In dieser frühen Phase kann ich das wirklich noch nicht sagen.« Ganz eindeutig will sie nichts so Wildes versprechen, wie mich wieder in einen normalen Zustand zu versetzen.

Ein Gedanke durchfährt mich. Ich war so fixiert darauf, die Träume zu beenden, dass ich gar nicht überlegt habe, was das tatsächlich bringen würde.

Denn wenn Diana Callie nicht helfen kann, was soll das dann eigentlich bewirken?

Seit ich von ihrem Tod geträumt habe, mache ich mir nur Sorgen um Callie. Nicht um mein eigenes Kuddelmuddel verquerer Gehirnzellen.

»Eins habe ich noch nicht gefragt«, sagt Diana da. »Hat noch jemand in Ihrer Familie dieses … Phänomen?«

In meinem Kopf dreht sich langsam ein Schlüssel. »Das, also, das weiß ich nicht sicher.«

»Als Ausgangspunkt würde ich mich gern mit Ihrer Familiengeschichte befassen.«

Meine Atmung wird langsamer, mechanisch. Warum ist mir das noch nie eingefallen?

Ich bin nicht mal dein Vater!

»Wissen Sie was«, sage ich plötzlich, klappe mein Notizbuch zu und stehe auf. »Erzählen Sie das bitte noch niemandem. Ich bräuchte noch Zeit. Um alles zu durchdenken.«

»Nehmen Sie sich so viel Zeit wie nötig.« Ihr Tonfall deutet an, dass sie tonnenweise andere Forschungsthemen auf dem Tisch liegen hat, die sie offen gestanden weit weniger nervig fände.

»Vielen Dank, dass ich kommen durfte.«

»Grüßen Sie bitte Steve von mir«, sagt sie. Aber da bin ich schon weg.

Ich laufe durch das Betonlabyrinth des Campus zum Parkplatz zurück. Es ist eigenartig still, abgesehen vom Pfeifen einer Herbstbrise zwischen den Gebäuden.

Fragen schießen mir kreuz und quer durch den Kopf.

Ich war so lange darauf konzentriert, ein Heilmittel zu finden, dass ich nie darüber nachgedacht habe, was dann folgen würde. Vielleicht würde mir das Aufhören meiner Träume ein beunruhigendes Gefühl von Haltlosigkeit geben. Wie die Antiklimax nach einem Lottogewinn, kalte Füße vor dem Kauf eines Hauses. Vorsicht vor dem, was man sich wünscht.

Denn vielleicht ist das, was ich mir eigentlich wünsche, ein Weg, Künftiges verhindern zu können. Und kein Akademiker der Welt kann mir dabei helfen.

Der Einzige, der das kann, bin ich.

61

Callie

Am selben Tag, an dem Joel den Termin mit Diana hat, habe ich beinahe einen Arbeitsunfall. Ein Plastikkeil flutscht aus einem Baum, den wir gerade fällen, genau in dem Moment, als ich mein Helmvisier hochklappe. Er verfehlt mein Gesicht nur knapp. Ein paar Millimeter weiter, und ich hätte blind sein können, oder schlimmer noch, er hätte mich am Hals treffen können. Es ist ein dummer, leichtsinniger Fehler, und er erschüttert mich nachhaltig.

Ich frage mich, ob ich ab jetzt immer schreckhaft bleiben werde, da Joels Traum mir meine eigene Sterblichkeit ins Bewusstsein gerückt hat. Vielleicht ist das so für Überlebende eines Herzinfarkts oder Schlaganfalls; dass sie bei jedem Ziehen in der Brust oder Kopfschmerz Angst haben, es könnte der Anfang vom Ende sein. Vielleicht wird das jetzt jeden Morgen meine erste Empfindung sein, eine unterschwellige, aber hartnäckige Furcht.

Ich muss noch jung sein, wenn das Ende kommt, das ist mir klar geworden. Das verrät mir Joels extreme Verzweiflung. Eine Vision von mir, in der ich grauhaarig und mit müden alten Knochen friedlich im Schlaf sterbe, würde ihm wohl kaum solche Qualen bereiten, wie er sie jetzt gerade erlebt.

Ich gehe alle Möglichkeiten durch, wie es passieren kann: von einem Baum erschlagen werden oder beim Fällen von einem hohen Ast stürzen, ertrinken, ersticken, ein Blutgerinnsel oder ein Tumor, zerschmetterte Knochen … Ob ich wohl Schmerzen haben werde? Und ist Joel dort? Und wo ist überhaupt »dort« …

Ich schließe kurz die Augen und versuche, mich zu fangen. *Hör auf damit. Du stehst nur unter Schock. Die Panik wird nachlassen. Die Angst wird schwächer werden.*

»Hey, Callie«, ruft Liam und klappt sein Visier vor dem nächsten Schnitt wieder zu. »Denk nicht zu viel drüber nach. Ehrlich, das kann jedem mal passieren.«

Liam will nett sein, aber ich bin völlig durcheinander und überlege, ob es nicht doch das Beste wäre, Joel zu bitten, mir alles zu erzählen. Aber dann sage ich mir wieder, dass eine stetig tickende Uhr viel, viel schlimmer wäre als eine gelegentliche Begegnung mit der eigenen Sterblichkeit. Es wäre das düsterste aller Pendel, würde jeden Sonnenuntergang herunterzählen, jeden Sommer, jeden einzelnen Kuss.

Ich kann nachvollziehen, warum die meisten Menschen ihre Zukunft nicht kennen wollen. Denn wenn ich erführe, dass mein Ende unmittelbar bevorsteht oder brutal ist oder beides, könnte ich mit der Angst nicht leben.

Minuten später treten Liam und ich zurück und lassen den Baum schließlich umstürzen. Es ist eine kranke Eiche, morsch und zu nah an einem öffentlichen Weg, deshalb musste sie gefällt werden. Wir schweigen, als sie zu Boden geht wie ein König auf einem Schlachtfeld in alten Zeiten. Das Licht erblickte sie erstmals in der Ära Queen Victorias, als ihre Eichel sich durch die Erde wühlte, um dann zu Lebzeiten von Charles Dickens und George Eliot zu einem leuchtend grünen Schössling heranzuwachsen. Und jetzt, fast zwei Jahrhunderte später, steigert sich das leise Rauschen der Blätter zu einem Donnern, als der Baum auf dem Boden aufprallt. Ich spüre die Geschichte ausatmen, eintausend bewahrte Geheimnisse getilgt, und plötzlich bin ich ergriffen.

»Schrecklich, oder?«, sage ich zu Liam, als die Landschaft wieder still wird und das Beben aufgerüttelten Unterholzes nachlässt. Vögel sind von den umstehenden Bäumen aufgeflogen, wie weggeblasene Samen einer Pusteblume. »Dabei zu sein, wenn was so Altes stirbt.«

»Ja und nein.« Liam zieht seinen Helm aus und reibt sich Sägespäne aus den Haaren. »Noch schlimmer wäre, wenn ein Ast abbricht und jemanden umbringt.«

Darauf erwidere ich nichts.

Als wir anfangen, die Eiche zu zersägen, versuche ich, mir mein Leben vorzustellen, wenn ich Joel erzählen ließe, was er weiß. Obwohl er natürlich keine Schuld trägt, könnte es durchaus sein, dass ich früher oder später anfange, ihm übel zu nehmen, dass er die eine Leerstelle füllt, die wir alle für selbstverständlich halten, dass er die warme Flamme der Möglichkeit erstickt. Dass er mir den Schlusspunkt vorgibt, den ich nie richtig wollte.

Aber wir stehen, wo wir stehen, und vielleicht liebe ich ihn genug, um das alles zu überwinden. Grace sagte immer: *Entweder ich finde einen Weg, oder ich baue mir einen.*

Ich komme spät nach Hause, nachdem ich noch geholfen habe, die Holzstücke mit dem Quad zurückzufahren. Obwohl Murphy an seinem üblichen Platz am Kamin liegt, fühlt sich die Wohnung leer an, reglos wie eine stehen gebliebene Uhr.

Am Wasserkessel lehnt ein Zettel.

Bin für ein paar Tage nach Newquay gefahren. Erkläre es dir, wenn ich zurück bin. XX

Mit wackeligen Beinen setze ich mich aufs Sofa und starre den Zettel an wie eine Lösegeldforderung. Murphy schiebt mir die Schnauze auf den Schoß und sieht mich kummervoll an.

Ich weiß, dass die Nummer, die Joel in dem Buch gefunden hat, die Vorwahl von Newquay enthielt. Jetzt kann ich nur hoffen, dass wer auch immer dort wohnt uns vielleicht helfen kann, bevor es zu spät ist.

62

Joel

Er sieht aus wie ich, nur zwanzig Jahre älter. Ich erkenne das Grübchen meines eigenen Kinns wieder. Die Krähenfüße, den Schwung der Lippen. Seine Augen, dunkel wie Galaxien.

»Ganz ruhig, ganz ruhig … Hey, alles okay?« Er muss glauben, dass ich gleich in Ohnmacht falle, denn er zieht das Gesicht, das Menschen haben, wenn sie in den Nachrichten eine Naturkatastrophe verfolgen. Er nimmt mich am Ellbogen, führt mich hinein.

Sein Wohnzimmer erinnert mich an das von Callie am Anfang. Es ist vollgestellt, ein Farbenmeer. Überall Topfpflanzen, Wandbehänge, Bilder von Wellen. Drei Surfbretter lehnen an einem Schrank. Eine Decke auf dem Sofa sieht aus wie frisch vom Basar. Eine altmodische Stereoanlage neben einem Stapel CDs. Eine original Lavalampe.

»Bitte, setz dich doch. Tee?«

Obwohl ich mir ein Nicken abringe, zögert er.

»Passiert das öfter?«

»Was, bei fremden Männern vor der Tür stehen? Ich versuche, es nicht zur Gewohnheit zu machen.«

»Nein, ich meinte deine Hautfarbe. Du bist ziemlich bleich geworden.«

»Ein Schuss Brandy im Tee könnte dagegen helfen.« Ich lege den Kopf zwischen die Knie, als betete ich. Vielleicht ist es so.

Er klopft mir auf die Schulter. Lässt die Hand einen Moment liegen. »Schon unterwegs.«

Er heißt Warren Goode, hat er mir am Telefon erzählt. Mehr weiß ich nicht. Sofort nach meinem Termin mit Diana rief ich die Nummer aus dem Buch meiner Mutter an. Wir sprachen kurz miteinander, dann stieg ich ins Auto und fuhr ohne Pause und durchgehend im fünften Gang nach Newquay. Den gesamten Weg über kreisten meine Gedanken um Callie.

Während des Gesprächs mit Diana hatte sich in meinem Kopf alles zusammengefügt, und ich konnte einfach nicht länger warten. Denn die Zeit arbeitet gegen mich.

Er bringt mir einen Becher Tee mit einem Schuss Brandy und ein Glas pur für sich. Etwas unsicher setzt er sich mir gegenüber auf den Sessel.

Ich nippe an dem Tee. Lasse es still werden im Raum, damit mein nächster Satz die Zeit bekommt, die er braucht. »Ich glaube ... ich glaube, du könntest mein Vater sein.«

Ein eindringlicher Blick, in dem die Fragen eines ganzen Lebens schimmern. Dann endlich: »Du hast Recht. Das bin ich.«

Mein Puls beschleunigt sich. Mein Blut rauscht vor Emotionen.

Er räuspert sich. »Du sagtest am Telefon, du hättest meine Nummer letztes Weihnachten gefunden.«

Die folgende Pause ist so lang, dass ich mich frage, ob es ein Fehler war zu kommen. Ganz offensichtlich erwartet er von mir, dass ich etwas sage. Aber was? *Ist er böse, dass ich mich so lange nicht gemeldet habe? Hätte ich seiner Meinung nach etwa sofort ins Auto springen und am Feiertag mit Vollgas zu ihm rasen sollen?*

»Genau. Also, warum stand sie in dem Buch? In dem, das Mum im Krankenhaus dabeihatte.« (Das habe ich am Telefon nur kurz erwähnt, weil ich die Einzelheiten lieber bei einer persönlichen Begegnung hören wollte.)

Warren schüttelt den Kopf, als versuchte er, seine Gedanken zu ordnen. »Ich habe sie besucht, Joel. Kurz vor ihrem Tod.«

»Warum?«

»Ich wollte sie sehen, ein letztes Mal. An dem Tag hat sie mir von dir erzählt. Ich dachte, sie möchte dir vielleicht meine Nummer weitergeben.«

»Vorher wusstest du nichts von mir?«

Noch ein Kopfschütteln.

»Was war das mit euch, eine Affäre?«

»Nein, wir waren zusammen, bevor sie, na ja, Tom kennenlernte.«

Tom. Also kannte er meinen Vater früher auch. »Hast du sie geliebt?«

»Ja. Sehr.«

»Und warum …«

»Hättest du Lust auf frische Luft? Um einen klaren Kopf zu kriegen?«

»Woher wusstest du denn, dass Mum krank war? Du hast keinen Kontakt mit meinem … mit Tom, oder?«

»Nein. Ich hatte es vom Freund eines Freundes gehört.«

Heute Abend weht ein frischer Wind, direkt vom Atlantik her.

Ein paar Surfer haben sich in die Brandung gewagt, aber die meisten Leute halten sich an den festen Boden. Gehen mit ihren Hunden spazieren, schlendern um die Landzunge. Der Septemberhimmel hat Pastellfarben, Lila und Rosa wie kitschiges Briefpapier.

»Was hast du gemacht, als du Mum kennenlerntest?«

»Ich wollte gerade mit meinem VW-Bus auf Weltreise gehen«, sagt Warren. »Ich bin Surfer, weißt du.«

Ein Globetrotter. In der Hinsicht unterscheiden wir uns wenigstens. »Und was machst du jetzt?«

Er zieht die gleiche Grimasse wie ich, wenn ich nach meinem Beruf gefragt werde. »Gebe Kindern Surf-Unterricht, verdiene mir ein kleines Taschengeld mit Fotos hier und da. Ich wollte meine eigene Surfbrett-Marke gründen, aber ...« Er wendet sich ab, zum Meer hin. »Mir ging das Geld aus.«

Wir verlassen den Strand und steigen den Hügel hinauf, vorbei an dem alten Hotel oben auf der Steilküste. Es ist ein viktorianischer Prachtbau, extrem romantisch.

Romantik. Die Vorstellung erscheint mir jetzt beinahe vage, wie eine geliebte Landschaft, die man durch ein beschlagenes Fenster betrachtet.

»Warum habt ihr euch damals getrennt?«

»Die Wellen riefen. Ich dachte, ich würde der nächste Surf-Weltmeister.« Er lacht wehmütig. »Ich habe deine Mutter verlassen, Joel. Ich war schon immer ein egoistischer Penner. Und bald darauf hat sie Tom getroffen. Deinen Dad.«

Seine Ehrlichkeit zumindest beeindruckt mich. »Und das war alles?«

»Im Prinzip ja.« Das sagt er, als wünschte er, es wäre anders.

»Wärst du geblieben, wenn du gewusst hättest, dass sie schwanger ist?«

Er weicht der Frage aus. »Ich habe Olivia immer gesagt, dass ich keine Kinder will. Dass so ein Leben nichts für mich ist. Vielleicht hat sie es deshalb für sich behalten.«

Olivia. Olivia. Ein Name, den ich nie höre. Sein Klang berührt mich wie Musik.

»Weißt du, Tom war eigentlich das Beste, was deiner Mutter passieren konnte – und dir. Was für ein Leben hätte ich euch bieten können? Im VW-Bus zu leben, besessen davon, die perfekte Welle zu finden? Ich hatte kein Geld, keinen Besitz, keinen Job, absolut gar nichts.«

Ich denke an meinen Dad, die streng geregelten Bürozeiten. Den Wert, den er sein Leben lang auf Ordnung und Fleiß gelegt hat. Wie ein Soldat, der sich zum Dienst meldet, jeden einzelnen Tag.

»War Mum mit mir schwanger, als sie ihn kennengelernt hat?«

»Ja. Soweit ich mich erinnere, bekam sie eine Stelle in seiner Firma. Aber sie kamen nicht gleich zusammen.«

Ich wende den Blick Richtung Landzunge. Betrachte die akrobatischen Silbermöwen im Wind. Wenigstens erklärt das die Feindseligkeit, die Dad mir gegenüber schon immer zeigte. Ich war kein Buchhaltungsirrtum, kein Rechenfehler, den er schnell beheben konnte. Es war eher, als hätte Warren seinen Namen auf unser gesamtes Haus gesprüht und Dad damit gezwungen, ihn jeden Tag seines Lebens zu sehen.

»Deine Mutter war der liebenswerteste Mensch der Welt«, sagt Warren jetzt. »Jeder mochte sie. Nicht dass sie das geahnt hätte, natürlich.«

Das erinnert mich an Callie, und mein Herz geht auf.

»Dann sind Doug und Tamsin also nur meine Halbgeschwister?«

»Ja.«

Mir wird heiß in der Brust, als ich mir Tamsins Miene vorstelle, wenn sie das erführe. Wir standen einander immer so nah.

»Und Dads Eltern sind gar nicht meine Großeltern.« All diese Ferienfahrten nach Lincolnshire, wo der Empfang so herzlich war. Wussten sie es? Ahnten sie nie tief drinnen etwas, wenn dieser dunkelhaarige Bengel vor ihrer Tür stand?

»Es tut mir leid«, sagt Warren leise. »Aber meine Eltern, deine leiblichen Großeltern, sind vor Jahren gestorben.«

Wir gehen weiter, genau im Gleichschritt. Der Atlantik hat sich in einen Schmelzofen verwandelt, mit der Sonne als rot glühendes Zentrum.

»Was hat Mum gesagt, als du im Krankenhaus aufgetaucht bist?«

»Sie hat sich gefreut, mich zu sehen. Wir unterhielten uns, und sie bat mich um meine Nummer. Es war ein irgendwie komischer Moment am Ende.«

»Dann hat sie wohl vergessen, sie mir zu geben«, sage ich und erinnere mich daran, wie sehr die Chemo ihr Gedächtnis angegriffen hatte.

»Offenbar.« Sein Tonfall ist schroff.

Ich sehe ihn an. Spüre ein erstes Aufwallen von Wut. »Warum hast du nie versucht, in Kontakt mit mir zu treten? Mums Tod ist dreiundzwanzig Jahre her.«

Er runzelt die Stirn, schiebt den Unterkiefer hin und her. Einen Moment lang denke ich, er wird mir eine Ausrede auftischen. »Aua. Das ist hart.«

Mein Zorn wird stärker. »Wem sagst du das.«

»Das habe ich, Joel. Ich habe es versucht, mehr als einmal.«

Mein Herz gerät aus dem Takt. »Was?«

»Das erste Mal war ungefähr zwei Jahre später. Sobald ich in meinem Kopf alles sortiert hatte, habe ich mich mit Tom in Verbindung gesetzt. Da warst du erst fünfzehn.«

Windböen brausen vorbei.

»Er sagte, du wärst noch zu jung. Ich solle mich wieder melden, wenn du achtzehn bist. Das habe ich, aber da behauptete er, du müsstest gerade so viel für die Schule lernen, und hinterher für die Uni. Immer war es angeblich der falsche Zeitpunkt. Nach deinem Examen machte ich noch einen Versuch, aber da hieß es, ihr beide hättet euch in Ruhe darüber unterhalten, und du hättest kein Interesse. Du wolltest mich nicht sehen.«

Mir bleibt der Mund offen stehen. »Und das hast du ihm einfach so abgenommen?«

»Er machte mir Angst, dass ich dir das Leben ruinieren würde, Joel. Du seist sensibel, ich würde dich aus dem Gleichgewicht bringen, schwere Probleme verursachen. Tut mir leid, wahrscheinlich wollte er dich nur schützen.« Warren schluckt. »Aber ein paar Jahre später hatte ich ... einen Traum. Über heute.«

»Was für einen Traum?«

Wir bleiben stehen und sehen einander an. Warren schweigt, mustert mich nur, bis ich ganz sicher bin.

Ich spüre einen seltsamen, animalischen Drang aufzuheulen. Vor was – Erleichterung? Freude? Frustration? »Du hast es auch. Du hast es *auch*.«

Er fasst meinen Arm an. »Ist schon okay.«

»Du hast auf mich gewartet? Du wusstest, dass ich heute komme?«

Seine Haut leuchtet im Sonnenuntergang bernsteinfarben auf. »Ja.«

Es ist erblich.

Ich wende mich von ihm ab, halte das Gesicht in den Wind. Das Salz dringt mir in die Nase, verklebt mir die Haare, während ich alles zu verarbeiten versuche.

Es dauert ein bisschen, bis ich mich so weit gefangen habe, dass ich weitergehen kann. »Seit wann hast du's?« Was er mir von Dad erzählt hat, kann ich noch nicht verdauen.

»Seit ich ein Kind bin.«

»Und du hast kein Heilmittel dagegen gefunden.«

Warren zögert kurz, bevor er mir seinen eigenen deprimierenden Weg schildert. Drogen und heftiges Trinken in seiner Jugend, danach eine etwas orthodoxere Herangehensweise als ich, mit diversen Ärzten und Therapeuten. Hypnotherapie, Akupunktur, Medikamente. Aber letzten Endes prallten wir beide gegen die gleiche Mauer.

Er hat auch ein bescheuertes Notizbuch. Schwarz mit festem Einband, genau wie meins.

»Schläfst du?«, frage ich.

»Selten.«

»Hast du eine Freundin? Frau?«

»Zu kompliziert.« Er wirft mir einen scharfen Blick zu. »Und du?«

Ich lache auf. »Warum bin ich hier, glaubst du?«

»Sag nicht, du lebst auch immer allein.«

Ich denke an Callie und meinen Traum. Und dann bricht mir wieder das Herz. »Das habe ich versucht. Ich war nicht stark genug. Ich bin eingeknickt.«

Da er nur die halbe Geschichte kennt, behandelt er das wie eine gute Nachricht. »Du hast ja keine Ahnung, wie glücklich mich das macht.«

Später bietet er mir an, bei ihm zu übernachten. Aber es kommt mir zu früh vor. Ich brauche Abstand, um mich vor dem Gedankenblizzard zu schützen, also erkundigt er sich für mich nach freien Pensionszimmern in der Gegend.

Während er telefoniert, fällt mir ein gerahmtes Foto im Flur auf. Ein Surfer, mit nassen Haaren und Neoprenanzug, eine hawaiianische Blumenkette um den Hals. Er wird von einer Menschenmenge getragen. Zuerst denke ich, es wäre Warren, dann sehe ich genauer hin. Es ist mit goldenem Stift signiert. Ich kann den Namen nur mühsam entziffern. *Joel Jeffries.*

Dann hat Mum mich vielleicht nach Warrens Lieblingssurfer benannt. Als Andenken an ihn.

Am nächsten Morgen bin ich ziemlich müde nach unter vier Stunden Schlaf. Und ich rechne auch nicht damit, dass mich der gardinengeschmückte Frühstücksraum des Bed and Breakfast sonderlich munter macht. Daher fahre ich mit starkem Kaffee und Eierbrötchen aus einem Café im Ort zurück zu Warren.

Wir essen draußen in Warrens Garten (der eigentlich nur aus einem Fleckchen gelbem, verkümmertem Rasen und einer störrischen, schief an einem Zaun lehnenden Palme besteht). Die Luft ist salzhaltig, wegen der Nähe zum Meer, Wolken überziehen den frühherbstlichen Himmel.

Warren wickelt sein Essen aus. »Das wurde auch mal langsam Zeit.«

»Hunger?«

Er lacht. »Nein, ich meinte diesen Moment. Ich hab ja davon geträumt. Also von gestern Abend und von heute.«

Ich starre ihn mit großen Augen an. »Du hast genau das hier geträumt?« Seltsam. Ich habe mir noch nie Gedanken darüber gemacht, wie es wäre, selbst Thema eines Traums zu sein.

»Ja, und auch, dass du deinen Kaffee schwarz trinkst.«

Ich ziehe eine Augenbraue hoch.

Warren nimmt den Deckel von seinem Becher ab. »Ganz der Vater.« Er grinst. »Ich mag ihn nur ohne alles.«

Beim Essen erzähle ich Warren von Diana. Aber ich verschweige meinen Traum von Callie. Vielleicht, weil ich jetzt schon merke, dass er große Hoffnungen in Bezug auf mein Liebesleben hegt.

»Diana hat Recht, weißt du«, sagt er, als ich fertig bin.

Ich betrachte ihn, seine Falten. Die Runzeln in den Augenwinkeln. Er hat diese wettergegerbte Haut, die immer mit Bräune einhergeht. Selbst mitten im Winter, wenn die Sonne seit ungefähr sechs Wochen nicht mehr scheint. »Womit?«

»Tja, dass sie unter Umständen die Träume stoppen kann. Nach ein paar Jahren, in denen du ihre Laborratte spielst. Aber sie kann die Zukunft nicht ändern.«

»Was willst du damit sagen?«

»Wir haben nun mal dieses Leiden, Joel. Aber jetzt haben wir auch einander. Seit ich von diesem Wochenende geträumt habe, versuche ich, mich in Schuss zu bringen. Das Haus ein bisschen aufzuhübschen, öfter surfen zu gehen. Nicht mehr so einsiedlerisch zu leben.« Er klopft sich auf den Bauch. »Ein paar Kilos abzunehmen.«

Es ist eine anrührende Vorstellung, eigenartig schön: Warren, der sich die ganze Zeit bemüht, sich auf meine Ankunft vorbereitet.

»Ich möchte helfen, wenn ich kann. Mach nicht die gleichen Fehler wie ich, deine Beziehungen und deinen Beruf zu vermasseln und ...«

»Der Zug ist schon abgefahren.« Ich erzähle, wie ich zum schlechtesten Tierarzt der Welt wurde. Warren revanchiert sich mit der Geschichte seiner eigenen vielversprechenden Surferkarriere. Dass er das Ganze mit Alkohol und Drogen in den Sand gesetzt hat.

»Aber dich können wir wieder ins Gleis bringen«, sagt er. »Noch ist es nicht zu spät.«

Meine Gedanken wandern zu Dad, zu all dem, was er mir vorenthielt, indem er ihn damals abwies. Warren hätte die ganze Zeit mein Vertrauter sein können, mir durch einige der schlimmsten Phasen meines Lebens helfen können. »Ich bin nicht sicher, ob ich meinem Dad je verzeihen kann«, sage ich jetzt.

»Sei nicht zu streng mit ihm. Wahrscheinlich hatte er Angst, dich zu verlieren, nach Olivias Tod. Ich schätze mal, er hat es anders gesehen als ich – er hat den schwierigen Teil erledigt, und dann tauche ich ungefragt auf und möchte mich einmischen.«

Stirnrunzelnd nippe ich an meinem Kaffee.

»Also, was jetzt?«, fragt Warren.

»Bisher wollte ich immer nur, dass die Träume aufhören«, sage ich nach einer Weile. »Darauf war ich so lange fixiert, aber ...«

»Jetzt, wo es ernst wird, glaubst du nicht, dass du damit klarkommst, nicht zu wissen, was die Zukunft bringt?«

Ich atme aus. Denke darüber nach. »Kann sein. Wie bescheuert ist das denn?«

»Tja, du lebst schon so lange damit, dass verständlich ist, warum du Probleme hättest, ohne weiterzumachen. Wie diese alten Menschen, die ihr ganzes Leben auf die Rente warten und dann keinen Plan haben, was sie damit anfangen sollen, wenn es so weit ist.«

»Und was ist die Lösung?«

»Vergiss die Wissenschaft, vergiss Heilmittel. Lebt einfach, du und Callie. Macht das Beste aus eurem Leben.«

»Ich habe keine Ahnung, wie das geht«, sage ich. Denn die dunkle Wolke meines Traums überschattet uns jetzt, die drohende Katastrophe nur einen Herzschlag entfernt.

63

Callie

Ich bin mit Dad in seinem Garten und ernte Gemüse für das Sonntagsessen, wie früher. Mum lässt uns allein, wie sie es häufig macht; ich bilde mir gern ein, dass sie uns vom Fenster aus beobachtet und sich an die alten Zeiten erinnert, in denen ich in meinem kleinen Regenanzug hinter ihm hertapste, Plastikeimer und Schäufelchen in der Hand, von Wind und Regen gerüttelt und geschüttelt.

Vielleicht liegt es an der Stimmung, die meine Kindheitserinnerungen hervorrufen, aber ich frage mich plötzlich, ob es egoistisch von mir ist, alles auszublenden. Ob ich meine Eltern vorbereiten, alle Menschen, die mich lieben, vorwarnen sollte. Vielleicht sollte ich sogar eine dieser Beerdigungen zu Lebzeiten in Erwägung ziehen, wo alle sich versammeln und nette Sachen – *oh no*. Wie makaber. Niemand sollte seine eigene Beerdigung erleben. Niemand.

»Wo ist er denn hingefahren?« Dad löchert mich wegen Joels spontanem Trip.

»Nach Cornwall.«

»Und das macht dir nicht aus?«

»Natürlich nicht, Dad. Wir sind ja keine ...«

»Siamesischen Zwillinge? Ach, ich weiß. Ihr jungen Leute heutzutage seid anders.«

Ich lächle. In den Augen meines Vaters werde ich wohl ewig ein kleines Mädchen bleiben.

Joel und ich haben gestern über FaceTime gesprochen, dann noch mal heute Morgen. Er bestätigte, was ich schon ahnte, dass nämlich Tom nicht sein leiblicher Vater ist, und meinte, er wolle bis Dienstagabend bleiben, um ein paar Dinge zu klären. Ich kann seine Überforderung gut nachvollziehen und sagte ihm, dass ich ihn liebe und er so lange bleiben solle, wie er brauche, um wieder einen klaren Kopf zu bekommen.

»Dad, darf ich dich mal was fragen?«

»Natürlich.«

»Glaubst du, deine Patienten ...« Ich schlucke. »Glaubst du, sie waren dankbar, Zeit zu haben, um sich auf ihren Tod vorzubereiten?«

»Manche, ja«, sagt er schlicht, während er eine Karotte herauszieht. »Manche waren froh um diese Zeit. Andere nicht.«

»Was für Gründe hatten sie?«

»Tja, unterschiedliche. Die Menschen sind ja nicht gleich. Einen in die Länge gezogenen Tod empfindet nicht jeder als idealen Weg, zu gehen. Viele glauben, sie hätten lieber Zeit, sich vorzubereiten, aber natürlich verbringen sie ihre letzten Monate und Wochen dann gelähmt von Traurigkeit und Angst. Es ist nicht immer so wie in den Zeitschriftenartikeln.«

»Du meinst, es ist nicht alles Bungee-Jumping und mit dem Wohnmobil durch die Vereinigten Staaten?«

Dad lächelt traurig. »Genau, Schatz. Nicht jeder fühlt sich emotional in der Lage, seine Wunschliste abzuarbeiten, selbst wenn er physisch dazu fähig ist. Ich bestimmt nicht.«

Eine Zeit lang pflücken wir stumm weiter. Von einem Feld in der Nähe ist das Brummen eines Traktors zu hören, einige Mauersegler streifen im Flug die Hecke um den Garten. Es ist immer so friedlich hier, kein vorbeikriechender Verkehr und kein Hupen, kein Rumoren urbanen Lebens.

»Und, was wäre dir lieber?«, frage ich. »Schnell oder …«

Er dreht mir das Gesicht zu, einen Matschstreifen auf der Wange, den Mum ihm missbilligend abwischen wird. »Callie, dieses Gespräch macht mir langsam Sorgen.«

»Nicht nötig«, sage ich hastig. »Ich bin nur neugierig.«

»Du würdest mir doch sagen, wenn …«

»Dad, ehrlich, alles gut. Ach, vergiss einfach, dass ich davon angefangen habe.« Ich richte mich auf, atme tief die frische Luft ein. »Was brauchen wir noch?«

»Petersilie, bitte«, sagt er, aber er klingt nicht ganz beruhigt.

Später, als ich mir die Jacke anziehe, frage ich, ohne es eigentlich zu wollen: »Dad, wie viel sollte man deiner Ansicht nach für jemanden opfern, den man liebt?«

»Das hängt davon ab, was man opfert.«

»Na ja, wenn es was wäre, das den anderen glücklich macht, aber das eigene Leben viel schlechter. Sollte man es tun?«

Dad runzelt die Stirn. »Das kann ich nicht so richtig beantworten, Callie, ohne die Umstände zu kennen.«

Sie sind extrem schlimm, denke ich. *So schlimm, wie man sich nur vorstellen kann.*

»Hab ihn!«, ruft Mum von oben, wo sie einen Zeitungsartikel gesucht hat, den sie für mich aufgehoben hat.

Ich recke mich, um ihm einen Kuss zu geben. »Auch wieder wahr. Ich hab dich lieb, Dad.«

»Letzten Endes hängt es vermutlich einzig und allein davon ab, ob Joel dich auch liebt.«

Erwischt. Ich sehe auf den Teppich.

Er liebt mich, Dad. Er kann sich nur nicht überwinden, es zu sagen.

64

Joel

Warren und ich sitzen auf der Terrasse einer Bar am Fistral Beach, vor uns zwei Gläser Bier und eine Portion Nachos. Der Himmel und das Meer schimmern, die Brandung rauscht.

Obwohl es früher Nachmittag an einem Montag ist, sind schon viele Leute da. Sie plaudern im Sand, bleiben in ihren Shorts und Flipflops kurz an unserem Tisch stehen, um Warren die Hand zu schütteln oder die Wellen zu kommentieren. Allmählich komme ich mir ziemlich spießig vor in meiner Jeans und den Turnschuhen. Wobei ich in der Hinsicht, dass ich sonst nichts zu tun habe, gut hierherpasse.

So haben wir die letzten Tage verbracht. Hauptsächlich draußen, an einigen Stellen mit spektakulärem Blick. Damit beschäftigt, einander zaghaft kennenzulernen. Bemüht, die fehlenden Jahre aufzuholen.

Er stellt mich nicht jedem als seinen Sohn vor. Sagt nur: *Das ist Joel.* Und die Leute schütteln auch mir die Hand, fragen mich, wie es geht.

»Wissen die Bescheid?«

Warren taucht methodisch einen Nacho in Sauerrahm, Guacamole und Salsa. »Weiß wer worüber Bescheid?«

»Freunde, Bekannte. Über dich. Die Träume.«

Er zuckt die Achseln und kaut. »Manche ja. Manche nein.«

Ungläubig starre ich ihn an. »Und was halten sie davon?«

»Da müsstest du sie schon selbst fragen.«

»Will ich nicht. Ich frage dich.«

»Ich vermute mal, manche halten mich für plemplem. Andere glauben mir. Den meisten ist es egal.« Er nimmt sich noch einen Nacho vom Stapel und zieht dabei einen Käsefaden mit, bis er abreißt. »Eines, was man mit dem Alter lernt, ist, dass andere Leute sich viel weniger für die eigenen Angelegenheiten interessieren, als man vielleicht glaubt.«

»Aber … warum? Warum hast du es ihnen erzählt?«

Er lächelt. »Weil ich irgendwann zu dem Schluss gekommen bin, dass es einfacher ist, als es als Ballast mit sich mitzuschleppen.«

Ich trinke einen Schluck Bier und sehe auf die Wellen hinaus. Dann erzähle ich die Geschichte von meinem Arzt an der Uni. Erkläre, wie engstirnig mein Vater und Bruder sein können.

Warren hat ebenfalls das Gesicht dem Meer zugewandt, während er zuhört. »Heutzutage sind die Menschen ein bisschen aufgeschlossener«, sagt er hinterher. »Denk an Callie. Und deinen Freund, Steve heißt er, oder?«

Ich runzle die Stirn.

»Oder vielleicht sind es auch nur die Leute, mit denen ich so zu tun habe. Was manche von denen machen … Wenn man mal eine Fünfzehn-Meter-Welle geritten hat, betrachtet man das Leben ein bisschen anders. Es hat was von einer Droge, und die meisten, die ich kenne, sind drauf. Die würden an mich und meine verrückten Träume kaum einen Gedanken verschwenden.«

»Du hast fünfzehn Meter hohe Wellen gesurft?«, frage ich nach einer kurzen Pause.

Er schnaubt. »Nein, ich doch nicht. Alte Männer gehören nicht auf große Wellen. Du dagegen …«

»Du spinnst ja.«

»Ganz genau, Joel.« Er beugt sich vor. »Wenn ich eins im Laufe der Jahre begriffen habe, dann, dass es Wunder wirkt, mal ein Weilchen aus sich rauszugehen. Was anderes zu machen. Der Welt um sich herum zu vertrauen.«

»Du fängst jetzt aber nicht davon an, dass Surfen die Erleuchtung ist, oder?«

Er lacht. »Ha. Vielleicht ja doch.«

»Aber bist du wirklich glücklich?«, hake ich nach. »Du hast keine …«

»Beziehung?« Er lehnt sich zurück. »Es gibt mehr als einen Weg zum Glücklichsein in diesem Leben, Joel.«

Jetzt grinse ich auch. Ich kann nicht anders. Denn trotz allem tut es so gut, einfach mit jemandem zu reden, der wirklich versteht. Zum ersten Mal in meinem Leben zu wissen, dass ich nicht allein damit bin. »Weißt du was, Warren? Ich glaube fast, du bist ein kleiner Hippie.«

»Ist das ein Kompliment?«

Ich ziehe die Augenbrauen hoch und schnappe mir den letzten Nacho. »Das hab ich noch nicht entschieden.«

Nach vier Tagen in Cornwall fahre ich nach Hause. Mitten in der Nacht halte ich an einer Tankstelle, trinke Kaffee in dem seltsamen kleinen Amphitheater-Café. Versuche, meine Augen auszuruhen für das letzte Stück Fahrt.

An einem Nachbartisch tröstet eine Frau ein Baby. Ihr Partner sitzt neben ihr und verschlingt, blinzelnd im Neonlicht, einen Donut. Aber es ist die Frau, für die ich mich am meisten interessiere. Ihre Augen sind geschlossen, und obwohl sie um zwei Uhr nachts an einer Tankstelle ein Baby in den Schlaf zu wiegen versucht, wirkt sie ziemlich glücklich. Ruhig und zufrieden, als lauschte sie einer Harfe oder würde gerade massiert.

Sie erinnert mich an Callie. Das gleiche herzförmige Gesicht, die gleichen langen dunklen Haare. Gleiches Profil. Die Ähnlichkeit ist so frappierend, dass ich den Blick nicht von ihr lösen kann (bis ihr Partner mich ansieht, als wollte er gleich aufstehen und mich dazu zwingen, was sowohl nachvollziehbar als auch mein Stichwort zum Aufstehen und Gehen ist).

Ich fahre wieder auf die Autobahn, die letzte Etappe nach Eversford. Aber Callies Doppelgängerin mit dem Kind auf dem Arm schwirrt mir weiter durch den Hinterkopf. Und nach einer Weile durchschießt mich plötzlich ein Gedanke: Wenn diese Veranlagung erblich ist, dann kommen Kinder für mich nicht in Frage. Trotz dieses wunderschönen flüchtigen Moments vor ein paar Monaten, als ich mir Callie schwanger vorstellte – ich könnte niemals einer unschuldigen Seele meine Lebensweise zumuten.

Aber was bedeutet das für Callie? Obwohl sie noch nie darüber gesprochen hat, bin ich mir ziemlich sicher, dass sie Kinder möchte. Oder zumindest hat sie mir nie Anlass zu der Annahme gegeben, dass sie keine will. Ihre Eltern haben ein paar Andeutungen fallen lassen. Zudem hat sie diese seltene und natürliche Gabe im Umgang mit Kindern, sie klammern sich an ihre Beine und weinen, wenn sie geht. Vor meinem geistigen Auge sehe ich sie mit meinen Nichten und Neffen spielen. Einer Horde Zehnjähriger auf Hugos Hochzeit den Twist beibringen. Ach, großer Gott, sie hatte sogar überlegt, in der Kinderbetreuung zu arbeiten. Und wenn sie sich eine Familie wünscht, darf ich ihr dabei nicht im Weg stehen.

Adoption? Aus unerfindlichen Gründen höre ich im Kopf meine Schwester den Vorschlag machen, weil sie wie üblich verhindern will, dass ich mir selbst die Freuden des Lebens vorenthalte. Aber Adoption würde mir auch nicht viel bringen. Denn ich wäre immer noch derselbe: nach wie vor auf meine Träume fixiert, um Callie besorgt. Und selbst wenn ich mein Leiden nicht vererbe, würde ich das Kind irgendwie vermurksen. Meine Neurosen weitergeben, es mit Angst infizieren.

Ich stelle mir vor, wie die Jahre vorbeiziehen, Callie und ich auf der Stelle treten, während ich trostlos die Tage bis zu ihrem Tod zähle. In dieser quälenden Anfangszeit bei Mum, als ich schon vor ihr von dem Krebs wusste, konnte ich immer nur daran denken, wie es vier Jahre später sein würde. Das Leben verlor seine Farbe, wurde schrittweise grauer. Wie kann ich das noch einmal durchstehen und Callie trotzdem glücklich machen? Das geht nicht. Es geht einfach nicht.

Ich erinnere mich an das, was sie an Weihnachten auf der Heimfahrt von meinem Vater zu mir sagte. Dass ich meine Träume als Gabe betrachten könne. Und sofort erfasst mich wieder die Traurigkeit, weil ich jetzt weiß, dass sie für mich immer ein Fluch sein werden.

Es ist kurz vor vier, als ich nach Hause komme. Ich möchte sie nicht wecken, deshalb schlafe ich mit Murphy im Wohnzimmer.

Als ich mich aufs Sofa gesetzt habe, google ich Joel Jeffries. Er ist Brite, gleiches Alter wie Warren. Aber im Gegensatz zu ihm ist Joel ein weltweit erfolgreicher Surfer mit dem dazu passenden Lebensstil. Haus am Strand, Frau, Kinder, Kollegen. Instinktiv möchte ich Warren bemitleiden, bis mir einfällt, was er gestern in der Strandbar zu mir sagte.

Es gibt mehr als einen Weg zum Glücklichsein in diesem Leben.

65

Callie

Ich wache gegen halb sieben auf, als das erste Licht durch die Jalousien fällt. Irgendwie spüre ich, dass Joel zu Hause ist, also ziehe ich das Traktor-Shirt an, das ich zu Weihnachten bekommen habe, und gehe ins Wohnzimmer.

Er liegt auf dem Sofa. Den Kopf an die Kissen gelehnt, starrt er an die Decke, vollkommen reglos.

»Hallo«, flüstere ich, setze mich neben ihn und nehme seine Hand. »Was machst du denn hier?«

Sein Gesichtsausdruck zieht mir den Boden unter den Füßen weg. »Sorry, ich wollte dich nicht wecken.«

»Wie war's in Cornwall?« Ich kraule dem Hund die Ohren. »Wir haben dich vermisst.«

»Ich euch auch.«

Vor dem offenen Fenster trillert ein Vogel ein Solo. Unsere Blicke treffen sich.

»Was ist das für ein Vogel?«, murmelt Joel.

»Ein Rotkehlchen. Es singt schon die ganze Nacht.«

»Die ganze Nacht?«

Ich nicke.

»Das liegt an den Straßenlaternen. Es glaubt, es wäre Tag.«

»Kommt einem irgendwie unfair vor. Dass es nicht schlafen kann.«

»Du ja auch nicht, du Nachteule.«

Eine kurze Pause entsteht.

»Sie werden nur zwei Jahre alt«, sage ich.

»Wer?«

»Rotkehlchen.«

Da beugt er sich vor und küsst mich, und es ist ein Kuss für all die Gefühle, die Worte nicht abdecken können. Er schmeckt nach Erschöpfung und Kaffee. Als seine Lippen zu meinem Hals herunterwandern, heiß und feucht, werde ich von einer fast panischen Begierde nach ihm ergriffen, möchte ihm zeigen, wie viel er mir bedeutet, wie schrecklich es ist, nicht bei ihm zu sein. Und er muss das Gleiche empfinden, denn unser Küssen wird schnell drängend, unsere Bewegungen hektisch. Als unsere T-Shirts aus dem Weg sind, erbebe ich unter der Berührung seiner Hände auf meiner nackten Haut, und er scheint vor Verlangen zu zittern, als er die Hand zwischen uns schiebt, um an meiner Unterhose zu zerren. Auf einmal ist er in mir, sieht mir in die Augen, und ich nehme nichts wahr außer diesem Moment, seinem Gesicht, meinem leise gekeuchten Namen.

Hinterher, als wir erhitzt und nackt aufeinanderliegen, kommt die gesamte Welt zum Stillstand. Licht scheint auf unsere Haut, und der Morgen hält den Atem an.

Beim Kaffee erzählt Joel von Warren und seinen Eltern, ihrer herzzerreißenden Geschichte. Warren hat die gleiche Veranlagung wie er, hat all das erlebt, was auch Joel erlebt hat. Tamsin und Doug sind nur seine Halbgeschwister, und Tom hat bis jetzt erfolgreich alle drei im Dunkeln gelassen.

Ich male mir aus, Warren unter schöneren Umständen in Cornwall zu besuchen. Vielleicht hätte er mir und Joel das Surfen beigebracht. Ich stelle mir Gischt und Sonnenschein vor, auf Felsen klatschendes Salzwasser, und werde von einem Gefühl des Bedauerns durchflutet.

»Es ist so viel auf einmal«, sage ich, als er geendet hat, und nehme seine Hand.

»Mit alldem kann ich lernen umzugehen, Callie.«

Nur mit dem anderen nicht. »Hast du Warren erzählt, dass du von mir geträumt hast?«

»Nein, ich konnte nicht, ich glaube …«

Ich warte.

»Ich glaube, es hätte ihn gebrochen.«

»Das kann ich verstehen. Mich würde es auch brechen.«

Er starrt auf seinen Schoß. »Es ist nur … Seit ich bei Warren war, muss ich ununterbrochen an meine Mutter denken. Wie sie mich angesehen hat, als sie uns erzählte, dass sie Krebs hat.«

»Wie denn? Wie hat sie dich angesehen?«

»Als wünschte sie, ich hätte es ihr früher gesagt. Nichts im Leben bereue ich so, wie das für mich behalten zu haben. Ihr nicht mehr Zeit gegeben zu haben, um sich vorzubereiten.«

Obwohl sich mein Magen vor Mitgefühl verkrampft, bin ich im Kopf entschlossen. »Aber bei mir weißt du nicht, wie es passiert. Keiner von uns kann was dagegen unternehmen.«

»Ich weiß, wann …«

»Nein.« Noch nie wusste ich etwas mit solcher Gewissheit. Ich betrachte Joel, lasse den Blick über seine lieben Gesichtszüge wandern. »Keine Andeutungen, keine Anhaltspunkte.

Ich hab dir gesagt, dass ich es nicht wissen will, und dabei bleibt es. Ich könnte mein Leben nicht führen, wenn ...«

»Callie, bitte, überleg es ...«

»*Nein*. Wenn du es mal gesagt hast, kannst du es nicht zurücknehmen. Dann ändert sich alles für immer.«

Er nickt langsam. »Ich bin mir nur nicht sicher, ob ich durchs Leben gehen kann, ohne dir je einen Hinweis zu geben oder irgendwas, das du als solchen auffasst.«

Ich frage mich, ob er Recht hat, ob ich ab jetzt überall Zeichen zu entdecken glaube, eine gedämpfte Stimmung, eine vergossene Träne, eine ausgedehnte Pause. Ist unser gemeinsames Leben dazu bestimmt, eine lange Abfolge von Orakeln zu werden?

Der Raum wird so still wie eine Schlucht.

»Du musst nicht bleiben«, sagt er schließlich.

Schlagartig füllen sich meine Augen mit Tränen. »Bei dir?«

Er nickt.

»Das habe ich nicht ...«

»Ich weiß. Aber es ist mir wichtig, dass du das weißt. Du musst nicht bleiben.«

»Ich möchte aber, Joel. Weil ich dich liebe.«

Wir sehen uns unverwandt an.

Und dann flüstert er: »Ich liebe dich auch.«

Meine Augen weiten sich. Nach all den Monaten hat er es endlich gesagt.

Trotz seiner Tränen wendet er sich nicht ab. »Du hast Recht. Was ist das Schlimmste, das jetzt passieren kann? Es war dumm von mir, es nicht vorher zu sagen. Ich liebe dich, Callie. So sehr. Ich habe dich die ganze Zeit geliebt.« Er legt die Arme um mich, drückt das Gesicht an meinen Hals und murmelt es wieder und wieder an meiner heißen Haut.

Abends im Bett taste ich nach ihm in dem verzweifelten Versuch zu verhindern, dass wir beide in entgegengesetzte Richtungen davontreiben. Sofort liegt sein Mund auf meinem, leidenschaftlich und zärtlich zugleich. Aber es ist eine traurige Zärtlichkeit, wie man sie aus Schwarzweißfilmen kennt. Als küssten wir uns durch das geöffnete Fenster eines Zugs, unmittelbar, bevor der Pfiff ertönt.

66

Joel

Es ist Anfang Oktober, zwei Wochen nach meiner Rückkehr aus Cornwall. Seit ein paar Stunden ist Callie mit Esther, Gavin und Ben beim Essen.

Ich habe in letzter Minute gekniffen, angeblich wegen Kopfschmerzen, was sie mir keine Nanosekunde abgenommen hat. Aber mir ging es schon den ganzen Tag nicht so besonders. Zu allem Überfluss bin ich immer noch verstört über einen Traum von Buddy, den ich vor ein paar Nächten hatte und in dem er vom Fahrrad stürzt.

»Wir sind doch noch ein Paar, oder?«, fragte Callie mich, eine halbe Stunde bevor sie die Wohnung verließ. Sie stand halb angezogen vor dem Spiegel, die Haare auf Lockenwicklern. Ich saß hinter ihr auf dem Bett. Ich hätte ihr verziehen, sich das zu fragen, wenn das, was wir haben, nichts als eine Illusion wäre. Etwas, das sie sehen kann, das sich aber beim Anfassen kalt anfühlt.

»Natürlich sind wir das«, murmelte ich. Trotzdem, wo ist der Beweis? Jeden Tag warte und hoffe ich darauf, dass sich etwas ändert, dass sich eine Lösung auftut. Aber es passiert nichts.

»Dann bleibe ich mit dir zu Hause.«

»Nein, ich möchte, dass du gehst.« Denn das stimmte. Ich wollte, dass sie Spaß hat, alles vergisst, was gerade los ist. Ich wollte sie nicht mit mir runterziehen.

Sie muss wohl Spaß haben. Es ist Mitternacht, und noch hat sie sich nicht blicken lassen. Keine Nachricht, dass sie bald nach Hause kommt.

Ich stehe fröstelnd im Garten, am Telefon mit Warren, und sehe zu der Wohnung hoch. Unserer Wohnung, in der wir schon Erinnerungen geschaffen haben. In der Küche brennt ein einzelnes Licht, ein pulsierendes Orange wie eine erlöschende Flamme. Dannys Fenster darüber sind dunkel und unbewegt.

»Ich habe von Callie geträumt.«

»Das tut mir leid«, sagt Warren.

»Nichts Gutes.«

Er räuspert sich. »Weißt du, wann sie …?«

»Acht Jahre«, stoße ich gerade noch hervor, bevor es vorbei ist mit meiner Fassung.

Er lässt mich einfach eine Weile lang weinen, stumme Unterstützung wie von einem Notruf-Mitarbeiter.

Als ich mich wieder einigermaßen gefangen habe, fragt er nach Einzelheiten. Natürlich gibt es kaum welche.

»Wie es passiert, weiß ich nicht«, beende ich meinen Bericht. »Der Traum zeigt mir keine Hinweise. Und das …«

»… ist das Schlimmste daran«, sagt Warren.

Ich stimme ihm zu, beschreibe Callies heftigen Widerstand gegen jegliches Eingreifen.

»Was ist mit ihrem Vater?«

»Was soll mit ihm sein?«

»Sagtest du nicht, er ist Arzt?«

»War. Er ist mittlerweile in Rente. Aber ihn kann ich nicht um Hilfe bitten.«

»Warum nicht?«

»Schlägst du vor, es ihm zu erzählen? Alles?«

»Nicht alles. Fühl nur mal vor. Vielleicht findest du heraus, ob irgendwas Relevantes in der Familie liegt. Es gibt immer eine Möglichkeit, wie man das formulieren kann.«

»Da bin ich nicht so sicher.« Callies Vater ist ziemlich klug. Er löst jeden Tag das kryptische Kreuzworträtsel in der *Times*. Er hätte mich innerhalb von Sekunden durchschaut.

»Du musst alles probieren, mein Freund.«

Dieses harmlose »mein Freund« ist es, was mich so völlig unerwartet in Rage bringt. *Ich wünschte, ich hätte dich gehabt*, möchte ich toben. *Ich wünschte, du hättest mir all die Jahre zur Seite stehen können.*

Aber ich lasse es. Lege nur den Kopf in den Nacken und starre in den Himmel, der über mir von einer Million Sternen festgesteckt ist.

»Ich habe von Mums Tod geträumt«, erzähle ich nach einer kleinen Pause. »Ich wusste, dass sie an Krebs sterben wird, und habe nichts gesagt. Das bereue ich mehr als alles andere in meinem Leben.«

»Du warst noch ein Kind, Joel«, sagt er sanft.

»Aber wie sie mich angesehen hat, als sie es erfuhr.«

»Callie zu sagen, wann sie sterben wird, bringt deine Mutter nicht zurück.«

»Was willst du damit sagen?« Aber ich glaube, ich weiß es.

»Na ja, wenn Callie es auf keinen Fall hören möchte, musst du es letzten Endes respektieren.«

»Nein. Ich kann nicht damit leben, es zu wissen. Ich kann das nicht mit mir rumtragen, jeden Tag, und sie trotzdem glücklich machen. Das ist unmöglich.«

Ein langes Schweigen.

»Tja, dann bist du vielleicht nicht mehr der richtige Mann, um sie glücklich zu machen.«

Es fühlt sich an wie ein Boxhieb, auf die Ferne aus Cornwall. Die Bestätigung meiner schlimmsten Befürchtungen. »Das wollte ich nicht hören.«

Er seufzt. »Ich weiß. Aber wenn du Lippenbekenntnisse wolltest, hast du die falsche Nummer gewählt.«

Wütend lege ich auf.

Nein, Warren, denke ich. *Ich gebe nicht auf.*

Stunden später träume ich wieder. Es ist gute drei Jahre nach heute, und ich beobachte Callie, wie sie an einem Strand entlangspaziert, Hand in Hand mit ... oh.

Obwohl es dunkel ist, sieht es heiß und stürmisch aus. Da sind Palmen und weißer Sand, der mir irgendwie bekannt vorkommt. Ist das Miami? (Nicht dass ich schon dort war. Näher als über Netflix werde ich einem Transatlantikflug nie kommen.)

Callie wirkt glücklich. Die beiden lachen. Köpfe geneigt, quälend im Einklang.

Und dann sehe ich den Ring an ihrem Finger, und in meinem Inneren wird alles dunkel.

67

Callie

Tage zerfließen zu Wochen, und bald ist es Ende Oktober. Die Luft wird kühler, und die Tage ziehen sich zusammen, als wappnete sich die Welt für den Winter. Joel und ich treten auf der Stelle, kommen nicht voran.

Esther weiß, dass etwas los ist, hat mehr als einmal gefragt, ob alles in Ordnung sei. Vielleicht ahnt sie es, seit Joel sich vor dem Abendessen gedrückt hat. Oder sie hat mit Ben gesprochen, und er hat ihr von meiner Mailbox-Nachricht an Grace erzählt. Aber natürlich kann ich es ihr nicht sagen, also murmle ich immer nur etwas von Müdigkeit wegen der Arbeit.

Joel und ich sind fast schon jenseits von Diskussionen – darüber zu reden, ist, wie sich schrittweise in eine Sackgasse zu manövrieren, bei der man jedes Mal an derselben Stelle landet. Wobei mir aufgefallen ist, dass er sich eine ruhige Entschlossenheit angeeignet hat, eine Unbeirrtheit, die mich insgeheim neugierig macht.

Bei mir erweckt es den Eindruck, als plante er etwas, nur was, kann ich nicht sagen.

Es hilft, dass ich ihn so uneingeschränkt liebe. Ich habe keine Ahnung, was unsere Zukunft bringt, aber wenn ich die Augen schließe und nur an jetzt denke, kämpfen wir uns langsam irgendwie durch. Wir sind immer noch ein Paar – wir können nicht einfach aufgeben, uns von dem abwenden, was für uns beide das Beste in unserem Leben ist –, was bedeutet, wir gehen immer noch aus, haben immer noch Sex, lachen immer noch, bis uns der Bauch wehtut. Aber es fühlt sich ein bisschen an, wie ein Dach mit den bloßen Händen hochzuhalten: Ein Windstoß aus der falschen Richtung, und man hat nicht mehr genug Kraft.

Wir haben den Tag bei Tamsin verbracht, um ihren Geburtstag zu feiern. Doug und Lou hatten einen aufwendigen Kuchen in Einhorn-Form dabei, der eigentlich mehr für die Kinder als für Tamsin gedacht war, aber es gab auch alkoholfreie Cocktails und klassische Partyspiele, die definitiv mehr für uns als für die Kinder gedacht waren. Es war ein fröhlicher, superlustiger Tag, ein Tag, der mir wieder gezeigt hat, wie es für Joel und mich sein könnte.

Vorhin überlegte ich einen Moment lang, ob ich mir ein Stück Kuchen nehmen sollte. Immer mal wieder habe ich in letzter Zeit mit mir gerungen, ob ich meine Ernährung umstellen soll, den Wein ganz streichen, mein Wasser filtern, Yoga ausprobieren. Das macht man wohl so, wenn man an seine eigene Sterblichkeit erinnert wird: den Körper in die bestmögliche Ausgangsposition versetzen, um durchzukommen. Vielleicht sollte ich Dad mal unauffällig um ein paar Gesundheitstipps bitten.

Aber plötzlich zupfte Amber an meinem Ärmel, einen Teller mit einem Stück Kuchen in der Hand. »Ich hab dir das Horn aufgehoben, Tante Callie«, flüsterte sie. »Wenn du das isst, lebst du ewig.«

Ich spürte Joels Blick auf mir und konnte nicht aufsehen. Sonst wäre ich in Tränen ausgebrochen.

»Weißt du«, sage ich jetzt, als wir durch die nach Holzrauch riechende Nachmittagsluft nach Hause laufen, »die Party im Bootshaus ist jetzt fast ein Jahr her.«

Er drückt mir die im Fäustling steckende Hand. »Ja, stimmt.«

»An dem Abend wusste ich schon, dass ich dich mag. Ich war ein bisschen in dich verknallt.«

»Nur ein bisschen?«

»Na gut. Ziemlich heftig.«

»Verständlich. Ich bin schon ein ganz guter Fang.«

»Total guter Fang.« Mein Magen zieht sich zusammen, als ich das sage. *Bitte glaub es. Bitte glaub, wie sehr ich dich immer noch liebe.*

Unsere Füße rascheln im Gleichschritt durch das Laub.

»Und du?«

»Was ich?«

»Warst du auch in mich verknallt?«

»Ein Gentleman genießt und schweigt.«

»Schon, aber mir kannst du's doch sagen.«

Sein Griff wird fester. »Es war mehr als verknallt, Callie. Das wusste ich von Anfang an. Es hatte keinen Zweck, sich dagegen zu wehren.«

Schweigend gehen wir weiter. Das ist die Gegend, in der Grace gestorben ist, wobei ich seit dem Abend des Unfalls nie mehr in der Straße war. Ich bezweifle, dass ich noch jemals wieder dorthin gehe. Kurz überlege ich, ob mich das gleiche Schicksal erwartet; andererseits weiß Joel angeblich nicht, wie es passiert, was bedeutet, er kann kein Auto gesehen haben, Schaulustige, Asphalt …

Aber gerade als ein Dominoeffekt von Gedanken einsetzt, holt Joel mich in die Gegenwart zurück. Er zieht an meiner Hand, deutet nach rechts.

»Da, Callie«, sagt er drängend. »Sieh mal.«

Er zeigt auf die niedrige Mauer vor einem verlassenen Gebäude, auf halber Höhe einer Häuserreihe, die zum Abriss vorgesehen ist. Haustür und Fenster sind mit besprühten Brettern vernagelt, Unkraut windet sich wie Tentakeln um das Mauerwerk und die Regenrinnen.

Hinter der Mauer steht ein Schwanz hervor, komplett regungslos.

Bevor ich blinzeln kann, ist Joel losgelaufen.

Ich folge ihm, beinahe ängstlich.

»Er wurde ausgesetzt.« Joel ist schon auf die Knie gegangen und streicht über das weiß und hellbraun gemusterte Fell eines ziemlich jung aussehenden Hundes. Ich hocke mich neben ihn. Der Hund reagiert nicht auf Joels Berührung.

»Was hat er denn?« Ich kann nur mit Mühe die Tränen zurückhalten.

Sanft untersucht Joel ihn. »Bin nicht ganz sicher. Irgendeine Infektion. Es geht ihm schlecht. Sein Zahnfleisch ist ganz hell, hier, siehst du? Und er ist kalt. Er braucht dringend Hilfe.« Hastig steht er auf und wählt eine Nummer, murmelt ein paar Sätze in sein Handy. Ich höre ihn die Adresse durchgeben. »Kieran ist unterwegs«, sagt er, nachdem er aufgelegt hat, und kniet sich wieder auf den Boden. »Halten wir ihn bis dahin einfach warm.«

Gemeinsam heben wir den Hund auf unseren Schoß. Joel zieht seine Jacke aus und ich meinen Mantel, und wir wickeln ihn ein, kauern uns über ihn, um ihn zu wärmen.

Immer noch keine Reaktion, das Tier ist passiv und schlaff, als läge es schon im Sterben.

»Wird er wieder?«, frage ich.

Er sieht mich an. »Sorry, Cal. Es sieht nicht gut aus.«

Ich beiße mir auf die Lippe, versuche, nicht zu weinen.

Kieran nimmt uns mit in die Tierarztpraxis. Joel und ich sitzen hinten, den Hund auf unseren Knien. Als Joel ihm seine Einschätzung mitteilt, nehme ich vage Begriffe auf wie Infusion, Anämie, innere Blutungen. Dann telefoniert Kieran mit jemandem bei einem örtlichen Tierschutzverein, der einwilligt, die Behandlungskosten zu übernehmen, woraufhin er und Joel besprechen, wie am besten vorzugehen sei.

Als wir auf den Parkplatz einbiegen, fällt mir das Halsband des Hundes auf, das auf dem Sitz liegt. Es hängt kein Schild mit einem Namen oder einer Telefonnummer daran, überhaupt nichts, um ihn zu identifizieren. Wortlos stecke ich es mir in die Tasche.

»Geh du doch schon nach Hause«, sagt Joel beim Aussteigen zu mir. »Das könnte ein Weilchen dauern.«

Es ist schon spät, als er zurückkommt. Er findet mich in der Badewanne und hockt sich müde auf den Rand, leicht nach Desinfektionsmittel riechend.

Ich setze mich auf, und etwas Wasser schwappt dabei über. »Wie lief es?«

»Ganz gut, glaube ich. Er hatte einen ziemlich schweren Wurmbefall. Wir haben ihm eine Bluttransfusion und Antibiotika gegeben. Er steht auf der Kippe, aber Kieran nimmt ihn für heute Nacht mit nach Hause.«

»Zum Glück hast du ihn entdeckt.«

»Gerade noch rechtzeitig. Jetzt müssen wir abwarten.«

Ich nehme seine Hand. Sie fühlt sich schlaff an, und seine Augen sind ausdruckslos. »Alles okay?«

Er fährt sich mit der anderen Hand über das Gesicht. Er wirkt blass, als wäre er irgendwie gealtert. »Nur ein bisschen erschöpft.«

»Du warst unglaublich. So ruhig. Fehlt es dir?«

Er sieht zum Fenster, wo die Lichter aus den anderen Häusern in der Schwärze schimmern. »Mir fehlt, Tieren zu helfen.«

»Dann könntest du ja vielleicht ...«

»Ich bin dem Job nicht gewachsen.«

»Doch, bist du. Das hast du ja heute bewiesen.«

»Das war nur ein Abend, Cal. Das ist nichts im Vergleich dazu, wieder Vollzeit zu arbeiten.«

Ich weiß, dass ich wahrscheinlich nicht nachhaken sollte – das weiß ich. Aber ich möchte, dass Joel sieht, was ich sehe: seine außerordentliche Begabung und Fürsorglichkeit, seine Wärme und Güte.

»Joel, was du heute getan hast ...«

»Hätte jeder andere Tierarzt auch getan.«

Ich senke den Blick, schnipse nach Erdbeere duftenden Schaum von meiner Hand. »Warum machst du das?«

»Was?«

»Alles kleinreden, behaupten, du wärst kein richtiger Tierarzt.«

»Weil ich keiner bin. Ich praktiziere seit fast vier Jahren nicht mehr.«

»Aber du kannst so toll mit Tieren umgehen.«

»Es gehört mehr dazu, Cal.«

»Warum hast du wirklich aufgehört?«

Es entsteht eine Pause, in der man nur das Platzen von Bläschen hört, wie in einer übrig gebliebenen Sektflasche am Ende einer ziemlich miesen Party.

»Joel?«

»Ich habe einen Riesenfehler begangen, Callie, und ich war der Meinung, dass ich kein Tierarzt mehr sein darf. Okay?«

»Nein, nicht okay«, sage ich leise. »Das wusste ich noch nicht.«

»Tut mir leid. Aber es fällt mir eben schwer, darüber zu reden.«

»Bitte erzähl es mir.«

Er entzieht sich meiner Hand, knetet seine Finger. »Was willst du wissen?«

»Ich will wissen, was passiert ist.«

Die Dunkelheit seiner Augen scheint sich noch zu vertiefen. »Ich habe einen Fehler gemacht, und die Folgen waren so schlimm, wie man sich nur vorstellen kann.«

»Was für einen Fehler?«

Endlich erzählt er mir, er sei in der Arbeit unkonzentriert gewesen. Damals arbeitete er nur in Teilzeit, um wieder einigermaßen zurechnungsfähig zu werden, da er nach einigen verstörenden Träumen gerade eine schwierige Phase hatte. Er war ständig verkatert und unausgeschlafen, bewegte sich nicht genug und achtete nicht auf sich, kam völlig erschöpft zur Arbeit.

»Ich hatte einen Kunden, Greg. Er litt an Depressionen, und sein Hund war sein Ein und Alles. Er unterhielt sich immer mit mir, wenn er in die Sprechstunde kam. Ich hörte einfach nur zu. Ich glaube, das half ihm ein bisschen. Ich wusste von ihm, dass er schon mehr als einmal kurz vor dem Selbstmord gestanden hatte, und nur der Gedanke daran, was dann mit seinem Hund wäre, hielt ihn immer davon ab. Manchmal war dieses Tier buchstäblich Gregs einziger Grund zum Leben.«

Ich schweige, höre nur zu.

»Jedenfalls brachte Greg eines Tages den Hund vorbei. Er hatte Durchfall, war leicht lethargisch. Ich war sicher, dass kein Anlass zur Sorge bestand, aber ich hätte mehr tun sollen. Ich hätte mehr untersuchen müssen, eine Blutprobe nehmen. Stattdessen habe ich einfach Greg weggeschickt, ihm gesagt, er soll den Hund im Auge behalten und wiederkommen, falls es sich verschlechtert.«

»Das klingt …« *Vernünftig*, möchte ich sagen. *Absolut vernünftig*. Aber mal ehrlich, was weiß ich schon?

»Im Nachhinein weiß ich, dass ich ihm das Gefühl gegeben habe, meine Zeit zu vergeuden. Ich weiß noch, dass ich kurz angebunden war. Nicht absichtlich. Trotzdem, ich war genau wie dieser Arzt an meiner Uni damals. Ich habe Greg so behandelt wie der mich damals.«

»Was ist dann passiert?« Meine Stimme ist wie ein Hauch.

»Tja, eine Woche später brachte er den Hund wieder zu uns, da war schon nichts mehr zu machen. Seine Leber versagte, und es war meine Schuld. Ich hatte die entscheidenden Symptome übersehen.«

»Du hast bestimmt dein Bestes gegeben. Du darfst dir keine Vorwürfe machen …«

»Doch, Callie, ich muss mir sogar Vorwürfe machen. Ich habe nicht mal eine simple Blutprobe genommen. Ich war unaufmerksam, nicht bei der Sache. Und dieser Hund hat meinetwegen gelitten.«

»Joel.« Ich greife wieder nach seiner Hand. »Bitte mach dich doch nicht so fertig. Jeder macht mal Fehler.«

Er starrt mich mit riesigen Augen an. »Das verstehst du nicht.«

»Ich muss keine Tierärztin sein, um zu wissen, dass, wenn man …«

»Greg hat sich ein paar Wochen später umgebracht«, sagt er abrupt. »Der Hund war sein Rettungsanker, und ich habe ihn ihm genommen, aus reiner beschissener Inkompetenz.«

Der Schreck verschlägt mir die Sprache. Ein paar Sekunden lang bleibe ich stumm.

»Es tut mir so leid.«

»Ich bin für Gregs Tod verantwortlich.« Seine Stimme ist dürr und nicht wiederzuerkennen. »So einfach ist das.«

Ich beginne zu frösteln. »Nein. So ist es nicht.«

»Du wolltest wissen, warum ich sage, dass ich kein richtiger Tierarzt bin. Deshalb, weil ich nicht das Recht habe, mich so zu nennen.« Er senkt den Blick auf meine Augen. »Und wenn du wissen willst, warum ich dir sagen muss, was ich geträumt habe, dann, weil ich nicht damit leben kann, dass ich mehr hätte tun können. Nicht bei dir, Callie. *Wenn es um dich geht, kann ich das nicht.*«

»Bitte mach das nicht.« Meine Kehle schnürt sich zu. »Das ist nicht fair.«

»Ich glaube, mir ist inzwischen egal, was fair ist. Mir geht es darum, was richtig ist.«

Damit steht er auf, dreht sich um und geht.

Ich bleibe noch eine halbe Stunde länger in der Wanne, heiße Tränen auf der Haut, während das Wasser kalt wird.

68

Joel

Am Morgen von Halloween rufe ich Warren an, während ich mit den Hunden spazieren gehe.

Es ist schwer zu glauben, dass schon ein ganzes Jahr vergangen ist, seit zwischen mir und Callie im Laden an der Ecke die Funken flogen. Wir haben so viel gewonnen in diesem Jahr. Aber haben wir auch alles verloren?

Jeden Morgen, wenn ich die Augen aufschlage, hoffe ich auf einen Weg nach vorn, eine Erleuchtung. Hoffe, dass der dichte Nebel Sonnenlicht gewichen ist. Aber so ist es nie.

»Also, ich habe getan, was du geraten hast«, sage ich zu ihm.

»Was habe ich geraten?«

»Ich ... wo bist du eigentlich? Warum höre ich Geschrei?«

»Am Strand. Ich weiß nicht, irgendwas an Sand und Wasser bringt Kinder zum Schreien.«

»Wie bitte? Es ist Oktober.«

»Letzte Ferienwoche.« Ich stelle mir vor, dass er die Achseln zuckt. Großer Achselzucker, vermute ich mal, mein leiblicher Vater.

»Bist du als Aufsicht da oder so?«

»Ich halte in zehn Minuten einen Kurs. Was gibt's?«

»Ich habe mit Callies Vater geredet. Um herauszufinden, ob irgendwas in der Familie liegt, was mir Sorgen machen sollte.«

»Gut gemacht. Und, was erfahren?«

Es war nicht so unangenehm wie befürchtet. Ich bin einfach bei ihm vor der Tür aufgetaucht, als Callie arbeiten war, und wir haben uns zusammen in die Küche gesetzt. Ich habe etwas Vages von einem schlechten Traum gemurmelt und dass ich Callie nicht beunruhigen wolle. Dann gab er mir einfach so die Information, die ich brauchte. (Nicht dass es geholfen hätte. Blitzblankes Gesundheitszeugnis, die gesamte Familie Cooper.)

Er versicherte mir, dass er das Gespräch für sich behalten werde, was ziemlich nett von ihm war. Ich weiß, wenn Callie davon erführe, würde sie glauben, ich hätte sie hintergangen, indem ich ihre Eltern vorwarne. Und es wäre absolut denkbar, dass sie mir nie wieder vertraut.

Egal. »Nichts.«

»Aha.«

»Ja, das hat also nicht geklappt.«

Eine Pause, untermalt vom heiseren Schrei von Seemöwen. Ich überlege, ob ich Warren von meinem Traum von Callie am Strand in Florida erzählen soll. Ich kann ihn immer noch nicht abschütteln.

Aber die Vorstellung, mit Warren darüber zu sprechen, ärgert mich irgendwie. Vielleicht, weil ich seine Theorie nicht bestätigen will, dass ich nicht mehr der Mann bin, der Callie glücklich machen kann.

Ich gehe ein paar Schritte, stelle mir Callie zu Hause vor. Noch warm von der Dusche, einen Kamm in der Hand, die Haut feucht und glitzernd. Ich spüre ein Pochen der Sehnsucht nach ihrem Nacken, ihrer weichen Stimme.

Und doch. »Du findest, ich sollte aufgeben, oder? Callie gehen lassen, damit sie ihr Leben führen und jemanden finden kann, der sie glücklich macht. So sagt man doch, stimmt's? Wenn man jemanden liebt, sollte man ihn gehen lassen.«

Die Sekunden dehnen sich. »So sagt man, ja.«

»Das war's dann also.«

»Noch nicht. Nicht unbedingt. Tu nichts Überstürztes.«

»Die Zeit arbeitet gegen mich, schon vergessen?«

»Ja. Aber weißt du, wenn es dazu kommt, merkst du schon, wann der richtige Moment ist.«

»Na, schönen Dank für deine Hilfe.«

»Es tut mir so leid, dass ich das nicht für dich in Ordnung bringen kann, Joel.«

»Du hattest vor siebenunddreißig Jahren die Gelegenheit, das in Ordnung zu bringen.«

»Was willst du damit …«

Ich kann nicht anders. Es ist der reine Frust. »Du hättest es verhindern können, bevor es anfing, indem du keine belanglose Affäre mit meiner Mutter hattest.«

»Sie war nicht belanglos.«

»Du hast sie gegen ein Surfbrett eingetauscht. Wie viel belangloser geht's denn?«

Nachts träume ich wieder von Callie, in einem knappen Jahr. Sie ist dick angezogen gegen die Kälte irgendwo, ich bin nicht sicher, wo. Aber es ist eine weite und fremde Landschaft, genau, was sie liebt. Sie wirkt begeistert und lebendig auf eine Art, die ich lange nicht erlebt habe. Hat ein Fernglas um den Hals und eine Kamera in der Hand. Ich kann den Wind pfeifen hören, sehe den blauen Himmel. Und am

Horizont erhebt sich ein Vulkan, so imposant wie eine Kathedrale.

Zitternd wache ich auf. Ich steige aus dem Bett, nehme mein Notizbuch mit und drehe mich im Türrahmen nach ihr um, wie ich es immer tue. Sie hat sich auf der Matratze zusammengerollt wie ein Komma, das Gesicht an mein Kissen gepresst.

Ein Komma. Ein Pausenzeichen zum Atemholen. Eine Chance, Zusammenhänge herzustellen.

»Dir steht mehr zu«, flüstere ich. »Du sollst absolut nichts verpassen.«

Ich denke wieder an das, was Warren sagte. *Dann bist du vielleicht nicht mehr der richtige Mann, um sie glücklich zu machen.*

Am Anfang hätte ich auf meinen Kopf hören sollen, nicht auf mein Herz. Das weiß ich jetzt, wie ich es damals wusste. Es wäre an mir gewesen, auf die Bremse zu treten, sobald ich merkte, dass mein Kopf den Kampf verlor. Ich hätte klug sein können. Sein müssen. Uns beiden diesen Schmerz ersparen. Denn jetzt, wo ich eine Vorschau auf das Gute bekommen habe, das das Schicksal für sie bereithält, kann ich es ihr doch nicht vorenthalten.

Callie hat noch Zeit, neu anzufangen. Sich ein Leben aufzubauen, alles zu machen, was sie schon immer wollte. Sie kann der Mensch sein, begreife ich, der sie mit mir immer nur halb sein könnte.

69

Callie

»Hast du die schon gesehen?« Liam schiebt mir eine Postkarte zu, während wir in der Werkstatt die Kettensägen reinigen.

Ich wische mir die Hände ab und hebe sie auf. Sie ist von Dave, eine Ansicht des Amazonas-Regenwalds aus der Vogelperspektive vorn, eine Kurzfassung seiner jüngsten Abenteuer auf der Rückseite. Mein Herz klopft etwas schneller, als ich mir sein jetziges Leben ausmale, so nah am Äquator; die sengende Hitze und exotische Landschaft, die schimmernde Wildnis des Regenwalds.

»Komisch, oder?«, sagt Liam.

»Was?«

Er zuckt die Achseln, als müsste es offensichtlich sein. »Dass Dave vor einem Jahr noch hier war und Chips gefuttert hat und auf dem Quad durch die Gegend geheizt ist, und jetzt sitzt er auf der anderen Seite der Erde. Der kommt garantiert nie mehr zurück.«

Ich drehe die Postkarte um. »Stimmt. Komisch. Klingt aber, als ginge es ihm super.«

Liam nimmt das Motorgehäuse von einer Säge ab und legt sie auf die Werkbank. »Meins wäre es nicht. Aber stimmt.«

Ich lache. »Ja, ich weiß. Sechs Monate in einem Regenwald wären für dich die Hölle.«

Er schüttelt sich, als sprächen wir von echten Folterinstrumenten. »Aber ich bin erstaunt, dass du es noch nie gemacht hast.«

Ich drehe die Postkarte wieder zurück. »Was gemacht?«

»Reisen«, sagt er auf seine typisch unumwundene Art. »Du redest ständig davon. Du solltest nach Chile fahren und diesen Vogel suchen.«

Im Geiste verdränge ich ein Bild von Grace, die mir Ähnliches rät, und lächle Liam von der Seite an. »Du hast doch gesagt, dass ich dann noch eher einen Schneeleoparden finde.«

Er lächelt fast, aber nicht ganz zurück. »Tja, du hättest mit Sicherheit Spaß bei der Suche. Was hält dich ab?«

Mit einem Achselzucken wende ich mich ab, murmle etwas von unpassendem Zeitpunkt. Liams Einsilbigkeitsstörung muss anstecken sein.

»Aber der Zeitpunkt ist doch perfekt, oder?«, entgegnet er. »Dein Vertrag müsste fast ausgelaufen sein.«

Das stimmt, in ein paar Wochen, und bisher gibt es keine Neuigkeiten über die benötigten Gelder, die meine Chefin für eine Verlängerung bräuchte. Fiona hat mir versichert, dass sie mich behalten wollen, aber die Frage ist, wann und wie. Zumindest, sagt sie, könnten sie mich als Zwischenlösung bei der Gestrüppauslichtung beschäftigen, was besser als nichts wäre. »In einem Monat«, sage ich zu Liam.

»Haben sie schon gesagt, wie es weitergeht?«

»Nein. Sie machen es spannend.«

Liam runzelt die Stirn. »Haben die nicht gerade neue Zuschüsse garantiert bekommen? Ich bin sicher, dass ich gestern Abend eine Mail darüber gesehen habe. Du könntest auf Reisen gehen und dann ...«

Und in diesem Moment öffnet sich, mit perfektem Timing, die Werkstatttür, und Fiona steckt den Kopf herein. »Callie, hast du mal kurz Zeit?«

70

Joel

Als ich mich an Dads Küchentisch setze, versuche ich, mich zu erinnern, wie lange es her ist, dass wir beide uns richtig miteinander unterhalten haben. Vielleicht kurz nachdem ich meinen Job gekündigt hatte. Er stauchte mich im Garten lautstark zusammen, mit freundlicher Unterstützung von Mrs. Morris von nebenan (die das Ganze belauschte und rein zufällig ebenfalls der Ansicht war, dass ich mich höchst verantwortungslos verhielt).

Ach, die guten alten Zeiten.

Rosig und noch in Shorts von seinem montagmorgendlichen Badminton-Training reicht Dad mir einen Kaffee. Mir fällt auf, dass er eines dieser elastischen Haltebänder an der Brille hat, damit sie beim Sport nicht herunterfällt.

Einen Moment lang überlege ich, ob es gemein ist, ihn ohne Vorwarnung damit zu überfallen. Aber lange wird es nicht mehr geheim zu halten sein. Erst letzte Woche klingelte mein Handy im Wohnzimmer, und Amber brüllte Warrens Namen. Ich rannte hektisch hin, mit Magenschmerzen, zum Glück war Dad gerade kurz nach oben gegangen. Trotzdem, lange kann es nicht mehr dauern, bis er mitkriegt, was los ist.

»Das ist ja eine nette Überraschung«, sagt Dad jetzt, was wirklich eine extrem bedauerliche Fehleinschätzung ist.

Ich sehe mich in der Küche um, wie zum letzten Mal. Überreife Bananen, Bellas Grundschulgeschirrtuch, Prilblumen über dem Wasserhahn. Ich betrachte alles, als wäre nichts mehr wie vorher, sobald die Worte aus meinem Mund gekommen sind. Wahrscheinlich stimmt das auch in vielerlei Hinsicht.

»Ich weiß, dass ich nicht dein Sohn bin, Dad. Ich weiß von Warren.«

Die Farbe weicht aus seinem Gesicht. Er sagt nichts, bewegt nicht mal den Mund.

»Dad.« Ich beuge mich über den Tisch. »Es ist okay. Ich weiß alles.«

Die Küchenuhr tickt in der Stille. Dad wird zur Wachsfigur, zu regungslos, um echt zu sein.

Nach langer Zeit spricht er endlich. »Woher?«

»Spielt das eine Rolle?«

Er atmet schwer aus, was ich als Nein auffasse. »Er hat deine Mutter nicht gut behandelt, Joel.«

»Ich weiß.«

Er reißt die Augen auf. »Hast du ihn getroffen?«

»Ja, ein Mal. Er wohnt in Cornwall.«

Ein *Ts, ts*. Als wäre Warren ein Steuerflüchtling und Cornwall ein Codewort für die Bermudas.

»Du hättest es mir sagen sollen. Dass er versucht hat, Kontakt mit mir aufzunehmen.«

Dad runzelt die Stirn. »Ich bin in Panik geraten. Ich wollte nicht, dass er was mit uns zu tun hat. Er hatte … kein Recht auf dich. Überhaupt kein Recht.«

Abgesehen davon, dass er mein leiblicher Vater ist, meinst du.

»Aber du hattest auch kein Recht, mir das zu verheimlichen.«

Er seufzt. Drückt sich die Finger in die Schläfen. Ich merke, dass dieses Gespräch seinen starken Hang zu Nicht-Kommunikation auf die Probe stellen wird. »Ich habe wohl damit gerechnet, dass du es eines Tages erfährst. Wahrscheinlich wollte ich das Unausweichliche nur rauszögern.«

Ich lasse die Uhr weiterticken. Was kann ich schon sagen? Noch kann ich ihm das nicht verzeihen, aber ich möchte trotzdem seine Seite hören.

»Deine Mutter wollte ihm damals sagen, dass sie schwanger ist. Aber bevor sie dazu kam, hatte Warren ihr mitgeteilt, dass er auf Reisen geht.«

»Also bist du auf den Plan getreten.«

Er seufzt. »Nicht gleich. Bis zu deinem ersten Geburtstag wollte sie sich noch nicht mal mit mir verabreden.« Ein dünnes Lächeln. »Deshalb hattet ihr immer ein so enges Verhältnis, glaube ich. Ihr hattet diese Zeit zusammen, nur ihr beide, in ihrem komischen kleinen möblierten Zimmer.«

Ich male mit dem Zeigefinger ein Herz auf den Tisch. Meine Mutter und ich hatten tatsächlich immer eine ganz besondere Beziehung. Sie tanzte mit mir auf dem Arm durchs Wohnzimmer, flüsterte mir Geschichten vor, wenn meine Geschwister schon im Bett waren. Vertraute sich mir an wie einem alten Freund. Ich hatte immer angenommen, das läge daran, dass ich der Erstgeborene war. Aber zu erfahren, dass wir ein Jahr lang nur zu zweit waren, kommt mir jetzt schon wie ein Schatz vor. Eine frisch aus der Erde gegrabene Kostbarkeit.

Ich trinke einen Schluck Kaffee. »Ihr habt euch also verabredet, und dann?«

Immer noch zögerlich räuspert er sich. »Kurz darauf ist sie bei mir eingezogen und mit deinem Bruder schwanger geworden. Wir haben geheiratet, und dann kam bald noch Tamsin.«

»Warum habt ihr mir das nie erzählt? Früher, meine ich. Als ich noch klein war.«

»Wir hatten es immer vor. Aber nach ihrem Tod fand ich, dass mir das nicht zustand. Das war vermutlich ein Grund, warum ich so wütend war, als Warren auftauchte. Du musst verstehen, Joel – als sie starb, hatten wir uns ein ganzes Leben zusammen aufgebaut. Wir hatten die ganze Zeit nichts von Warren gehört. Ich wollte einfach nie wieder über das alles sprechen.« Er runzelt die Stirn. Nestelt an seiner Brille. »Vielleicht waren manche Entscheidungen nicht ideal. Aber letzten Endes waren deine Mutter und ich zwölf Jahre lang verheiratet. Wir hatten drei Kinder, ein Haus, Geld, Freunde. Und ich glaube, glaube aufrichtig, dass sie glücklich war.«

Ganz ehrlich? Ich auch.

»Kann schon sein, dass sie mich nicht auf diese, diese wilde, verrückte Art geliebt hat wie Warren. Aber als sie euch Kinder bekommen hat, na ja, das war eine andere Art von wilder, verrückter Liebe. Eine bessere. Und Warren wollte nie Kinder, das hatte er ihr gleich am Anfang gesagt. Das immerhin wusste er über sich.«

Ich kann Warrens Haltung gut nachvollziehen. Allerdings hat er, zum Glück für mich, könnte man sagen, bei der Ausführung ziemlich spektakulär versagt.

»Aber er wusste, was er verloren hatte.«

Ich nicke. »Deshalb hat er wohl so hartnäckig versucht, Kontakt aufzunehmen.«

»Nein, schon lange vorher. Als deine Mutter zum letzten Mal krank wurde, sah ich ihn im Krankenhaus aus ihrer Station kommen. Offenbar hat er das ein oder andere bereut.«

»Du hast ihn gesehen?«

»Ja. Ich hätte ihn überall erkannt. Komisch aber.«

»Was denn?«

»Tja, sie war erst an dem Morgen eingeliefert worden. Ich hatte es noch keiner Seele erzählt. Deine Mutter muss sich wohl mit ihm in Verbindung gesetzt haben. Ich meine, der Mann ist vieles, aber kein Hellseher.«

Irgendwo in meinem Inneren regt sich eine Erkenntnis.

Dad zuckt mit den Schultern, als wäre es letztlich irrelevant, dass der ehemalige Liebhaber seiner Frau plötzlich an ihrem Sterbebett auftaucht. »Und, wie geht das mit dir und ihm weiter, glaubst du?«

»Ich ... ich weiß es nicht. Stört es dich, wenn ich in Kontakt mit ihm bleibe?«

»Nein«, ist das Äußerste, was er mir an Ermunterung zu geben bereit ist. »Aber sei vorsichtig. Mehr möchte ich nicht sagen.«

Ein Aufwallen von Zuneigung, warm wie Badewasser. »Du wirst immer mein Dad bleiben.«

Sein Stirnrunzeln vertieft sich. »Ebenso. Du wirst immer ...«

Er beendet den Satz nicht. Aber dass er überhaupt einen Ansatz gemacht hat, reicht für mich aus.

»Freund eines Freundes, Schwachsinn.«

»Joel?«

Ich bin in meinem neuen Lieblingsschlupfwinkel, dem Garten, und sehe auf frostgeränderte Dächer. Die Luft ist heute Abend eisig, aber ich habe mir nicht extra eine Jacke angezogen.

»Du hast nicht von irgendjemandem gehört, dass Mum im Sterben liegt. Du hast von ihr geträumt, gleich zu Anfang. Du hast geträumt, dass sie an Krebs sterben wird, und du hast Schluss gemacht, weil du wolltest, dass sie ihr Leben lebt, bevor es zu spät ist.«

Ein Seufzen. »Es war ja klar, dass du eines Tages dahinterkommst. Du bist viel schlauer als ich, zum Glück.«

»Ja, ja. Sag mir die Wahrheit.«

»Ich habe geträumt … Ich hab sie im Krankenhaus gesehen. Und zwei Nächte darauf habe ich von ihrer Beerdigung geträumt.«

»Du wusstest also, dass sie Kinder bekommt, ein ausgefülltes Leben hat. Du warst gar kein egoistischer Penner, ganz im Gegenteil. Du hast Schluss gemacht, weil du wolltest, dass sie glücklich wird.«

Eine abgrundtiefe Stille,

»Ja, stimmt, okay?«, sagt er endlich. »Ja. Sie hatte noch vierzehn Jahre, und ich wusste, dass ich sie mit all meinen Problemen und dem Trinken und dem fehlenden Geld nicht glücklich machen könnte, zumindest nicht auf kurze Sicht.«

Ich atme meinen Schmerz in die kalte Luft, sehe zu, wie er sich zu winzigen wütenden Gewitterwolken ballt. »Deshalb hast du mir geraten, Callie gehen zu lassen.«

Es knistert in der Leitung. »Als ich deine Mutter im Krankenhaus besuchte, wusste ich, dass ich das Richtige getan hatte. Dass sie ein gutes Leben gehabt hatte. Dass sie glücklich starb. Ich habe damals beschlossen, ihr die verbleibende Zeit nicht zu verderben, und wenn du mich fragst, war es die richtige Entscheidung.«

Unerwartet spüre ich den Felsbrocken der Schuldgefühle auf meinem Rücken etwas leichter werden. Nicht viel, aber genug, um es wahrzunehmen. *Warren wusste es auch, Mum.*

Vielleicht wollte ich ihr unbewusst ebenfalls nicht die restliche Zeit verderben.

»Nur damit du es weißt, Joel: Das zwischen deiner Mutter und mir war echte Liebe. Als Mensch war ich zu nicht viel zu gebrauchen. Aber ich habe deine Mutter geliebt. Als wir uns an der Hand hielten und dieses letzte Mal ansahen, war es alles wert gewesen, nur um zu wissen, dass sie glücklich war.«

Ich denke an Callie, eingekuschelt in unser Bett. An ihre Gegenwart und Zukunft und an das Ende. Ich denke an all diese Dinge. Und dann weiß ich, was ich zu tun habe.

71

Callie

Am Abend nach Guy Fawkes Day rufe ich Joel an, während ich knietief im Sumpf stehe, um ihn zu fragen, ob er Lust auf Abendessen in dem neuen Tapas-Lokal hat.

Seit ein paar Tagen lasse ich mir etwas durch den Kopf gehen, und jetzt bin ich furchtbar aufgeregt. Den ganzen Nachmittag, während ich in Wathose und Gummistiefeln durch den strömenden Regen stapfe, male ich mir aus, meinen Plan zu enthüllen, ein seliges Lächeln auf dem Gesicht. Ich werde ihm versichern, dass das – eben das hier – der Grund ist, warum die Entscheidung, mir nichts zu verraten, richtig war. Weil mich das in die Lage versetzt, eine Zukunft zu schmieden, mit der ich mich sonst gar nicht mehr befassen würde.

Letztlich schneide ich das Thema erst beim Nachtisch an.

Joel wirkt heute verhalten, zerstreut. Er ist mit seinen Gedanken ganz woanders, und allmählich mache ich mir Sorgen, ob mein Timing vielleicht gar nicht gut ist. Ich weiß, dass er in letzter Zeit kaum geschlafen hat, er ist diese Woche erschöpfter, als ich ihn je erlebt habe.

Aber der Abend rinnt mir durch die Finger, und ich kann nicht länger warten.

»Ich hatte am Montag ein Gespräch mit Fiona.«

Joel richtet seine dunklen Augen auf mich, und meine Nervosität lässt nach. Trotz der gedämpften Stimmung ist seine Miene unverändert liebevoll. »Ging es um deinen Vertrag?«

»Sie haben mir eine unbefristete Stelle angeboten.«

»Das ist ja super. Montag? Warum hast du das noch nicht erzählt?«

»Na ja, ich war ... Also, sie hat mir den Tipp gegeben, dass ein Cottage hinter Waterfen zu mieten ist. Ein ehemaliges Reetschneider-Häuschen. Gestern hat sie es mir gezeigt. Es ist ein Traum, Joel. Wir könnten dort wohnen, du und ich, direkt am Naturpark, umgeben von den Bäumen und den Vögeln und dem Schilf.«

Er sieht mir in die Augen, aber ich kann seinen Gesichtsausdruck nicht ganz deuten. Ist es gerührter Stolz oder etwas Traurigeres?

»Fiona meint, sie könnte mir zwischen den Verträgen auch ein paar Wochen Pause geben.« Lächelnd sehe ich auf mein halb aufgegessenes Dessert. »Wenn sie ein bisschen Kohle sparen können, sind sie ja immer sofort dabei.«

Sein Blick fordert mich auf, mit dem Rest herauszurücken.

Na dann. »Erinnerst du dich an Dave, meinen ehemaligen Kollegen, der nach Brasilien gezogen ist? Der hat uns eine Postkarte geschickt.« Ich schiebe sie ihm über den Tisch zu. »Und das hat mich zum Nachdenken gebracht.«

Joel hebt die Karte auf und überfliegt sie. »Möchtest du das? Nach Brasilien fahren?«

»Nein. Ich dachte an Chile, den Lauca-Nationalpark. Um diesen Vogel zu suchen.«

Joel lächelt mich an – möglicherweise zum ersten Mal heute Abend – und trinkt einen Schluck. »Das finde ich eine hervorragende Idee.«

Ich nehme ein wenig Crema catalana auf den Löffel. Ich bin froh, mir drei Gänge bestellt zu haben; ich meine, es gibt hordenweise Neunzigjährige, die ihr ganzes Leben lang Käse gegessen und Whisky getrunken und geraucht haben wie die Schlote. »Und ich dachte, wenn ich dann zurück bin, können wir in das Cottage ziehen, und ich arbeite weiter in Waterfen.«

Er nickt, aber so langsam, dass es fast übertrieben wirkt. »Tja, vielleicht solltest du nicht zurückkommen, Cal.«

Ich schnappe quasi im Geiste nach Luft. »Was?«

Noch ein Schluck Wein. »Wenn du mich fragst, solltest du in Chile bleiben, solange du willst.«

»Ja, schon, ein paar Wochen, wie g...«

»Und danach solltest du fahren, wohin der Wind dich trägt.«

»Na ja«, sage ich nervös, »der Wind würde mich zurücktragen. Zu dir.«

»Nein.« Obwohl es eindeutig ist, klingt das Wort falsch, zusammenhangslos. Wie der Ruf eines Zugvogels, der vom Kurs abgekommen ist.

»Was nein?«

»Du musst dein Leben führen, Cal.«

»Aber ich wäre ...«

»Nein, ich meine wirklich *leben*. Vergiss mich. Tu alles, was du dir wünschst, und noch mehr.«

Ich lache. »Wovon redest du denn? Ich will dich nicht vergessen.«

»Das ist aber das Beste.«

»Joel, nein ... Was?«

»Es wird nicht funktionieren, Cal.«

Obwohl das Restaurant warm und gut besucht, angenehm lebhaft ist, fühlt sich unser Tisch plötzlich kalt an.

»Joel«, hauche ich. »Wir müssen es probieren. Wenn nicht, dann können wir gleich aufgeben.«

Der Ausdruck auf seinem Gesicht gräbt sich tief in meinen Bauch ein.

»Genau das machst du«, begreife ich allmählich, und Tränen schießen mir in die Augen. »Du gibst auf. Gibst du auf?«

»Ich ... akzeptiere die Realität. Dass das, was wir haben, nicht funktionieren wird.«

Ich ergreife seine Hand. »Nein, das ist ... *Nein*. Wir gehören zusammen, Joel. Niemand sonst bringt mich so zum Lachen. Allein schon jeden Tag neben dir aufzuwachen, macht mich glücklich. Niemand hat mir je wie du das Gefühl vermittelt, dass die Welt nur darauf wartet, dass ich zugreife. Ohne dich würde ich wahrscheinlich immer noch im Café arbeiten und mein Leben an mir vorbeiziehen sehen. Du hast in mir wieder Lust auf die Zukunft geweckt. Wir können das durchstehen, ich weiß, dass wir das können.«

Er schüttelt den Kopf. »Ich halte dich doch nur zurück, Callie. Ich möchte nicht, dass du das wunderbare Leben verpasst, das dir zusteht.«

»Nein. Nein! Ein wunderbares Leben – das ist das mit dir.«

Irgendwo hinter seinen Augen schließt sich eine Tür. Ich bemerke, dass seine Finger den Stiel seines Weinglases fester umschließen. Er hat seinen Nachtisch kaum angerührt. »Nicht wenn ich nicht tun kann, was du von mir brauchst.«

»Was brauche ich denn von dir?« Aber ich weiß es, ich weiß.

»Dass ich weitermache, als wäre nichts passiert, jeden Tag mit dem, was ich geträumt habe, lebe, als hätte ich es nicht geträumt. Das kann ich nicht. Ich kann es einfach nicht.« Er stößt die Worte hervor wie einen letzten Atemzug. »Du solltest mich vergessen. Geh da raus und lebe.«

Was ich sagen möchte, ist: »Wie denn?« Stattdessen sage ich: »Du hast Unrecht.«

»Jemand anders könnte dir so viel mehr geben als ich.«

Ich atme scharf ein, schrecke vor dem bloßen Gedanken zurück.

Joels Stimme zersplittert. »Ich darf dir nicht die Zukunft vorenthalten, Callie. Möglichkeiten. Nichts würde mich glücklicher machen, als dich glücklich zu sehen. Und solange wir beide mit meinem Traum leben, wird das nicht passieren. Das ist dir klar, oder?«

Stück für Stück zerbreche ich an diesem Gespräch. Meine Finger sind taub geworden, meine Zehen haben sich von meinen Füßen abgelöst – trotzdem werde ich um uns kämpfen. »Nein. Ich liebe dich, Joel, und du liebst mich, das weiß ich. Das hier ist zu gut, um es aufzugeben. Es muss einen Weg geben. Warum gehst du nicht noch mal zu Diana?«, sage ich verzweifelt. »Sie hat doch gesagt, dass sie vielleicht helfen kann.«

»Aber sie kann die Zukunft nicht ändern, Callie«, flüstert er, die Augen voller Traurigkeit. Und während er spricht, spüre ich das, was er sagt, wie ein Gewicht auf mir, weil ich weiß, dass er Schluss macht, jetzt, hier.

»Das bringt doch alles nichts.« Mein letzter Versuch, zu ihm durchzudringen. »Denn wenn du mir erzählen würdest, was du weißt, wäre unser Leben auch nicht besser. Sondern schlimmer. Es mir zu sagen, ist nicht die Lösung.«

»Dann können wir nichts mehr ...« Aber er gerät ins Stocken und beendet den Satz nicht.

Ich starre ihn weiter an, und wir schweigen weiter, und bald schon sind meine Tränen zu schwer, um sie zurückzuhalten. Denn wenn das, was er sagt, stimmt, wenn er wirklich nicht damit leben kann, dann gibt es vielleicht keinen Weg nach vorn für uns.

Vielleicht gibt es einfach keinen.

»Es muss sich was ändern«, sagt er endlich leise. »Einer von uns musste es ansprechen.«

Jetzt schüttle ich den Kopf. Nicht weil ich immer noch glaube, ihn umstimmen zu können, sondern weil ich unter Schock stehe. »Ich kann das einfach nicht fassen.«

Seine Miene verrät, dass es ihm genauso geht. So plötzlich und brutal wie ein Herzinfarkt oder ein Autounfall.

Als die ersten Tränen aus meinen Augen rinnen, scheint die Flamme des Teelichts mitfühlend zu flackern. »Das war das beste Jahr meines Lebens«, sage ich, weil er das unbedingt wissen muss.

»Ich glaube«, sagt er kaum hörbar, »für dich kommt das Beste noch.«

»Ich wünschte, du hättest diesen Traum nicht gehabt.« Meine ganze Untröstlichkeit liegt in diesen Worten. »Das wünsche ich mir mehr als alles andere.«

Unsere Blicke verschmelzen. »Ich habe so versucht, dich nicht zu lieben, Callie. Aber das war unmöglich, weil ... tja. Weil du du bist.«

Da ich merke, dass sich die Gäste an den Nachbartischen einer nach dem anderen zu mir umdrehen, greife ich nach meiner Serviette und wische mir die Augen. Mittlerweile ist meine Wimperntusche wahrscheinlich über das ganze Gesicht verlaufen.

Vielleicht aus Reflex beugt Joel sich über den Tisch, um mir zu helfen, was mich noch stärker zum Weinen bringt. Ich halte seine Hand fest. »Wie kann es denn so enden?«, frage ich, als seine Finger meine umschließen, vielleicht zum letzten Mal. »Wir sind doch noch nicht fertig.«

»Ich weiß.« Er sieht mich durchdringend an. »Das macht es ja so schwer.«

Aber er hat Recht. Das erkenne ich jetzt. Wir sind am Ende der Straße angekommen, eine Umkehr unmöglich.

Mit einem langen Atemzug versuche ich, mich für den schwierigsten Teil zu wappnen, den Teil, zu dem ich meinen Körper möglicherweise nicht zwingen kann. Unter Aufbietung all meiner Kraft stehe ich auf, auch wenn ich leicht schwanke.

Ich kann ihn nicht ansehen, denn sonst schaffe ich es nicht.

»Ich übernachte heute bei Esther.«

»Nein, nicht. Ich fahre zu Tamsin.«

Dann halte ich kurz inne, denn ich kann nicht für immer gehen, ohne es zu sagen. »Du musst daran glauben, dass du von anderen geliebt wirst, Joel. Denn das wirst du, sehr.«

Und jetzt bin ich durch die Tür, überquere die Straße irgendwie, ohne mich um die Kälte zu kümmern. Als ich den gegenüberliegenden Bürgersteig erreiche, gelingt es mir, mich blinzelnd zu dem Restaurant umzusehen, als wollte ich mich vergewissern, dass es noch steht, halb in der Hoffnung, das alles wäre nur eine Sinnestäuschung, ein durch seltsam ausgerichtetes Licht entstandenes Trugbild.

Joel sitzt mit dem Rücken zum Fenster am Tisch, den Kopf gesenkt. Der Verkehr um mich herum verstummt, die Straße verblasst. Jetzt bin ich allein, betrachte Joel durch eine Glasscheibe, als wäre er ein Ausstellungsstück, etwas, das man lieben, aber nie wieder anfassen darf.

Dann kommt das Zischen von Busbremsen, ein Pfeifen von Wind. Menschen drängen sich an mir vorbei, um mich herum schwellen Geräusche an. Die Welt zieht mich weiter, eine Strömung leckt an meinen Füßen.

Ich atme ein und dann aus, trete einen Schritt nach vorn, lasse mich mitnehmen.

Erst als ich zwanzig Minuten später eine Bruchlandung vor Esthers Haustür mache, bemerke ich, dass ich meinen Löffel noch umklammert habe.

72

Joel

Nachdem Callie gegangen ist, bleibe ich noch eine halbe Stunde sitzen, eine Stunde vielleicht. Irgendwann ist die Kerze an unserem Tisch heruntergebrannt. Aber keiner der Kellner kommt in meine Nähe. Sie müssen gesehen haben, was passiert ist. Eine Beziehung zerschmettert, mitten in ihrem Restaurant.

Ich kann nicht aufhören, auf ihren leeren Teller zu starren.

Letzten Endes lässt der Kellner mich ihn mitnehmen. Ich kam mit der einzigen Frau, die ich jemals wirklich geliebt habe, und gehe zwei Stunden später mit einem einzelnen Teller und einem gebrochenen Herzen.

Wir haben nicht einmal ein Jahr durchgehalten. Geschweige denn ein ganzes Leben.

TEIL VIER

73

Callie

Das Leben ist so anders dieser Tage. Wenn ich darüber nachdenke, ist schwer zu glauben, wie viel sich geändert hat, seit ich dich zum letzten Mal sah.

Aber wann hast du mich zum letzten Mal gesehen, Joel? Komme ich in deinen Träumen vor? Manchmal frage ich mich, wie viel du über mein Leben jetzt weißt – die Dinge, in die du früher eingeweiht warst, die Details und die Farben. Ich habe viel über das nachgedacht, was du sagtest, dass für mich das Beste noch kommt, und grüble schon so lange, wie viel Gewicht ich dem beimessen soll. Ob meine Traurigkeit unangebracht ist. Ob ich nur Optimismus empfinden sollte.

Ich weiß, du wolltest immer nur, dass ich glücklich bin. Aber ich weiß auch, dass ich dich dazu loslassen muss.

Ich bemühe mich, Joel. Mein Herz wieder zu kitten, zu lieben, was wir hatten, und dich endlich loszulassen.

Du sollst nur wissen, dass ich mich bemühe, Tag für Tag.

74

Joel – sechs Monate danach

Mir tut der Rücken weh, und mein Nacken ist dauersteif von all den Nächten auf dem Sofa. Da schlafe ich, seit Callie weg ist. Das Opfer bringe ich gern, dafür, dass ich nicht neben dem leeren Fleck liegen muss, wo, in einem anderen Leben, sie hingehören würde.

Eine Woche, nachdem sie ausgezogen ist, kamen Esther und Gavin ihre vielen Sachen abholen. Ich konnte nicht ertragen, dabei zu sein, also machte ich mit den Hunden (minus Murphy natürlich) eine fünfzehn Kilometer lange Wanderung. Als ich zurückkam, war die Wohnung wieder leer. Leblos, nur ein Echo. Genau wie vor ihrem Einzug.

Anfangs dachte ich, es würde vielleicht helfen, nicht von ihren Sachen umgeben zu sein. Ich hoffte, die Leere könnte die Erinnerungen auslöschen. Aber es waren trotzdem überall Spuren von ihr. Sind immer noch. Haargummis unter Sofakissen, in Schubladen, um Türklinken gewickelt. Einzelne Socken zwischen meinen versteckt. Die Blumentöpfe auf der Terrasse, jetzt überflüssig und voller Unkraut. Ihr Lieblingsarbeitsfleece (Esther hat ihn vergessen) hängt noch neben der Haustür, erfüllt meinen Flur mit dem schwachen Duft von Lagerfeuer. Schilfhalme von ihren Stiefeln auf den Blenden der Küchenschränke, weil ich noch nicht ertragen kann, sie wegzufegen. Letzte Woche bin ich auf einen Ohrstecker getreten, eine Hälfte eines Paars, das ich ihr geschenkt habe. Mir war völlig egal, dass ich blutete.

Ich vermisse sie, als wäre sie mir gestohlen worden. Als hätte man mir im Dunkeln etwas Unersetzliches geraubt. Seit jenem Abend im Restaurant kann ich mich nicht überwinden, am Café vorbeizulaufen oder auch nur in die Nähe von Waterfen zu kommen. Ich kann nicht mal zum Ende der Straße laufen, zur sizilianischen Konditorei. Ich habe Weihnachten ausfallen lassen, am Valentinstag einen Actionfilm nach dem anderen angesehen. Ich lebe von Cornflakesschachtel zu Cornflakesschachtel, Hundespaziergang zu Hundespaziergang. Hin und wieder tauche ich auf, um Tamsin, Amber und den fünf Monate alten Harry zu besuchen, dann gehe ich in die Wohnung zurück, um weiterhin vier Wände anzustarren.

Nur gut, dass ich mich nur hypothetisch um einen Nachbarn kümmern muss. Da Danny kaum da ist, brauche ich mir keine Gedanken darüber zu machen, was er möglicherweise momentan von mir hält. Ich muss keinen Smalltalk führen oder tun, als ginge es mir gut. Und vor allem: Ich muss mir keinen Mist ausdenken wie *Es ist eben, wie es ist* und *Ich glaube wirklich, es ist besser so* (was das Einzige war, was ich in den ersten Wochen zu meiner Familie sagen konnte).

Dad und Doug wirkten, obwohl sie Callie sehr mochten, ziemlich wenig überrascht von unserer Trennung. Aber Tamsin war am Boden zerstört. Und ich werde nie vergessen, wie Amber das Gesicht verzog, als ich ihr sagte, dass sie Tante Callie nicht mehr sieht. Es fühlte sich wie eine völlig lieblose Grausamkeit an.

Als ich an dem Abend nach Hause kam, weinte ich lange.

Eines Nachmittags Anfang Mai wird mir nach und nach bewusst, dass meine Gegensprechanlage brummt. Seit gut zehn Minuten starre ich jetzt schon auf die Stelle am Herd, wo Murphy immer lag. Erinnere mich an seinen warmen Körper an meinem Oberschenkel, das Sonnenlicht von Callies Lächeln neben mir.

Es sind die kleinen Dinge, die mich zermürben. Zum Beispiel den Kopf zu drehen, um sie anzusprechen, bevor mir einfällt, dass sie nicht mehr da ist. Zu überlegen, was sie wohl gern zum Abendessen hätte. Zufällig einen Becher zu finden, den sie vergessen hat, wenn ich Teewasser aufsetze. Unsere besten Küsse im Geiste noch einmal zu erleben. Diese Zeit, als ich schon bei einer bloßen Berührung in die Stratosphäre abhob.

Und Murphy. Wie er hinter mir her trippelte, immer in der Hoffnung auf ein Stück Käse oder ein paar Worte, die er verstehen konnte. Der an mir hing wie ein Schatten. Sanft wie ein Lamm, bedingungslos treu.

Nach ungefähr zwanzig Sekunden hört das Brummen auf, wird aber sofort abgelöst vom nervigen Klingeln meines Telefons. Als ich auf das Display sehe, blitzt dort zu meinem Schrecken Warrens Name auf.

Ich spähe durch einen Spalt in der Jalousie vor dem Erkerfenster. Er steht vor meiner verfluchten Tür. Entdeckt mich sofort.

»Du kannst nicht bleiben«, ist das Einzige, was ich sage, als ich öffne. Er hat einen Koffer dabei und alles.

»Ich mache mir Sorgen um dich.«

»Ich kann jetzt nicht.«

»Du musst auch gar nichts. Lass mich einfach rein, damit du wenigstens nicht allein bist.«

Das wirft mich um, ohne Vorwarnung. Ich breche unter Tränen zusammen, mein ganzer Körper schüttelt sich. Also hält er mich im Arm, bis ich nicht mehr weinen kann.

Später geht er uns Ananas-Küchlein und Pommes holen. Es ist die erste warme Mahlzeit seit ungefähr zwei Wochen, denn, offen gestanden, wozu, wenn man sich auch faustweise Müsli in den Mund stecken kann? Wir essen auf den Knien, nebeneinander wie alte Männer am Strand. Die Finger glänzen vor Fett, die Lippen brennen vom Essig.

»Du hast abgenommen«, bemerkt er. »Blass siehst du auch aus.«

Warum sagen mir das alle ständig? Als wüsste ich es noch nicht oder hätte keinen Zugang zu einem Spiegel.

»Als ich mich von deiner Mutter getrennt hatte, habe ich meine Reise ein bisschen verschoben«, sagt Warren. »Ich saß nur in meinem möblierten Zimmer und vergaß einen Monat lang zu essen. Verlor meine Freunde aus den Augen, war deprimiert.«

Ja, und in der Zeit war sie schwanger mit mir, denke ich. *Hast du schon mal überlegt, wie es ihr ging?*

»Und dann wurde es mir klar«, fährt er fort. »Weißt du, was gegen alles hilft? Salzwasser im Gesicht.«

Ich sehe ihn ausdruckslos an, frage mich, was er mir hier andrehen will.

»Du musst unter ein paar Wellen durchtauchen, mein Freund. Komm mit mir surfen. Das tut dir gut, versprochen. Du wirst dich wie ein neuer Mensch fühlen. Wenn ich mal ein Problem habe, bringt das Meer es wieder in Ordnung.«

In diesem Moment will ich nicht, dass Warren mein Freund ist, und ich will mich auch nicht wie ein neuer

Mensch fühlen. Ich möchte in die Nacht meines Traums zurückkreisen und Koffein in Mengen konsumieren, die ein Koma abbrechen würden.

»Komm nach Cornwall, bleib ein Weilchen. Ich bringe dir das Surfen bei, helfe dir dabei, mit dem Ganzen abzuschließen.«

»Ich bin noch nicht bereit, damit abzuschließen.«

Warren wischt sich Salz von den Fingern. »Das ist nicht gut. Sieh dich an, du machst dich doch krank. Du musst mehr vor die Tür, Leute treffen …«

»Es gibt ein ganz anständiges Hotel unten am Fluss. Nicht allzu teuer. Ich rufe da mal an.«

Warren seufzt auf. »Okay. Ich buche mir morgen ein Zimmer, wenn du unbedingt willst.«

»Ja, will ich.«

»Aber heute Nacht kann ich hier pennen.« Er klopft aufs Sofapolster. »Ich stör dich auch nicht.«

Vielleicht hätte die zerknautschte Bettdecke ein Wink für ihn sein sollen. »Ehrlich gesagt ist das gerade mein Bett.«

Er sieht mich mitleidig an. »Komm schon, Joel.«

»Nimm's nicht persönlich, Warren, aber du sagst mir nicht, wie ich zu leben habe.«

»Es war das Richtige, das weißt du, oder? Sie loszulassen.«

Ich denke an meine Mutter. Warrens Entscheidung hat ihr ermöglicht, ihr Leben zu leben.

Trotzdem. »Richtig macht es nicht leicht.«

»Das weiß ich. Aber ich bin sicher, Callie würde wollen …«

Das ist der Tropfen. »Vielleicht solltest du einfach gehen.«

Er mustert mich hilflos. »Möchtest du das wirklich?«

Du musst daran glauben, dass du geliebt wirst, Joel.

»Das ist mir jetzt gerade zu viel.«

Als er weg ist, setze ich mich aufs Sofa. In der Luft hängt der Geruch nach Imbissfett. Ich versuche, mir vorzustellen, was Callie macht, frage mich, ob ich jemals aufhören werde, mich so zu fühlen. Ich denke an sie, bis mein Herz und mein Kopf in Flammen stehen, und dann fache ich das Feuer mit einem doppelten Scotch an.

75

Callie – sechs Monate danach

Auf einmal ist es Mai, und doch habe ich mich noch nie klammer, grauer, einsamer gefühlt.

Freitagabende sind das Schlimmste. Dieser früher goldene Moment der Woche, ein Gefühl von Entkrampfung, wie in ein warmes Bad zu steigen oder einen angehaltenen Atemzug auszustoßen. Aber jetzt reicht schon das bloße Nachhausekommen am Ende der Woche, um eine Lawine von Erinnerungen an diese grandiosen Monate vor Joels Traum auszulösen, als das Leben – und unsere Liebe – wahrlich unendlich schien.

Damals bedeutete Freitageabend Joel, ein knisterndes Feuer, den verlockenden Anblick von gekühltem Weißwein. Ein Wochenende, das auf uns wartete wie ein Korken auf das Knallen, lange, sanfte Küsse, die ganz in Leidenschaft verlorene Nächte einleiteten, unsere Haut rosig und verschwitzt, unsere Herzen wild pochend. Endloses gemeinsames Duschen vor einem Abend in der Stadt, Essen bei Kerzenschein, ein Bier mit Freunden.

Mein Kopf filtert die unschöneren Dinge heraus; wenn Joel nicht schlafen konnte oder sich an der Bedeutung eines Traums festbiss. Denn keiner dieser kleinen Haken war von

Belang, nicht richtig. Ich liebte ihn absolut, als den ganzen Menschen, der er war.

Sechs Monate später ist das immer noch so.

Das Leben war kaum ein Leben, seit ich an jenem Abend das Restaurant verließ. Ich konnte nicht ertragen, dass Mum und Dad meinen Schmerz mit durchlitten, deshalb ging ich direkt zu Esther und Gavin. Es war der einzige Ort, der mir einfiel. Denn innerlich war mir zumute wie damals, als Grace starb.

Anfangs wusste Esther nicht so genau, was sie mit mir anfangen sollte. Wir hatten Grace' Tod zusammen erlebt, zu viel getrunken, einander benommen angestarrt und uns gegenseitig hin und wieder daran erinnert, zu essen oder uns zu waschen. Jetzt sah sie mich alles allein noch einmal durchmachen, und das Trauern in seiner Hässlichkeit ist kein Zuschauersport. Sie stand draußen in der Kälte und flehte mich an, sie hereinzulassen.

Es gibt noch so vieles, was sie nicht weiß. Zum Beispiel, warum genau Joel und ich uns getrennt haben (ich sage immer, »Es hat einfach nicht geklappt«, und muss mich dann abwenden). Oder warum ich inzwischen so viel Zeit in ihrer kleinen Küche im Keller verbringe, in Gedanken an den Abend ihrer Party und den Kuss, den ich niemals vergessen werde.

Nach ein paar Wochen verwandelte sich Esthers Ratlosigkeit über meinen Zustand allmählich in Antrieb. Also zog ich schließlich in das Cottage am Rande von Waterfen, denn man kann nicht ewig durch das Haus seiner Freundin wandeln wie ein Gespenst. Der arme Gavin hätte vermutlich am liebsten eine Girlande aufgehängt, als ich endlich weg war.

Zu dem Zeitpunkt hatte ich auch die unbefristete Stelle angenommen, ohne um eine Pause zu bitten, denn ich konnte den Gedanken nicht ertragen, in ein Flugzeug nach Chile zu steigen.

Aber jetzt, in meinen dunkelsten Momenten, lockt mich die Vorstellung an Flucht wieder, zwinkert mir durch die Schwärze zu. Ich ziehe mir mit größerer Regelmäßigkeit die Reiseführer aus dem Regal, blättere sie beim Frühstück oder abends im Bett durch.

Vielleicht werde ich eines Tages Urlaub nehmen, um wegzufliegen, zu versuchen, meinen Geist wiederherzustellen.

Das Cottage ist ganz schlicht, genau, was ich brauche. Es steht vollkommen isoliert am Rand des Naturparks und ist umgeben von Schilf und hohen Bäumen, beobachtet nur von Turmfalken und Eulen. Hier kann mich niemand weinen hören, niemand mich dazu drängen zu essen oder mir mitteilen, dass ich wie der Tod aussehe – obwohl ich weiß, dass das stimmt, aber es ist mir einfach egal. Und da die Zufahrt über einen langen Feldweg voller Schlaglöcher führt und eine Genehmigung zum Überqueren einer Gleisstrecke erfordert, muss ich mir kaum Sorgen über unangekündigte Besucher machen. Ein Großteil meiner sozialen Kontakte läuft über mein Handy, und das ist mir nur recht.

Manchmal mache ich im Dunkeln lange Wanderungen durch den Park, nur Murphy und ich und der Mond. Und manchmal brülle ich laut auf, schicke meinen Schmerz in den Nachthimmel und frage mich in den Momenten darauf, ob ich tatsächlich verrückt werde.

Es sind die kleinen Dinge, die die schlimmste Einsamkeit auslösen; lächeln, wenn ich an das Wochenende denke, oder WhatsApp öffnen, um ihn zu fragen, was er so treibt, bevor der Donnerschlag der Erinnerung ertönt. Und ich kann nicht mal die Realität verleugnen wie bei Grace, indem ich Nachrichten hinterlasse, die er nie empfangen wird. Denn er ist ja noch da, ganz in der Nähe, er gehört nur nicht mehr mir.

Als Esther meine Sachen aus der Wohnung holte, brachte sie versehentlich ein paar von Joels T-Shirts mit. Ganze Abende habe ich schon auf dem Sofa gegessen und sie im Arm gehalten, als hielte ich ihn im Arm. Mir schießen Tränen in die Augen, wenn ich vor dem Küchenfenster ein Rotkehlchen höre, ich treffe mich mit Dot nur weit weg vom Café, backe Drømmekage in großen Mengen, die ich dann nicht esse. Ich scrolle endlos durch die Fotos auf meinem Handy, kann den Blick nicht von seinem wunderbaren Gesicht losreißen, kämpfe gegen das Bedürfnis an, ihn anzurufen.

Immer, immer kämpfe ich dagegen an. Seit dem Abend in dem Restaurant habe ich nichts von ihm gehört, was meines Erachtens nur bedeuten kann, dass er keinen weiteren Kontakt möchte.

Obwohl Joel meine größte Schwäche ist, war ich immerhin stark genug, meine Gedanken nicht zu weit voraus schweifen zu lassen – zum Wie und Wo und wie viel Zeit mir noch bleibt. Wenn diese Fragen aufflackern, bin ich mittlerweile Expertin darin, sie schnell zu ersticken. Ich möchte ihnen keinen Sauerstoff geben, sonst war dieser ganze Schmerz umsonst.

Ich habe den Löffel aus dem Restaurant meiner kleinen Sammlung von Andenken zugefügt, den Dingen, die mich ewig an uns erinnern werden. Da ist das Hotelshampoo von Hugos Hochzeit. Das Halsband des ausgesetzten Hundes, den Joel gerettet hat und der letzten Endes tapfer durchgekommen ist. Das Traktor-T-Shirt gehört auch dazu, weil ich nicht mehr ertragen kann, es anzuziehen, und der Zettel, auf dem Joel mich drängte, mich auf die Stelle in Waterfen zu bewerben. Schmuck, den er mir geschenkt hat, die Karaffe mit den Gläsern von vorletztem Weihnachten. Ein bittersüßes Potpourri unserer gemeinsamen Zeit, so kurz sie war. Einer nur halb erzählten Geschichte.

76

Joel – elf Monate danach

»Du bist ein Naturtalent.«
»Findest du?«
»Sieh doch nur, wie er dich anhimmelt«, sagt Tamsin. »Willst du wirklich nicht bei uns einziehen, uns sechs Monate lang schlafen lassen? Wir zahlen auch dafür.«
Ich lächle und lasse Harry auf meinem Knie hopsen. Wie durch ein Wunder hat er aufgehört zu brüllen, obwohl wir uns bestimmt noch nicht entspannen dürfen. Er himmelt mich nicht wirklich an. Ich würde sagen, er mustert prüfend mein Gesicht, während er sich seinen nächsten Zug überlegt. Meistertaktiker sind das, Babys.
»Ich bräuchte übrigens tatsächlich deine Hilfe, Joel. Hat nichts mit Kindern zu tun.«
»Leg los.«
»Wegen neulich. Als du anriefst und meintest, ich soll nicht in die U-Bahn einsteigen.«
Ich sah die U-Bahn-Station in einem Traum, nur wenige Stunden vorher. Eine Massenpanik, Geschrei, Chaos. Die Haltestelle konnte ich nicht erkennen, aber ich wusste, dass Tamsin an dem Tag mit Amber und Harry eine alte Uni-Freundin in London besuchen wollte. (Zu dem Zeitpunkt

hatte ich keine Ahnung, warum die Massenpanik anfing oder warum. Hatte nichts Konkretes, was ich den Londoner Verkehrsbetrieben hätte mitteilen können.)

»Ach das.« Wieder lasse ich das Knie federn, spreche direkt mit Harry. Ziehe ein paar erstaunte Grimassen, wie man es tut, wenn man Zeit schindet.

»Genau, das. Weißt du, ich bin ein bisschen verwirrt.«
»Worüber?«
»Woher du das wissen konntest. Du hast mich Stunden vorher angerufen.« Über den Vorfall wurde ausgiebig in den Nachrichten berichtet, den Großteil des Tages gab es kein anderes Thema in den sozialen Medien.

Ein beklommenes Kribbeln in meiner Brust. »Hab ich dir doch erzählt. Es war nur so ein Gefühl.«

»Komm schon, Joel.«

Ich erinnere mich an das, was Callie an Weihnachten vor fast zwei Jahren zu mir sagte. Dass meine Visionen eine Gabe seien. Und an ihre Worte, als sie das Restaurant verließ.

Du musst daran glauben, dass du von anderen geliebt wirst, Joel.

Ich sehe meine Schwester von der Seite an. Sie wirkt heute ziemlich sachlich (Haare zurückgebunden, khakifarbenes Kleid, lässige Stiefel), aber alte Gewohnheiten sind schwer abzulegen. Jahrelanges Verschweigen, Verheimlichen.

»Ich sag dir jetzt mal was«, erklärt sie.

Ich schlucke unbehaglich. *Ist das nicht mein Text?* »Okay.«

»Weißt du noch letztes Jahr, als ich hier war und dir erzählt habe, dass ich schwanger bin? Bevor ich ging, war ich noch auf dem Klo.«

Wieder an Harry gewandt ziehe ich die Augenbrauen hoch. Sage nichts.

»Und als ich rauskam, standet ihr im Flur, und ich hörte Callie sagen: ›Ein Brüderchen für Amber. Und Harry ist einfach perfekt.‹«

Ich sehe den blauäugigen Übeltäter vor mir an. *Komm schon, Harry. Jetzt ist dein großer Moment. Schrei, mach dir in die Windel. Kotz drauflos, wenn es sein muss. Egal was.*

»Jedenfalls war ich verwirrt. Ich wusste schon immer, dass ich einen Sohn gern Harry nennen würde, aber dir habe ich das nie erzählt.« Sie lässt den Blick über mich wandern. »Deshalb habe ich mir Gedanken gemacht, wie alles zusammenpasst. Deine angebliche Paranoia, deine Ängste. Dass du Harrys Namen und Geschlecht vor mir wusstest. Die U-Bahn. Deine Sprunghaftigkeit, dein Verhalten nach Mums Tod.«

»Okay.« Ich reibe über Harrys speckige Ärmchen. Jetzt sieht er fast aus, als lächelte er, der freche kleine Kerl. Er hat eindeutig null Absicht, seinem Lieblingsonkel auszuhelfen. »Okay.«

»Ich weiß, ich ärgere dich gern damit, dass du ein bisschen ...«

»Ja, ich weiß.«

»... aber du kannst mir vertrauen, Joel. Du kannst mir alles sagen.«

Ich sehe ihr in die Augen, nur eine Sekunde lang. Vor ein paar Monaten haben Dad und ich Tamsin und Doug von Warren erzählt. Es schnitt mir wie eine Rasierklinge durch die Seele, meine Schwester so weinen zu sehen wie an diesem Tag. Die letzte Zeit war eine der schwersten und seltsamsten meines Lebens, voller Streit, Vorwürfe, Fragen. Und jetzt stehe ich kurz davor, ihre Liebe erneut auf den Prüfstand zu stellen.

Doch letztendlich weiß ich, dass Tamsins Welt eine des Optimismus ist. Der geraden, sonnenbeschienenen Wege und weiten, sanften Kurven. Sie weigert sich, an Abgründe und Sackgassen zu glauben, an dunkle Ecken. Sie glaubt, alles ist überwindbar, und für sie war es bisher so. Falls ich dafür jemals einen Beweis brauchte, wurde er geliefert, als sie erfuhr, dass wir nur Halbgeschwister sind. Denn sie akzeptierte die ganze Sache vollständig und großzügig, ließ nicht zu, dass sich zwischen uns irgendetwas änderte.

Also hole ich tief Luft und springe. Halte meinen Neffen ganz fest. Rede. »Ich sehe, was passieren wird, Tam. Mit den Menschen, die ich liebe. In meinen Träumen. Ich sehe die Zukunft Stunden, Tage, Wochen im Voraus.«

Harry gurgelt skeptisch, wogegen nichts einzuwenden ist. Aber Tamsin sitzt ganz still da. Sie legt sich eine Hand auf den Mund, die Augen glänzend vor Tränen.

»Bitte glaub mir«, flüstere ich. Bis gerade war mir nicht klar, wie wichtig für mich ist, dass sie mir glaubt.

»Ich wusste es«, sagt sie da langsam. »Die ganze Zeit ... ich meine, ich *wusste* es, Joel.«

»Woher?« Meine Stimme streift kaum die Luft.

Sie öffnet den Mund, zuckt wild mit den Achseln, als hätte ich sie aufgefordert zu erklären, warum wir Sauerstoff brauchen. »Du bist nie überrascht. Von irgendwas. Immer hast du eine dezente Warnung hier auf Lager, einen beiläufigen Vorschlag da. Du scheinst immer mehr zu wissen, wenn wir gestritten haben oder was passiert ist. Und letzte Woche, als Dad ...«

»Ja«, sage ich leise. Da ich von seiner besonders heftigen Magen-Darm-Grippe geträumt hatte (ich Glückspilz), fragte ich ihn am Sonntag, ohne nachzudenken, wie es ihm gehe. Vergaß dabei, dass er uns ja gar nichts davon erzählt hatte. Ich tat es hastig ab, indem ich behauptete, er habe es doch gesagt. Aber ich spürte, dass Tamsin mich beobachtete.

»Es hat sich einfach im Laufe der Jahre summiert, und dann noch Harry und die U-Bahn.«

Harry spreizt die Fingerchen und streckt sie nach meiner Nase aus. Ich senke den Kopf, lasse mich berühren.

»Ist es was Medizinisches?«

»Erblich«, sage ich. »Ich hab es von Warren.«

Tamsin flucht halblaut. »Warum zum Henker hast du mir nichts gesagt, Joel? Ich bin's doch, du meine Güte. Du hättest mir vertrauen können.« Ich habe das dumpfe Gefühl, wenn ich nicht gerade ihren Sohn auf dem Arm hielte, würde sie mir vielleicht etwas an den Kopf schmeißen.

»Das ist ja nicht gerade eine stinknormale Info, Tamsin. Und ich wollte mein Verhältnis zu dir nicht kaputtmachen. Das hätte ich nicht ausgehalten, besonders nach Mum. Du und ich, wir standen uns immer so nah.«

»Genau deswegen hättest du es mir erzählen müssen.« Tamsin wühlt in ihrer Handtasche, holt ein Päckchen Taschentücher heraus. »Ist das der Grund, warum Callie gegangen ist?«

Harry imitiert sehr treffsicher einen Regenwurm, der sich an die Oberfläche windet. »Mehr oder weniger«, räume ich ein, denn ich kann ihr natürlich nicht alles sagen. »Aber es war nicht ihre Schuld.«

Wir unterhalten uns noch bis in den Abend hinein, bis Harry unmissverständlich deutlich macht, dass es ihm wirklich lieber wäre, wenn wir mal langsam zum Ende kommen.

Beim Gehen umarmt Tamsin mich sehr fest, beteuert mir, dass sie für mich da sei. Versichert, dass sie mich immer lieben werde. Sie sagt auch, sie sei sicher, ich könne die Sache mit Callie wieder kitten.

Das ist der einzige Moment in fast drei Stunden, in dem ich fast die Fassung verliere.

Aber ich beherrsche mich. Ich warte, bis sie weg ist, bevor ich mir zusammenzubrechen gestatte.

Es ist jetzt fast ein Jahr her. Ich wusste, dass dieser Abend im Restaurant unsere letzte Begegnung sein musste. Aber irgendwie kann ich nicht fassen, dass es wirklich so kam. Dass ich mich jetzt nicht im Bett umdrehen und ihren Arm anfassen kann. Sie auf dem Sofa küssen, wenn sie etwas Schönes sagt. Ein Triumphgefühl im Bauch spüren, wenn sie sich vor Lachen über einen Witz von mir krümmt.

Ich mache immer noch einen weiten Bogen um all unsere Lieblingsorte. Ich darf nicht riskieren, ihr zu begegnen, meine Entschlossenheit ins Wanken zu bringen. Warren meinte, wenn ich mich nach einer Möglichkeit sehne, ihr nah zu sein, soll ich doch in diese Wellness-Einrichtung fahren, für die sie mir vor zwei Jahren den Gutschein geschenkt hat. Der ist natürlich mittlerweile abgelaufen. Aber vielleicht hat er Recht. Es könnte ein Trost sein, dort zu sein. Eine stille Verbindung zu ihr, wie Hände, die sich in der Dunkelheit finden.

Noch bin ich allerdings nicht bereit. Eines Tages vielleicht. Aber jetzt noch nicht.

Trotzdem, Wellness kann unterschiedliche Formen annehmen. Vor ein paar Monaten hat Steve mich gefragt, ob ich nicht bei ihm trainieren will. Er schlug vor, mit einem seiner abstoßenden Bootcamps am Fluss anzufangen (unter Verwendung aufschlussreicher Schlagwörter wie *für jedes*

Fitness-Level und *in deinem eigenen Tempo* und *alles ist okay*). Nach einiger Drängelei willigte ich ein. Weil ich mich irgendwie von ihr ablenken muss.

Die Box-Übungen haben mir am meisten gebracht. Meine Wut rauszuschlagen, meinen Frust über meine Fäuste abzulassen. Während ich boxte, dachte ich daran, was für eine furchtbare Vergeudung das Ganze war. *Warum, warum, warum, warum, warum?* Und hinterher musste ich in die Hocke gehen, damit derjenige, der die Pratzen hielt, nicht sah, dass ich den Tränen nah war.

Da Steve meine leicht dysfunktionale Vorliebe für den Einsatz meiner Fäuste bemerkte, lud er mich ins eigentliche Fitnessstudio ein. Also gehe ich jetzt drei Mal die Woche zur Einzelstunde mit meinem alten Freund, boxe mir alles aus dem Leib. Steve steht nur da, die Pratzen erhoben, unerschütterlich.

Es hilft, ein bisschen. Nicht nur, ein Ventil für meinen Schmerz zu haben, sondern auch zu spüren, dass ich nicht allein bin.

77

Callie – elf Monate danach

Am späten Nachmittag meines ersten ganzen Tages im Lauca-Nationalpark kauere ich unauffällig auf dem Boden, meinen Führer Ricardo neben mir. Ich bin ihm gestern Abend in meinem Hostel begegnet, als er, Fernglas um den Hals, ein paar anderen Reisenden erklärte, was an dem Park so besonders ist. Zu meiner Bestürzung bekamen sie schnell glasige Augen, aber ich war fasziniert.

Also fing ich ihn ab, als er gehen wollte, und fragte ihn nach dem Vogel, den ich so unbedingt finden möchte. Ich könne ihn für den nächsten Tag als Führer engagieren, sagte er sofort lebhaft. Ich müsse mich vielleicht mit einigen anderen Touristen arrangieren, aber ja, er könne mir diesen Vogel zeigen und was immer sonst noch unterwegs mein Interesse wecke. Er klatschte mich ab, als er ging, was mich auf jeden Fall überzeugt hätte, wenn ich es bis dahin noch nicht gewesen wäre.

Die Temperatur sinkt jetzt, und selbst mit Jacke und Mütze zittere ich schon fast. Wobei das auch an der Aufregung liegen könnte, der Vorfreude.

Wir blicken auf die unendliche felsige Mondlandschaft des Altiplano, über verstreute Vegetationshügel und einen imposanten Horizont, und die Luft bekommt einen erdigen Geruch, als es abkühlt.

»Da.« Ricardo senkt sein Fernglas, damit er mit dem Zeigefinger deuten kann. »Siehst du?«

Ein Windstoß bringt meine Hand zum Wackeln, als ich das Fernglas ansetze, das er mir geliehen hat, den Blick auf den auf einem Erdklumpen im Moor hockenden Diademregenpfeifer richte.

Endlich tritt er aus meiner Fantasie heraus. Ich würde ihn überall erkennen, diesen weißen Bauch mit den zarten schwarzen Streifen. Die bräunlichen Flügel und den schwarzen Kopf mit der roten Stelle im Nacken wie ein Rostfleck.

Nach all den Jahren.

Mein Herz hüpft wie ein Flummi. Ich bin wie gebannt, bekomme vor Freude kaum Luft, habe Tränen in den Augen. Etwas vor sich zu sehen, was so selten, so kostbar ist, eine so außergewöhnliche Erfahrung zu machen, ist mit nichts zu vergleichen, was ich bisher in der Natur erlebt habe.

»Siehst du ihn, Callie?«, fragt Ricardo erneut.

»Ja«, flüstere ich mit vor Entzücken bebender Stimme. »Ja, ich sehe ihn.«

»Soll ich ein Foto machen?«

Ich muss an Dave denken und grinse. *Wenn du mal ein Foto ergatterst, schick es mir bitte.* »Nein danke.« Ich taste nach meiner Kamera. »Das mach ich selbst.«

Fast zwanzig Minuten sitzen wir zusammen dort, machen Fotos und tauschen Beobachtungen aus, als der Vogel sich zu bewegen beginnt, mit dem Schnabel im Sumpf nach Käfern und Raupen stochert. Ich bin völlig aus dem Häuschen, hingerissen von diesem grandiosen Panorama, den gewaltigen Vulkanen mit ihren schneebedeckten Gipfeln, dem kreideblauen Himmel, an dem Kondore kreisen. Eine Landschaft, die fast kosmisch erscheint, außerirdisch. Ich bin umgeben von der riesigen Weite der Natur, und ich mache zwei oder drei tiefe Atemzüge, versuche, den Moment zu empfangen wie eine Trophäe.

»Alles okay?« Ricardo wirkt besorgt. Er war extrem wachsam wegen der Höhenkrankheit, hat Sauerstoff auf der Ladefläche seines Jeeps dabei.

Ich nicke.

»Kopfweh?«

»Nein, mir geht's gut, ich will mir nur alles einprägen. Damit ich es nicht vergesse.«

»Das wirst du nicht.« Ricardo lächelt mit einem Achselzucken, das sagt: *Denn das ist ausgeschlossen.*

Natürlich hat er Recht. Es ist, als hätte die heiße schwarze Straße, über die wir kamen, zu einem anderen Planeten geführt, einem, der weit jenseits der Schwerkraft von Joel und mir und allem, was wir verloren haben, existiert. Hier zu sein heißt, meinen Schmerz zu vergessen, mir einen Traum zu erfüllen.

Liam würde sie lieben, denke ich, diese Gegend am Ende der Welt mit ihrem schrillen Chor von Winden.

»Sollen wir die anderen holen?«, sagt Ricardo schließlich und deutet zurück zum Jeep. Er meint die anderen drei Gäste aus meinem Hostel, die an den Thermalquellen am Weg interessiert sind, aber nicht an meinem kleinen Vogel.

Ich möchte nicht gehen, ich könnte die ganze Nacht hierbleiben, mich unter den Sternenschwaden einkuscheln, aber die Thermalquellen schließen bald.

»Danke, dass du mir das gezeigt hast. Das wollte ich seit so vielen Jahren sehen.«

»Wenn wir uns beeilen«, sagt er, »erwischen wir vielleicht noch ein paar Flamingos.«

Meine Jeepfahrten mit Ricardo in den nächsten Tagen bringen wunderbare Begegnungen mit Vikunjas und Lamas, Alpakas und Hirschen, unzähligen Vögeln. Gemeinsam erforschen wir, picknicken am Fuße von Vulkanen, bestaunen Salzseen. Mir werden gähnende Schluchten und leuchtende Flüsse präsentiert, malerische Plateaus, und ich sauge jedes Fitzelchen von Ricardos Sachkenntnis auf. Ich werde ihm ewig dankbar sein für die unglaublichen Dinge, die er mir gezeigt hat.

Mein erstes Mal außerhalb Europas, und meine Augen sind jetzt weit geöffnet für die Welt.

»Und, wo fährst du als Nächstes hin?«

Es ist mein letzter Abend hier, bevor ich für drei Tage nach Arica im Westen fahre, dann weiter Richtung Süden in die Atacama-Wüste, über weitere Nationalparks. Danach geht es vor dem Heimflug noch für drei Nächte nach Santiago, dem Abschluss meiner dreiwöchigen Reise. Ich sitze in einer Bar in Putre mit Aaron, einem anderen Gast aus dem Hostel, der mich auf einen Wein eingeladen hat. Ich habe Ja gesagt, weil wir uns schon öfter über den Weg gelaufen sind und er ganz nett wirkt. Außerdem hatte ich Lust auf Gesellschaft.

In den letzten Tagen haben wir uns ein paar Mal unterhalten. Aaron stammt aus Kapstadt und arbeitet in Rio, reist aber gerade allein ein paar Wochen herum. Er ist charismatisch und intelligent, er scheint an mir interessiert und bringt mich herzhaft zum Lachen, aber … er ist einfach ein bisschen zu perfekt. Groß und sportlich, energiegeladen und charmant, schöne Wangenknochen und immer ein Zwinkern, makellos auf die Art, wie Piers mir erschien, als ich ihn kennenlernte. Mir ist es lieber, die Haken an einem Menschen zu sehen, glaube ich. Dann ist es nicht so ein Schock, wenn sich der Glanz der ersten Tage allmählich trübt.

Ich beschreibe meine Route und frage Aaron dann, was er vorhat. Er ist in die entgegengesetzte Richtung unterwegs, nach Bolivien. Er sagt, ich könne mitkommen, wenn ich wolle. Und vielleicht, wenn es anders wäre – wenn die Trennung von Joel mir nicht immer noch so zusetzen würde –, würde ich es sogar in Betracht ziehen, mal etwas Verrücktes machen.

Aber ich weiß, über Joel hinwegzukommen, indem ich ihn durch einen anderen ersetze, wird nicht funktionieren. Also gebe ich Aaron einen Kuss auf die Wange, bedanke mich für den hervorragenden Wein und wünsche ihm eine gute Reise.

Auf dem Weg nach Heathrow vor einer Woche stürmte ein Tsunami von Erinnerungen auf mich ein. Am liebsten wäre ich aus dem Zug gesprungen und nach Hause gefahren, um Joel zu sagen, wie sehr ich ihn immer noch liebe. Selbst am Flughafen sah ich mir ständig über die Schulter, ob er sich vielleicht durch die Menge drängte, um zu mir zu gelangen, wie man es aus Filmen kennt.

Und als ich in der Maschine saß, fragte ich mich fast den gesamten Flug nach Chile, was ich getan hätte, wenn er wirklich aufgetaucht wäre. Hätte ich mich dem Wahnsinn der Versuchung ergeben, ihn an Ort und Stelle in der Abflughalle geküsst?

Aber schließlich begriff ich, dass es darum gar nicht ging. Joel wäre niemals zum Flughafen gekommen, weil er ja möchte, dass wir getrennte Wege gehen. Wieder erinnerte ich mich an jenen letzten Abend im Restaurant, als er meine Hand ergriff und mich bekniete, mir eine bessere Zukunft zu schaffen. *Ich glaube, für dich kommt das Beste noch.* Und wenn ich mir auch noch nicht vorstellen kann, wann es mir jemals erträglich erscheinen wird, ohne ihn zu sein, wollte er ja nur, dass ich glücklich bin, das weiß ich. Also schloss ich, noch vor der Landung, einen Pakt mit mir selbst: dass ich in Chile versuchen würde, erste vorsichtige Schritte nach vorn zu gehen. In den nächsten Wochen sollte es um *mein* Leben gehen und darum, wie es aussehen könnte, denn bis dahin hatte ich ehrlich keine Ahnung.

Der Löffel aus dem Restaurant lag ganz unten in meinem Rucksack. Ich habe ihn als Erinnerung dabei. Daran, dass das Leben (wenn ich es doch schon glauben könnte) dazu da ist, genossen und ausgeschöpft zu werden. Probiert und gekostet, so viele Geschmacksrichtungen wie möglich.

Als ich zurück im Hostel bin, maile ich mein Vogelfoto an Liam, Fiona und Dave:

Hab heute ein Einhorn gesehen!

Dann setze ich mich aufs Bett und hole einen Stift und eine Postkarte aus meiner Tasche.

Meine Hand zittert leicht, als ich das erste Wort schreibe. *Joel.*

Trotz meiner festen Entschlossenheit, mit der Vergangenheit abzuschließen, spürte ich heute einen starken Drang, ihm zu berichten, wie es mir geht. Er überfiel mich, als ich genüsslich in einem Thermalbecken planschte. Ich hatte beide Augen auf die am Himmel kreisenden Greifvögel gerichtet, als sich ohne Vorwarnung eine Filmrolle von Flashbacks in meinem Geiste abzuspulen begann. Der See auf Hugos Hochzeit. Joel, der mich am Morgen danach mit dem Wildschwimmen aufzog. Was wir auf dem Rückweg noch heimlich machten.

Denn wir fanden tatsächlich noch einen Acker, um uns zu amüsieren. Wir hielten in einer Parkbucht, rannten Hand in Hand an einem reifen Weizenfeld entlang und ließen uns dann zwischen die ausgedörrten Stängel fallen, das Getreide wie heiße Taue auf unserer Haut. Hinterher lagen wir auf dem Rücken und sahen in den Himmel, wo Greifvögel über uns segelten.

Und das brachte mich zum Nachdenken. Dass alles, was wir zusammen gemacht haben, wie ein bittersüßer Prolog zu all dem war, was ich jetzt mache. Es kommt mir irgendwie falsch vor, ihn daran nicht teilhaben zu lassen. Also tue ich das. Ich halte den Stift fest und schreibe Joel eine Postkarte.

Obwohl ich sie wahrscheinlich nie abschicken werde, ist sie wie eine Kusshand über die Ozeane, von meinem Herz an seins.

78

Joel – achtzehn Monate danach

Morgensession. Mittlerweile kann ich ganz gut surfen, seit ich regelmäßig nach Cornwall fahre und Warren mich ins Weißwasser geschubst und mir aufgetragen hat, zu paddeln und möglichst niemanden umzubringen.

Ich sehe zu ihm hinüber. Halte die Daumen hoch, ein salziges Grinsen. Es ist erst Mai, das Meer konnte sich also noch nicht aufwärmen. Selbst durch fünf Millimeter Neopren raubt mir das Wasser den Atem.

Aber die Wellen sind großartig, und der Sommeransturm von Touristen hat noch nicht angefangen.

Ich setze mich auf meinem Brett auf, beobachte das Set. Suche mir meine Welle aus, paddle, stehe auf, steuere nach links. Schemenhaft nehme ich Warren rechts von mir wahr, und ein paar triumphierende Momente lang brauche ich nicht mehr zu denken. Das Wasser donnert um mich herum, ohrenbetäubend wie der Überflug eines Jets.

Ich blende alles andere aus. Die Vergangenheit, die Zukunft und alles dazwischen.

Später gehen wir in den Pub. Ich verliere mich in der Menge, komme mit einer Frau ins Gespräch. Lande bei ihr, in einer nichtssagenden Doppelhaushälfte meilenweit von Newquay entfernt. Ich habe keine Ahnung, ob sie hier wohnt oder auf der Durchreise ist wie ich, aber der Sex ist gut. Nicht zu vergleichen mit der Magie, die ich bei Callie spürte, aber gut genug. Genau wie die Wellen hilft er mir zu vergessen.

Am nächsten Morgen finde ich sie im Wohnzimmer. Sie ist zierlich und dunkelhaarig, trinkt im Morgenmantel ihren Kaffee. Sie wohnt hier, wird mir klar. Überall stehen gerahmte Fotos, frische Blumen auf dem Tisch, Schuhpaare im Windfang.

Peinliche Stille. Ich habe so etwas schon so lange nicht mehr gemacht.

Dann lächelt sie schüchtern. »Kaffee?«

»Eigentlich sollte ich besser mal ...« Ich zeige mir unbeholfen mit dem Daumen über die Schulter wie ein Tramper.

In ihrer Miene macht sich etwas breit, das Erleichterung sein könnte. »Ja, wollte ich noch sagen. Ich bin nicht so richtig auf der Suche ...«

»Ich auch nicht«, sage ich schnell. »Sorry.«

»Nein! Nicht doch. Ich bin gerade dabei, über jemanden wegzukommen, deshalb ...«

»Ach, gut.« Mein Verstand ruckelt kurz und stirbt dann ab. »Ich meine, nicht *gut* natürlich.«

Sie lacht nervös. Ich sehe sie tatsächlich die Zehen krümmen. (Ist das echt die Wirkung, die ich inzwischen auf Frauen habe?) »Ist schon okay. Ich weiß, was du meinst.«

Ich werfe einen Blick auf die Fotos auf dem Kamin. Früher hatte sie lange Haare. Die kurze Frisur muss ganz neu sein. »Ist das deiner?«

»Mein kleiner Sohn. Ja. Er ist jetzt fünf.« Sie umfasst ihren Kaffeebecher noch enger. Trinkt einen langen Schluck, als wollte sie Zeit schinden. »Es geht gerade ein bisschen hin und her mit seinem Vater.«

»Oh. Ich hoffe, ich habe nichts …«

»Nein, gar nicht. Also, streng genommen sind wir getrennt, aber ich komme irgendwie noch nicht so richtig damit klar, verstehst du?«

Mein Brustkorb zieht sich zusammen. »Offen gestanden, ja.«

»Hast du Kinder, John?«

Fast hätte ich gelacht und sie korrigiert, lasse es dann aber. »Nein.«

Ein Schweigen folgt. Durch die Wand zur anderen Haushälfte dringt das Weinen eines Babys. Die gedämpften Geräusche eines Streits.

»Entschuldige«, sagt sie nach einer Weile. »Das war alles ein bisschen unsensibel von mir. Letzte Nacht hat Spaß gemacht.«

Ich betrachte sie, frage mich kurz, ob es ab jetzt immer so sein wird. Eine Abfolge von Halb-Verbindungen, Nächte ohne echte Emotion. Nie mit dem Gefühl, das ich bei Callie hatte.

»Kein Problem.« Ich greife nach meiner Jacke, die noch vom Vorabend auf dem Sessel liegt. »Ich glaube, wir sind da auf der gleichen Wellenlänge.«

Sie beugt sich vor. »Du bist so ein netter Mann. Ehrlich, es gibt nicht genug wie dich.«

Ich ziehe meine Jacke an und lächle wieder. Tja, die Empfindung ist wenigstens da.

»Ich will nichts hören«, sage ich zu Warren, als ich endlich zurück bin. (Langer Marsch, Bus, Taxi.)

Er grinst. »Hätte nicht gedacht, dass du auf dem Markt bist.«

»Bin ich nicht. Was für ein Markt? Bin ich nicht.«

Warren hält die Hände hoch, als hätte ich eine Waffe gezückt. »Ich sage ja schon gar nichts mehr. Übrigens, bleibt es bei nächster Woche?«

Am nächsten Samstag kommt Warren mit mir nach Eversford zu der Grillparty, die Dad sich endlich zu geben bereit erklärt hat. Zum ersten Mal werden wir uns alle an einem Ort versammeln und einander kennenlernen. Die ganze Familie.

»Ich hab Dad noch mal daran erinnert, bevor ich gefahren bin.«

Ich sage Warren nicht, dass meine Hauptsorge eigentlich Doug ist in Anbetracht seiner generellen Tendenz, sich wie ein Arsch zu benehmen.

Ermuntert von Tamsin und Warren war ich vor einem halben Jahr endlich bei einem Arzt. Mir war klar geworden, dass ich niemals ein Projekt sein wollte, deshalb hatte ich Dianas Hilfsangebot ein für alle Mal abgelehnt. Aber ich hatte eine sachte Steigerung meines Wohlbefindens allein durch das Boxen mit Steve festgestellt. Und es gab Menschen, denen ich es erzählt hatte und die mich jetzt unterstützten. Der Zeitpunkt schien mir richtig.

Dieser Arzt war viel verständnisvoller als mein damaliger an der Uni und hörte vernünftig zu. Überwies mich sofort an einen Therapeuten. Und nach und nach, mit zwei Sitzungen pro Woche, arbeite ich mich durch das Chaos in meinem Kopf. Lasse allmählich den Gedanken an eine Zukunft zu.

Es ist anstrengender, als selbst ich für möglich gehalten hätte. Aber in gewisser Weise ist das auch nötig, damit ich mich nicht unentwegt mit Callie beschäftige. Ihr Tod hat sich wie ein Insekt in meinem Kopf eingenistet, eine Motte, die sich bei der leisesten Andeutung von Licht regt. Ich darf mir nicht gestatten zu grübeln, was sie gerade macht. Denn sonst zieht mir der Gedanke, sie verloren zu haben, wieder den Boden unter den Füßen weg.

Also konzentriere ich mich auf Sport, meine psychische Verfassung und einen Regenbogen positiver Begleiterscheinungen. Zum Beispiel das Verhältnis zu meinem Vater und zu Doug zu verbessern. Ein guter Onkel zu sein. Möglicherweise wieder als Tierarzt zu arbeiten. Schritt für Schritt erhöhe ich die Anzahl der Stunden, die ich jede Nacht schlafe, mit dem Endziel, keine Angst mehr davor zu haben. Ich lerne kochen, schränke das Koffein ein.

Callie würde sich für mich freuen, glaube ich. Und das zeigt die Schrecklichkeit des Ganzen. Ja, ich kann ein Leben führen, auf das Callie stolz wäre. Aber es wird mir immer das Herz brechen, dass die Kluft, die mein Traum zwischen uns aufriss, zu breit war, um sie zu überwinden.

Denn obwohl Callie sich letzten Endes dagegen entschied, sich zu retten, hätte ich niemals aufhören können, es zu probieren.

Ich vermisse sie immer noch. All die kleinen Dinge. Auf ihr Grinsen zu warten, wenn ich einen Scherz machte. Wie sie immer das Gesicht in Murphys Fell drückte, wenn sie von der Arbeit nach Hause kam. Wie ihr Kopf wackelte und zuckte, wenn sie vor dem Fernseher einschlief. Diesen ersten himmelhohen Moment, sie zu küssen. Aufzuwachen, wenn sie unter der Dusche sang.

Das letzte Lied, das sie zermetzelt hat, war »I Will Always Love You«, an unserem letzten gemeinsamen Morgen. Zwei Tage später, nach Esthers Nachricht, dass Callie nicht nach Hause komme, ging ich ins Bad und stand einfach nur da. Versuchte, mir den Klang ihrer Stimme ins Gedächtnis zu rufen. Ihr Handtuch war vom Halter gerutscht und lag zerknüllt auf den Fliesen. Eine Flasche ihres Kokosshampoos hing noch schräg auf dem Regal hinter meinem Duschgel, der Deckel aufgeklappt.

Ich hielt es mir kurz unter die Nase. Nahm einen berauschenden Atemzug und drückte den Deckel zu.

Das machte ich noch monatelang so. Roch jeden Morgen daran, damit ich den Tag nur in Gedanken an sie beginnen konnte.

79

Callie – achtzehn Monate danach

Ich sehe ihn jeden Morgen auf dem Holzsteg am Meer. Wir wohnen in der gleichen Anlage, in rustikalen Hütten an der Nordwestspitze Lettlands, wo der Pinienwald endet und die Ostsee beginnt. Die Pension ist nicht groß, wir sind nur ungefähr zwölf Gäste. Dass er Brite ist, merkte ich, als ich ihn eines frühen Morgens auf dem Rückweg von einem Strandspaziergang mit jemandem plaudern hörte.

Es gibt hier viele Leute, die Vögel beobachten. Ich gehöre nicht im engeren Sinne dazu, aber Zugvögel landen oft an den entlegensten Flecken der Welt zwischen. Ich kann nachvollziehen, warum Liam so gern hier ist – es ist faszinierend in seiner Verlassenheit, ein Ort von traumhafter Abgeschiedenheit, geprägt von weitläufigen Dünen und ausgedehnten Wäldern, wo das Meer in den Himmel übergeht.

Seit zwei Wochen bin ich unterwegs, meine erste Reise seit Chile im vergangenen Herbst. Ich wollte mich wieder mit Einsamkeit umgeben, den langen Stränden, die ich aus meinen Büchern kenne, den Pinienwäldern, die ich mir in Tagträumen vorstellte. Ricardo, mein Reiseführer aus Chile, empfahl mir vor meiner Abreise aus Südamerika ebenfalls noch einen ganzen Atlas voller Ziele, aber das wird warten müssen, bis mein Konto wieder gefüllt ist. Esther und Gavins erstes Baby kommt in wenigen Monaten, und sie haben mich gebeten, Patentante zu werden, also quetsche ich jetzt noch einen Urlaub ein, denn wenn das Kind auf der Welt ist, werde ich keine Sekunde verpassen wollen.

Wir sind beide Frühaufsteher, Finn und ich. Als er sich gestern dem Mann im Andenkenladen vorstellte, stand ich hinter ihm in der Schlange und merkte mir seinen Namen. Er wohnt zwei Hütten weiter und versucht jedes Mal, wenn wir uns begegnen, mich auf Lettisch zu grüßen, wobei der entstehende Lautsalat ungefähr so lustig ist wie bei mir immer. Er ist allein hier, zumindest habe ich ihn noch nicht mit jemand anderem gesehen.

An meinem vorletzten Abend sitze ich mit einem Bier und etwas Brot und Käse auf der Holzbank und genieße den Blick. Über den Himmel segeln Zuckerwattewolken, die Sonne ist wie eine Orange, die ins Meer gepresst wird.

Ich habe gerade eine weitere Postkarte an Joel geschrieben. Es liegen jetzt mehrere in einem Umschlag bei Esther, eine Zeitkapsel all meiner Gedanken, meiner Abenteuer. Ich habe sie ihr zur Aufbewahrung gegeben, falls mir etwas zustößt. Denn dann muss ich sicher sein, dass Joel einen Weg zurück in mein Herz hat.

Als die Postkarte geschrieben ist, knipse ich den Sonnenuntergang mit dem Handy und schicke ihn an Liam. *Schade, dass du nicht hier bist!* Absichtlich füge ich noch ein Emoji hinzu, weil er sich immer so über sie ärgert.

Dann Flipflops auf dem Holzweg.

Ich drehe mich um und sehe Finn zu seiner Hütte laufen. Er hebt die Hand zum Gruß.

Ich lächle und stelle mein Bier ab. »Hi.«

Zaghaft erwidert er mein Lächeln. »Bist du Engländerin?«
»Ja.«
»Ah. Dann entschuldige mein mieses Lettisch.«
Ich muss lachen. »Meins ist auch nicht besser.«
Er atmet aus und sieht in den Himmel. »Schöner Abend.«
»Wunderschön.«

Ich rechne schon damit, dass er weitergeht, aber er rührt sich nicht. »Bleibst du noch länger?«

»Ich fahre übermorgen.« Ich zögere. »Hast du Lust auf ein Bier?«

Das Lächeln erreicht seine Augen, und er kommt zu mir. »Sehr gern. Wenn ich dich nicht störe?«

»Überhaupt nicht. Außer, du hattest was anderes vor?«

»Nein, mehr oder weniger genau das, was du machst.« Er lacht. »Ich steh total auf Sonnenuntergänge.«

Ich öffne ein Bier und strecke es ihm entgegen.

Er bedankt sich und setzt sich. Er ist über eins achtzig, blond und hat ein offenes Gesicht und blaue Augen, die einen festhalten. Er sieht entspannt und nach Strand aus in kurzer Hose, Flipflops und Baseballkappe.

Ich senke den Blick auf meine Flasche und spüre ein erwartungsvolles Kribbeln tief in der Magengrube.

»Also ...«
»Callie.«
»Callie. Ich heiße Finn.« Wir schütteln uns die Hände, meine wirkt in seiner winzig. »Bist du wegen der Vögel hier oder wegen der Einsamkeit?«

»Beides. Eigentlich bin ich keine Vogelbeobachterin. Eher eine Vogel-Schätzerin.«

Er lacht. »Schön formuliert. Dann machst du hier Urlaub?«
»Genau. Und du?«

»Auch.« Mit funkelnden Augen nickt er. »Echt witziges T-Shirt übrigens.«

Das Traktor-Shirt, das Joel mir vor mittlerweile fast drei Jahren zu Weihnachten geschenkt hat. Endlich kann ich es wieder tragen, mich mit einem Lächeln an sein Lächeln erinnern. Ich fühle mich inzwischen irgendwie mutiger, wenn ich an ihn denke.

Er kreist mir immer noch viel im Kopf herum; was er jetzt macht, mit wem er sich trifft, wovon er träumt. Bis hin zu, ob er einen Job hat oder eine Freundin oder eine andere Sicht aufs Leben seit unserer Trennung. Aber langsam, schrittweise wetzen sich die scharfen Kanten meiner Erinnerungen ab. Sie verletzen mich weniger, fühlen sich mehr wie Kratzer an als Stiche.

»Danke«, sage ich jetzt zu Finn. Und dann, damit ich nicht erklären muss: »Wie lange bist du schon hier?«

»Eine knappe Woche. Und du?«

»Hier erst seit drei Tagen. Ich bin über Estland und Litauen angereist.«

Finn wirkt beeindruckt. »Das steht bei mir auch beides auf der Wunschliste.«

Erfreut erzähle ich ihm mehr. Dass ich Störche gesichtet habe und Adler, mich einmal in Estland in einem Sumpf verirrt habe, als die Dämmerung einbrach.

Finn beugt sich vor, während ich rede, hört aufmerksam zu, Freundlichkeit im Blick. »Gott, ich muss mehr reisen«, sagt er, als ich geendet habe, und nippt an seinem Bier.

»Was hält dich ab?« Die Frage, die mir schon mein ganzes Leben gestellt wird. Es ist ein komisches Gefühl, ausnahmsweise mal diejenige zu sein, die sie stellt.

Er zieht eine Grimasse. »Geld. Jahresurlaub. Mangelnde

Organisation. Ach. Ich hasse das richtige Leben.« Er trinkt einen Schluck. »Du klingst ziemlich straight, Callie. Ich bin neidisch. Was ist dein Geheimnis?«

»Ehrlich gesagt ist mir das alles noch neu. Du kennst das bestimmt – in der Jugend zu viel Angst, sich auszutoben, und dann Panik kriegen, wenn man auf die vierzig zustolpert.«

Finns Grinsen vertieft sich. »Oje. Da genießt du einen friedlichen Sonnenuntergang, und dann komme ich daher und drücke dir eine Existenzkrise aufs Auge. Okay. Noch mal zurück: Erzähl mir von dir und lass mich mindestens eine halbe Stunde lang nicht zu Wort kommen.«

»Halbe Stunde?«

»Ich stoppe dich.« Er sieht auf die Uhr. »Fang damit an, dass du mir erklärst, warum dein anderer Wagen ein Traktor ist.«

»Ist meine Zeit schon rum?«

»Keine Ahnung.« Finns Augen leuchten wie Schiffslichter weit draußen auf dem Meer. Er hat die Ellbogen auf die Oberschenkel gestützt. Er hat über all meine Witze gelacht, sich in meine Geschichten vertieft, nachgehakt. Er ist witzig und selbstironisch, extrem gut aussehend mit einem gewinnenden Lachen.

Er erkundigt sich nach meinem Job, stellt kluge Fragen über das Baumfällen, Bruchwälder und Habitatmanagement. Während unserer Unterhaltung stelle ich fest, dass ich ihn nicht mit Joel vergleiche, wie ich erwartet hätte. Ich vergleiche ihn mit niemandem. Vielleicht bedeutet das, ich gebe ihm eine faire Chance, oder es bedeutet, dass ich Joel immer noch unvergleichlich finde.

»Und was ist mit dir?« Mir ist bewusst, dass ich jetzt schon eine ganze Weile rede. »Was machst du beruflich?«

Er sieht sich auf seinen Schoß, nur einen Moment lang, dann wieder zu mir auf. »Ich bin Ökologe. Deshalb bin ich auch hier, mehr oder weniger. Um den Vogelzug mitzuerleben, meine Bestimmungskenntnisse ein bisschen aufzupolieren.«

Ich starre ihn entgeistert an. »Das ist ... warum sagst du denn nichts?«

»Ich wollte was über dich erfahren.«

So viele Fragen drängen sich auf. »Dann bist du eigentlich ... was für Ökologie?«

»Also, ich arbeite für eine Beraterfirma. Bin viel unterwegs. Gutachten, Analysen, Berichte, den ganzen Kram.«

»Machst du das gern?«

»Oh ja«, sagt er. »Ich liebe es. Dafür wurde ich geboren.«

Das Gefühl kenne ich, denke ich, als wir gemeinsam aufs Meer blicken, jetzt in Dunkelheit gehüllt.

Er erzählt mir, dass er in Brighton geboren und aufgewachsen ist, in einer großen Familie, mit vielen Freunden. Er ist ein Fan von Hunden und romantischen Komödien, liebt gutes Essen. Hoffnungsloser Fall in technischen Dingen, katastrophaler Heimwerker, versucht, sich nicht wegen Kleinigkeiten zu stressen.

»Darf ich dich was fragen?« Er sieht dabei auf den Piniennadelteppich zu unseren Füßen. »Wartet zu Hause jemand auf dich?«

Im Geiste besuche ich Joel. Male ihn mir in seinem Garten aus, die Hände in den Taschen, den Blick in die Sterne gerichtet.

Ich frage mich, nur eine Sekunde lang, ob wir gerade dasselbe Fleckchen Himmel betrachten.

Dann wende ich mich wieder Finn zu. »Nicht mehr.«

Später küssen Finn und ich uns, Lippen erst kalt und dann heiß vor der Ostsee als Hintergrund. Es ist ein Kuss, der sich fremd und vertraut zugleich anfühlt, ein Kuss, der eine lang vergessene Aufregung weckt. Seit Joel gab es niemanden – und ich möchte ihn jetzt vergessen, möchte vergessen, dass seine Berührungen mich wie Stromschläge durchliefen. Denn ich mag Finn und weiß jetzt schon, dass das etwas Gutes sein könnte.

Es wird Zeit, nach vorn zu blicken. Joel sagte, das wünsche er sich für mich, und Finn heute unter den Sternen zu küssen, erscheint mir als ziemlich guter Anfangspunkt.

Und dann, weil ich es möchte, weil es sich richtig anfühlt, nehme ich Finn mit in meine Hütte.

Es gab eine Zeit, als ich mir nicht vorstellen konnte, jemals mit jemand anderem zusammen sein zu wollen als mit Joel. Und das machte mir fast noch mehr Angst, als mit unserer Beziehung abzuschließen. Ich befürchtete, in alle Ewigkeit unbewusst Vergleiche anzustellen und das niemals ablegen zu können – denn wie sollte mich jemand je so küssen wie Joel?

Aber Finn erinnert mich daran, dass es eine Million unterschiedliche Arten von überwältigend gibt. Er ist selbstbewusst, stelle ich schnell fest, als unser Küssen intensiver wird. Er kann das echt gut, er ist kühn und unerschrocken, nachdrücklich, freimütig. Und letzten Endes ist es diese Selbstsicherheit, die uns rettet, denn Finn ist sexy auf eine Art, die ich nicht ignorieren kann, auf eine Art, die jeglichen Gedanken an Joel, den ich hätte haben können, wegfegt. Wir holen nicht ein Mal Luft, und es ist eine sehr aufregende Überraschung, dass Finn etwas in mir wachgerufen hat, was ich schon verloren geglaubt hatte.

Am nächsten Morgen stehen wir in der ersten Dämmerung auf und setzen uns nebeneinander auf die Felsen einer Landzunge. Wir sind die Einzigen hier draußen, beobachten, wie die Luft blassorange zu schimmern beginnt, während die Sonne allmählich aufgeht. Als wären wir Schiffbrüchige auf einer Insel.

Oben am Himmel jagt ein Strom von Zugvögeln über uns weg, eine Woge von schlagenden Flügeln. Finn benennt alle verschiedenen Arten. Ich komme kaum mit, aber nicht nur wegen der Vögel; ich bin wie benommen und insgeheim überglücklich, dass dieser Mann neben mir sitzt, charismatisch und aufmerksam, eine warme Hand um meine gelegt und ein Wolke-sieben-Lächeln auf dem Gesicht. Er hat mich heute Morgen mit Küssen geweckt, Küssen, die innerhalb von Sekunden zu mehr wurden.

Wir verbringen den Morgen am Strand, halten Händchen, als wären wir seit Jahren zusammen. Sehen einander verstohlen von der Seite an, knutschen an Bäumen. Mittags fahren wir in das Café am Ort, wo Finn tapfer versucht, an der Theke Lettisch zu sprechen.

»Was hast du bestellt?«, flüstere ich, als er sich zu mir an den Tisch gesellt, den ich erbeutet habe.

Er lacht. »Ich habe nicht die leiseste Ahnung.«

Das Essen ist trotzdem hervorragend, zwei riesige Salate, Getränke und mit Sahne gefülltes Gebäck. Im Anschluss daran springen wir noch – vielleicht unklug – in einen Fluss in der Nähe. Und als es allmählich dämmert, fahren wir auf der Suche nach Auerhähnen tief in den Pinienwald, die Fenster ganz heruntergekurbelt. Und obwohl wir keine finden und den Wagen beinahe beim Wenden in zwanzig Zügen in den Graben setzen, können wir nicht aufhören zu lachen, und ich kann nicht aufhören zu denken: *In dich könnte ich mich wirklich verlieben.*

Dennoch bemühe ich mich sehr, nichts zu erwarten, denn ein kleiner Teil meines Herzens wird immer Joel gehören.

Vierundzwanzig Stunden später entdecke ich zu meiner großen Freude am Flughafen von Riga eine Nachricht von Finn auf meinem Handy.

Hi, Callie. Hab das schon länger nicht gemacht, deshalb kenne ich die Regeln hier nicht so genau … ABER darf ich nur sagen, dass es toll war, dich kennenzulernen, und dass ich dich sehr, sehr gern wiedersehen würde. Falls du Lust hättest.

Dann klingelt noch eine Nachricht:

Ich fand es ziemlich, also, äh, großartig.

Und die nächste:

(Sollte noch hinzufügen: Falls es dir nicht so ging, überhaupt kein Problem! Aber wäre schön.) x

Und noch eine:

Okay, Klappe jetzt, Finn. Steig du mal in deine Maschine. Guten Flug, gute Reise, alles. Bis bald hoffentlich. x

Ich überlege, mein Handy abzuschalten, zu warten, bis ich zu Hause bin und ein paar Tage vergangen sind, bevor ich antworte. Aber nachdem ich ungefähr fünf Minuten vor mich hin gegrinst und die Nachrichten immer wieder gelesen habe, stelle ich fest, dass ich das gar nicht will.

Also tippe ich, als mein Flug aufgerufen wird, eine Antwort:

Ich fand's auch toll. Wiedersehen klingt super. Bei dir oder bei mir?! x

80

Joel – zwei Jahre danach

Kieran bleibt neben einer Gartenmauer stehen, entweder um Luft zu holen oder um sich zu übergeben. Das werde ich wahrscheinlich gleich erfahren.

»Was zum Henker ist denn mit dir passiert?«, keucht er.

Ich nutze die Pause. Beuge mich vor und stütze die Hände auf die Knie, atme tief ein. Meine Lunge brennt ein bisschen, aber es ist ein gutes Brennen. Ein Brennen, wie man es von Freudentränen bekommt oder vom Lachen, bis der Bauch wehtut.

Heute findet die erste von hoffentlich künftig regelmäßigen Mittwochabend-Laufrunden statt. Kieran hat Lucky dabei, den Hund, den wir gerettet haben und den Kieran letzten Endes behielt. (Leider sind meine anderen Schützlinge mittlerweile alle zu alt, um uns zu begleiten.)

Ich sehe Kieran von der Seite an. »Das könnte ich dich auch fragen.«

»Na, vielen Dank. Tritt mich noch, wenn ich schon am Boden liege.« Sein Gesicht ist rhabarberrot, die Haut schweißüberströmt. »Ich krepiere hier, Mann.«

Ich imitiere Steve. »Schmerz ist nur Schwäche, die aus dem Körper entweicht, weißt du.«

»Ich sag dir mal, was ich weiß«, japst er. »Du bist ein selbstgefälliger ...«

Ich lache. »Sorry. Konnte ich mir nicht verkneifen.«

Wir traben weiter. Ich könnte viel schneller laufen: bessere Ernährung, Trainingssessions mit Steve und das Surfen mit Warren haben bei meinem Herzkreislaufsystem Wunder gewirkt. Aber ich genieße das lockere Tempo heute Abend, weil es mir Gelegenheit gibt, mich mit Kieran zu unterhalten.

Steve, Tamsin, Warren und mein Therapeut sind alle der Meinung, dass es der richtige Zeitpunkt ist.

»Ich habe über das nachgedacht, was du vor langer Zeit zu mir gesagt hast.«

»Meinst du, als ich mich bereit erklärt habe, mit dir laufen zu gehen?«, knurrt Kieran. »Denn das nehme ich zurück.«

Wir kommen zum Ende der Straße. Sie führt zu einem schön gelegenen Parkplatz, und es ist spät, daher ist er leer. In der Nähe steht eine Bank, von der aus man einen Blick über ganz Eversford hat. Von hier oben sieht man den Fluss und die Kirchtürme. Im Meer der Dächer leuchten lauter Mansardenfenster auf wie kleine Rettungsbojen.

Obwohl es November ist und die Luft eisig, ist uns beiden warm genug, um uns fünf Minuten Auszeit zu nehmen. Also setze ich mich neben Kieran, der schon alle viere von sich gestreckt auf der Bank hängt, als wäre er angeschossen worden.

Lucky legt sich neben uns auf den Boden. Er hechelt kaum, der sportliche kleine Scheißer.

»Ich habe überlegt, wieder in die Praxis zu kommen«, sage ich vorsichtig. »Falls du mich nimmst natürlich nur.«

Kieran richtet sich mühsam auf. »Super. Klar doch. Das sind tolle Neuigkeiten.«

»Ich müsste mich nach Auffrischungsseminaren umsehen.«

»Hab ich schon, vor Ewigkeiten. Ich maile sie dir. Woher der Sinneswandel?«

In diesem Sommer habe ich Kieran und Zoë endlich von meinen Träumen erzählt, bei ein paar Bieren im Pub. Vor Aufregung hatte ich ganz schwitzige Hände und Angst, etwas zu sagen, was ich nicht zurücknehmen konnte. Aber sie schienen es einigermaßen bereitwillig zu akzeptieren (jegliche noch vorhandenen Zweifel ziemlich schnell durch die Bekanntschaft mit Warren zerstreut). Die Erleichterung, die ich empfand, war überwältigend.

Jetzt betrachte ich Eversford von oben. Lichter, die sich bewegen, hell erleuchteter Rauch aus den Fabrikschloten. »Sport. Mehr Schlaf. Aus dem Gedankenkarussell rauszukommen. Zu begreifen, dass Verstecken nichts bringt.«

Trotzdem trauere ich, dass Callie und ich nicht zusammen hier sitzen können. Man kann sich selbst optimieren bis zur Perfektion, aber wenn der Mensch, den man liebt, nirgends zu sehen ist, wird immer etwas fehlen.

Wobei es ja eigentlich nie um mich ging. Wenn Callie jetzt glücklich ist, den Blick entschlossen von ihrem Schicksal abgewandt, ist alles andere egal.

Kieran lächelt verschmitzt. »Dann hast du keine ... ich meine, es hat nichts mit einer Frau zu tun?«

»Nee.«

»Wie lange ist es jetzt her, zwei Jahre?«

»Ja.«

»Hast du mal von ihr gehört? Von Callie?«

Ich schüttle den Kopf.

»Hast du sie gestalkt?«

»Äh ...«

»Online, online«, sagt Kieran hastig.

»Ach so. Nein.«

»Ja, wahrscheinlich besser so.« Er wendet das Gesicht der Stadt unter uns zu. »Du würdest dich nur selbst quälen. Das ist das Problem heutzutage. Man kann seiner Vergangenheit nie richtig entfliehen, weil alles online immer da ist. Bist du denn auf der Suche?«

»Wonach?«

»Jemand anderem. Ich kann dich verkuppeln, wenn du magst. Zoë kennt Tausende von Leuten.«

»Danke.« Ich fühle mich ein wenig leer innerlich. »Aber nicht nötig.«

»Joel«, meint er. »Wie lange willst du noch warten?«

Sechs Jahre, Kieran, könnte ich zu ihm sagen. *Callie hat noch sechs Jahre. Noch kann ich nicht mal an eine Beziehung denken. Vielleicht nie wieder.*

Aber wie erklärt man, dass man zu anderem als Affären und Zufallsbegegnungen nicht fähig ist, ohne wie eine Schlange zu klingen?

Kieran atmet immer noch schwer. »Ich kann nicht fassen, dass ich mir endlich keine Gedanken mehr machen muss, wann ich meinen besten Tierarzt wiederkriege.«

»Wann du wieder Luft kriegst, sagtest du?«

Kieran schnaubt. »Ha. Der Job ist aber mit Bedingungen verknüpft.«

»Nämlich?«

»Nämlich keine sarkastischen Kommentare darüber, dass dein Chef langsamer läuft als ein durchschnittlicher Neunzigjähriger.«

»Das können wir beheben. Ich kenne da jemanden.«

In der Nacht träume ich wieder von Callie. Und es ist ein Traum, der mich mit Freude erfüllt, aus dem ich langsam und mit einem Lächeln aufwache.

In drei Jahren, frühmorgens. Callie sitzt mit einer Strickmütze auf einer Bank an einer Strandpromenade, ihre Augen schimmern. Ihr Blick ist aufs Meer gerichtet, und sie trinkt immer mal wieder aus einem mitgebrachten Kaffeebecher.

Im Hintergrund steht ein Hotel, zwischen den Laternen sind Lichterketten gespannt. Sie muss wohl dort wohnen. Falls sie nicht nur zu Besuch ist, aber sie hat kein Gepäck dabei und ist allein.

Allein bis auf Murphy und den Doppelkinderwagen neben sich.

Sie schaukelt ihn sanft, mit einem Lächeln, das mir verrät, dass ihr Herz voll ist.

Und weil ich das weiß, meins auch.

81

Callie – zwei Jahre danach

»Ich will nicht weg von dir«, sage ich mit einem Seufzen, als ich an einem verregneten Sonntagabend Ende November meine Sachen packe, um den Zug zurück nach Eversford zu erwischen.

»Dann bleib.« Finn mit bloßem Oberkörper auf dem Bett, frisch aus der Dusche und nach Zitrusshampoo riechend. Auf einen Ellbogen aufgestützt, tut er so, als sähe er mir beim Packen zu, obwohl sein Blick einladend ist. Ich bin halb versucht, nachzugeben und mich auf einen Kuss neben ihn zu knien, als mir einfällt, dass ich wirklich losmuss. Finn auf einem Bett zu küssen, ohne dass mehr daraus wird, das ist bis jetzt noch nie vorgekommen.

Er setzt sich auf. »Im Ernst. Zieh zu mir. Du und Murphy. Komm schon, das ist doch verrückt, dieses ganze Hin und Her. Zieh nach Brighton. Ich liebe dich, warum nicht?«

Warum nicht? wird Finns Grabinschrift sein, glaube ich. So wurde er einfach erzogen. *Was kann schon passieren? Darüber kannst du dir später Sorgen machen. Versuch macht klug.* Er sagt zu fast allem Ja, lehnt nur sehr wenig ab. So anders als Joel mit seiner ruhigen, unaufdringlichen Zurückhaltung.

Und auch so anders als ich; Finn ist in vielerlei Hinsicht das Gegenteil von mir, obwohl die Beziehung zu ihm mich automatisch abenteuerlustiger gemacht hat, glaube ich. Wir sind ständig unterwegs und geben wahrscheinlich zu viel Geld für Dinge wie Fallschirmspringen und Konzerttickets und Hochzeiten im Ausland aus. Einmal fuhr er mitten in der Woche morgens nach Eversford, nur um mich zu sehen, schmiss eine Überraschungs-Geburtstagsparty für mich, als wir erst seit ein paar Wochen zusammen waren. Finn hat die ganze Welt auf Kurzwahl, kann in einem leeren Raum Freunde finden.

Immer wieder sagt man mir, dass es gut ist, sich gegenseitig auszugleichen. Man kann nicht nur Yin und kein Yang sein. Und das stimmt sicher auch.

Manchmal geht mir durch den Kopf, was wohl passieren würde, wenn Joel und Finn einander begegnen würden; ob sie einander misstrauen oder sich auf Anhieb verstehen würden.

Aber wie Joel ist Finn auch rücksichtsvoll, immer interessiert. Er hört mir zu, streichelt mir die Füße, während ich rede, erinnert sich an die Kleinigkeiten. Dass ich es lieber mag, wenn der Kaffee auf die Milch gegossen wird, dass ich Himbeeren und Ryan Gosling liebe, nie an meinen Schirm denke, Tequila nicht vertrage.

Alles, was mich an ihm an Joel erinnert, ist tröstlich, alles, was nicht, charmant. Wie seine unerwartete Leidenschaft für Acid House, die Sammlung an Naturbüchern, die noch umfassender ist als meine und fast sein gesamtes Wohnzimmer einnimmt; dass er scharfe Chilischoten essen kann, ohne auch nur zu blinzeln. Er kann unheimlich gut Vögel im Flug bestimmen – im Ernst, jeden Vogel – und hat ein geheimes und stark unterschätztes Talent zum Backen. Er interessiert sich auch sehr für lokale und regionale Politik, auf eine Art und Weise, die mich an Grace erinnert.

Finn bittet mich nicht zum ersten Mal, zu ihm zu ziehen. Sein Argument lautet, dass die Wohnung ihm gehört und es daher schlauer wäre, hier zu leben. Sie liegt im obersten Stock eines Regency-Wohnblocks eine Straße hinter dem Strand. Sie ist mini, dafür sind wir in wenigen Minuten am Meer. Wir können es sogar sehen, gerade so eben, aus zwei Zimmern.

Und ich liebe es hier. Es ist ein Traum, die Fenster zu öffnen und den Möwen zu lauschen, die salzige Luft einzuatmen. Die Erinnerungen an meine ersten Wochenenden hier sind köstlich elementar, wir verließen das Schlafzimmer praktisch nur zum Essen oder Trinken, Pinkeln oder Duschen. Wir konsumierten alles in der Wohnung (warum Zeit zum Einkaufen oder für Restaurantbesuche vergeuden?), ließen uns semi-ironische Schaumbäder ein, hörten alles auf Finns iTunes durch, legten uns gegenseitig den Kopf auf den Schoß und sprachen über die Zukunft.

Es sind erst sechs Monate, also, ja, wir geben Gas. Aber Gasgeben kann aufregend sein, zum Beispiel wenn ein Flugzeug abhebt oder eine Achterbahn nach unten rast. Furchteinflößend und beglückend gleichzeitig. Finn hat schon nach zwei Wochen zu mir gesagt, dass er mich liebt, daher hätte ich nicht überrascht sein dürfen, als er nur ein paar Wochen später mit dem Vorschlag kam zusammenzuziehen.

Manchmal denke ich immer noch an Joel, besonders wenn ich wieder in Eversford bin. Ich habe mich sogar ein paar Mal ins Café gewagt, mich auf seinen alten Stammplatz am Fenster gesetzt und mir ein großes Stück Drømmekage bestellt. Ich dachte darüber nach, wie es ihm wohl ging, ob er glücklich war, was er machte, ob sich an seinen Träumen etwas geändert hatte. Dot versichert, dass er seit unserer Trennung nicht mehr da gewesen sei, also brauche ich keine Angst zu haben, ihm dort zu begegnen. Was gut ist, weil ich keine Ahnung habe, was ich dann tun oder sagen würde.

Gelegentlich frage ich mich, ob ich mich genug bemüht habe, ob ich vielleicht stärker um uns hätte kämpfen sollen. Vielleicht brauchte er mehr von mir, und ich habe ihn im Stich gelassen, als es darauf ankam.

Aber dann rufe ich mir all die Gründe für unsere Trennung ins Gedächtnis und versuche, wieder mit mir ins Reine zu kommen. Warte ab, bis sie sich wieder beruhigt hat, die Traurigkeit, die sonst still in mir schläft.

Ganz langsam, stelle ich fest, schlendert Joel fort. Und an seiner Stelle steht Finn, ein Leuchtturm von einem Mann, der sich darauf eingelassen hat, mich hundertprozentig zu lieben.

»Sekt?«, ruft Finn aus der Küche.

Die Flasche im Kühlschrank war teuer, ein Geburtstagsgeschenk von einer vielreisenden Freundin von Finn, die ihre Einkäufe immer im Duty-free-Shop erledigt.

Denn ich ziehe nach Brighton. Ich habe Ja gesagt. Letzten Endes fiel mir kein Grund mehr dagegen ein. Sechs Monate sind lang genug, finde ich, und Finn sagt, er habe genug Kontakte, die mir bei der Jobsuche helfen könnten (was ich nicht bezweifle). Natürlich werde ich meine Eltern vermissen und Esther und Gav mit ihrem hinreißenden kleinen Baby, Delilah Grace. Aber sie alle lieben Finn heiß und innig, deshalb sind sie sicher begeistert. Und Finn hat ja Recht, die ganze Fahrerei kam mir allmählich verrückt vor. Denn ich will ja bei ihm sein. Meine Gefühle für ihn sind so stark, die Chemie stimmt einfach zwischen uns.

Also habe ich eingewilligt, und die Freude in seiner Miene hätte einen ganzen Kontinent erhellen können.

Jetzt taucht er wieder im Schlafzimmer auf, in einem T-Shirt, als wäre er der Meinung, der Anlass verdiente ein gewisses Maß an Förmlichkeit. Er hat die Flasche und zwei Gläser dabei, lässt den Korken knallen. Der Sekt schäumt über den ganzen Teppich, und während er flucht, werfe ich ihm lachend von dem Haufen auf dem Bett ein Handtuch zu. Murphy, der mich immer hierherbegleitet, schnüffelt misstrauisch an dem nassen Fleck.

»Tja«, sagt Finn, als er mir ein volles Glas reicht. »Sagen wir mal, ich bin echt froh, dir an einem Strand in Lettland über den Weg gelaufen zu sein, Callie Cooper.« Wir stoßen an.

Ich sehe ihm in die poolblauen Augen. »Ich auch. Du warst ein ausgezeichneter Fund, Finn Petersen.«

»Die letzten sechs Monate waren die schönsten meines Lebens.« Sein Lächeln erfüllt den Raum.

Ich erwidere es. »Darauf trinke ich.«

In den frühen Montagmorgenstunden schreckt mich etwas aus dem Schlaf. Ich musste gestern den letzten Zug zurück nach Eversford nehmen, denn bis ich nach Brighton umziehen kann, muss das normale Leben weitergehen.

Ich ziehe mir einen Kapuzenpulli an, gehe mit Murphy in meinen Garten und blinzle in die dichte Schwärze des Himmels. Heute kann ich keine Sterne sehen, vielleicht wegen der Lichtverschmutzung, oder es ist wolkig.

In meinem Kopf hängt auch eine Wolke. Nicht unbedingt ein schlechtes Gewissen, eher ein stilles Unbehagen.

Bisher habe ich Joel nicht verraten, indem ich Finn von seinem Traum erzähle, und das habe ich auch nicht vor. Trotzdem, wenn wir uns auf ein gemeinsames Leben einlassen, stellt sich die Frage, ob Finn nicht ein Recht darauf hat, es zu erfahren.

Als ich mir seine Reaktion darauf vorzustellen versuche, bilde ich mir ein, dass er darüber lachen würde. Nicht dass er es trivialisieren würde; eher dass er sich mit etwas, das er nicht ändern kann, nicht allzu lange aufhalten würde. Seine Sicht auf das Leben ist Laisser-faire, philosophisch. Er macht sich keine großen Gedanken über Geld oder Pünktlichkeit oder was andere von ihm halten. Ich weiß jetzt schon, dass er keine Notwendigkeit sähe, der Sache auf den Grund zu gehen, all ihre dunklen Ecken auszuleuchten. Er würde von Anfang an akzeptieren, dass es keine Antwort gibt oder, wenn doch, sie flüchtig wie Luft ist.

Ich könnte noch ein Jahr haben oder zehn oder fünfzig. Finn und ich bauen uns jetzt eine Zukunft auf, und neben dieser Vorstellung schrumpft alles andere zusammen. Joels Traum hat bereits begonnen, sich aufzulösen, sich langsam in die Schatten meines Gedächtnisses zurückzuziehen.

Nein. Ich werde Finn nicht mit etwas belasten, das mit jedem neuen Tag weniger und weniger greifbar erscheint.

Als wir uns kennenlernten, fragte Finn, warum Joel und ich uns getrennt haben. Ich antwortete, einigermaßen wahrheitsgemäß, dass wir Unterschiedliches wollten. Finn lächelte wissend und erzählte mir, genauso sei es mit seiner Ex gewesen. Und dann spazierten wir weiter und haben seitdem nie wieder darüber gesprochen.

82

Joel – drei Jahre danach

»Zwei noch!«

»Nein, ich hasse dich.«

»Noch zwei! Komm schon!«

Mir ist klar, dass Steve meine Knöchel erst loslässt, wenn ich mir noch zwei Sit-ups abgerungen habe. Also gehorche ich mit brennendem Oberkörper. Danach breche ich schwitzend und empört zusammen, stöhne laut etwas von Kündigung meiner Mitgliedschaft.

»Ja, ja.« Steve hält mir eine Wasserflasche vor die Nase. »Du willst es locker? Dann bleib im Bett.«

»Ich wünschte, das wäre ich.« Ohne das Wasser anzunehmen, drehe ich mich um. Bemühe mich nach Kräften, mich nicht zu übergeben.

Steve erklärt sich bereit, den Sadismus fünf Minuten lang auszusetzen, während ich zu Atem komme.

»Wie war es überhaupt?«, fragt er.

»Wie war was?«

»Das Wellness-Ding, du Idiot.«

Ich bin heute Morgen aus dem Retreat zurückgekommen, für das Callie mir damals den Gutschein geschenkt hatte. Die Einrichtung brummt immer noch, es werden Säfte für

Menschen mit schlechten Angewohnheiten gepresst, Organe massiert. Es gab Yoga und Meditation. Akupunktur, ein bisschen Om. Ein paar Barfuß-Zeremonien und halbherziges Gong-Schlagen.

Ich hatte das Gefühl, ihr das irgendwie schuldig zu sein. Selbst nach der langen Zeit, zumindest um ihre gute Absicht zu würdigen. Wie lieb sie an jenem Weihnachten zu mir war, welche Hoffnung sie um meinetwillen hegte; die ich mittlerweile selbst manchmal zu empfinden wage. Obwohl ich weiß, was kommt.

»Ein bisschen irre«, sage ich jetzt zu Steve. »Aber es geht mir gut. Komischerweise.«

»Schläfst du jetzt wie ein Baby?«

»Den Spruch habe ich noch nie begriffen. Babys schlafen ja bekanntermaßen schlecht. Apropos, wie geht's Elliot?«

Vor zwei Monaten haben Steve und Hayley ihr zweites Kind bekommen, einen Jungen.

»Immer noch ein Tyrann. Buchstäblich ein Monster im Strampler. Ich glaube, seit seiner Geburt hat er nicht länger als fünf Minuten die Augen zugemacht. Ich bin trotzdem total vernarrt in ihn«, ergänzt er grinsend. Und dann: »Du hast doch nicht …«

»Nein, natürlich nicht.«

Wir haben eine Vereinbarung, Steve und ich. Wenn ich je noch einmal von meinen Patenkindern träume, erfährt er es als Erster. *Egal was, ob gut oder schlecht, du sagst es mir sofort.* Die gleiche Abmachung habe ich mit Tamsin und Warren. Die meisten Menschen, scheint es, möchten Bescheid wissen.

Kurz frage ich mich, nicht zum ersten Mal, wie es ausgegangen wäre, wenn Callie die Wahrheit hätte hören wollen.

Wären wir jetzt verheiratet und hätten Kinder? Hätte ich vielleicht sogar die Chance gehabt einzugreif ...

»Also gut.« Steve springt auf. »Burpees. Los.«

»Was? Das waren noch keine fünf Minuten.«

»Joel, was sage ich dir immer? Wer rastet, der rostet.« Das sagt er sehr nachdrücklich. Macht ein L mit Daumen und Zeigefinger und hält es sich an die Stirn.

Nur für den Fall, dass die Botschaft bei den letzten zehn Malen nicht angekommen ist.

Das Retreat hat mich übrigens nicht dazu gebracht, dass ich schlafe wie ein Baby, trotz der Akupunktur und Reflexzonenmassage und der Übelkeit erregenden Menge an ätherischen Ölen. Im Prinzip geht es mir in der Hinsicht in letzter Zeit zwar viel besser, aber es macht mich immer noch nervös, nicht zu Hause zu übernachten.

Die innere Unruhe während meines Aufenthalts dort löste in mir den starken Drang aus, mich schwer zu betrinken, was ich natürlich eigentlich nicht wollte. Es erinnerte mich zu sehr an meine Vergangenheit, an die finsteren Zeiten. Irgendwie musste ich mich davon abhalten, zur nächsten Tanke zu rasen. Also ging ich immer im Dunkeln auf dem Gelände spazieren, eingewickelt in eine dicke Jacke, Schal und Mütze.

In meiner letzten Nacht, als der Alkoholdurst zum Glück fast weg war, stieß ich mit jemandem zusammen, der mehr oder weniger das Gleiche wie ich tat.

»Sorry! Ach, du lieber Gott, Entschuldigung.«

Fluchend zog sie ihren Kopfhörer zum Hals hinunter. »Hab ich mich erschreckt.«

Es war nach Mitternacht, unter null Grad. Sie trug nur ein T-Shirt, eine Jogginghose und ein Strickjäckchen.

»Verzeihung. Ich hab nicht damit gerechnet, jemanden zu treffen.«

Ich hatte sie ein paar Mal beim Frühstück gesehen (leise um Kaffee bettelnd, laut fragend, wo die Croissants waren). Einmal in Meditation. Zweimal beim Yoga, wo ihr Blick meinem begegnete, als wir beide halb auf dem Kopf hingen und Mühe hatten, nicht loszuprusten.

»Weshalb bist du hier?«, fragte ich.

Sie lehnte sich an die Mauer, vor der wir zusammengeprallt waren. »Eine Vielzahl von Sünden.«

Ich grinste. »Klingt ernst.«

»Ist es angeblich auch.« Sie zählte sie an den Fingern ab. »Dass ich nicht auf meine fünf am Tag komme. Eine ziemlich schwere Koffeinsucht. Mit über dreißig immer noch null Ahnung von Yoga, was heutzutage ein Verbrechen ist, habe ich mir sagen lassen. Und du?«

Ich musterte sie. Blonde schulterlange Haare, graublaue Augen. Vor Kälte blaue Lippen. »Ach, ich habe quasi jemandem versprochen herzukommen. Also.«

Sie lächelte, fragte nicht nach. »Ich bin übrigens Rose.«

»Joel.«

Fester Händedruck, voller Blickkontakt.

»Wolltest du einfach ein bisschen frische Luft schnappen?«

»Offen gestanden kämpfe ich gegen den Drang an, mich volllaufen zu lassen. Und du?«

Wieder lachte sie, deutete auf ihren Kopfhörer. »Ich kann nicht schlafen, deshalb … Suggestion.«

Das erinnerte mich an die Anfangszeit, als ich noch versuchte, mich vom Träumen zu befreien. Ich unterließ es, ihr von meinem mangelnden Erfolg mit dieser Methode zu erzählen.

Wie sich erwies, war das auch nicht nötig.

»Es ist schon seltsam, oder?«, meinte sie. »Endlos zu verkünden, wie sehr ich mich liebe. Offen gestanden hat es den gegenteiligen Effekt, wenn ich mir das lange genug anhöre.«

»Ja, stimmt, es geht einem ein bisschen gegen den Strich.«

Sie machte eine wegwerfende Geste. »Ach, dich verschonen sie wahrscheinlich damit. Im Vergleich zu den meisten hier siehst du aus wie die Gesundheit in Person.«

Mit dem Kompliment hatte ich nicht gerechnet.

»Wohlgemerkt – mir ist voll bewusst, dass ich gerade wie das genaue Gegenteil von gesund aussehe. Ich sehe aus wie eine Leiche, und ungefähr die Körpertemperatur habe ich auch.« Sie hob die Augen gen Himmel, ihre Zähne klapperten leicht. »Das habe ich falsch eingeschätzt.«

Ich lächelte. »Lustig, das wollte ich gerade fragen.« Dann zog ich meine Jacke aus und legte sie ihr um die Schultern. »Hier. Wir wollen ja nicht, dass all die schönen Mantras umsonst sind.«

Sie sah mich unverwandt an. Erschauerte leicht, als ich ihr den Kragen hochklappte. Er klemmte ihre Haare mit ein, so dass sie ihr Gesicht einrahmten.

»Gute Nacht, Rose. Hat mich sehr gefreut, dich kennenzulernen.«

Ich ging weg, saugte die Stille des nächtlichen Gartens in mich auf. Hoffte, dass ein wenig davon in mich eindringen, sich in meinem Kopf niederlassen würde.

83

Callie – drei Jahre danach

Wir sind seit zwei Wochen in Florida (eine weitere von Ricardos Empfehlungen) und erforschen Sümpfe und Naturschutzgebiete, baden an weißen Sandstränden, treffen uns mit Leuten, die wir unterwegs kennengelernt haben. Ich habe aufgehört zu zählen, mit wie vielen Finn hier ins Gespräch gekommen ist, dieser Mann mit dem natürlichen Charisma. Er schließt immer noch echte Freundschaften, wenn er im Urlaub ist, was ich ungefähr mit Eintritt in die Pubertät verlernt habe.

Nach einem Abendessen im Freien in unserem neuen kubanischen Lieblingslokal schlägt Finn einen Spaziergang vor, die letzte Gelegenheit, einen schwülwarmen Abend zu genießen, bevor wir morgen in kältere Gefilde zurückreisen. Also laufen wir jetzt Hand in Hand durch Miami Beach, Richtung ... na ja, Strand eben.

»Ist wie im Flug vergangen, oder?«, fragt Finn.

Im ersten Moment registriere ich nur das Wort Flug und denke an Vögel, ein Reflex nach den letzten zwei Wochen. Dann begreife ich, dass er von dem Urlaub spricht. »Ich kann nicht fassen, dass ich am Montag wieder arbeiten gehe.« Nicht dass ich etwas dagegen habe, eigentlich nicht. Nach ein paar Monaten Suche gab uns ein Freund von einem Freund den Tipp, dass demnächst ein Job in einem Naturschutzgebiet ungefähr eine halbe Stunde von Brighton entfernt frei werde. Mittlerweile liebe ich es dort, fast so wie in Waterfen.

Insgeheim war ich ein wenig erleichtert, Eversford und meine ewige Angst, Joel zu begegnen, hinter mir zu lassen. Ich befürchtete immer, dass ich in dem Moment nichts zu sagen wüsste, dass ich, wenn ich ihm gegenüberstünde, etwas empfinden würde, das ich nicht empfinden wollte. Manchmal dachte ich auch, wenn er mich an seinem alten Tisch im Café sitzen oder ein Paar Ohrringe tragen sähe, das er mir geschenkt hatte, dann dächte er vielleicht, ich wäre nie ganz über ihn weggekommen. Woraufhin ich mich dann fragte, ob das möglicherweise sogar stimmte.

Finn hat genauso viel Zeug wie ich, mehr sogar, wenn das möglich ist, deshalb war es mir nicht so peinlich beim Einzug wie damals bei Joel. Nicht dass es Joel jemals gestört hätte, ob meine Kisten in den Türen standen oder meine Sachen überall in seiner Wohnung verstreut lagen. Trotzdem, es war irgendwie weniger komisch für mich, bei Finn einzuziehen. Wir stopften so viel von meinen Habseligkeiten in seine Schubladen und Schränke, wie hineinpasste, und feierten direkt am ersten Abend eine Einweihungsparty, die Finn organisiert hatte – obwohl es ja streng genommen keine Einweihungsparty war. Am frühen Abend drängelte sich halb Brighton, schien es, in der Wohnung, trank und rauchte und tanzte, als wären wir alle wieder Studenten. Irgendwann, als Finn gerade einer Gruppe von zehn Leuten erzählte, wie wir uns kennengelernt hatten, sah ich ihn an und dachte: *Ich kann nicht fassen, dass du das alles für mich getan hast.*

Das Highlight des Florida-Urlaubs war, Zeit mit Finn allein zu verbringen. Obwohl er im Job gerade viel zu tun hat – im Frühling und Sommer herrscht Hochkonjunktur für Analysen und Gutachten, wodurch er viele Überstunden machen muss –, ist in unserer Freizeit immer etwas los. Finn ist ein sehr geselliger Mensch, und es tauchen unentwegt Leute in unserer Wohnung auf oder rufen an, ob wir mit ihnen um die Ecke auf ein Bier gehen wollen. Die Wochenenden sind voll ausgebucht mit Familientreffen, weil Finn zwei Brüder und eine Schwester und eine Unmenge an Cousins und Cousinen hat. Unter der Woche treffen wir uns mit Freunden in Pubs und Restaurants und Konzerthallen, kommen zwischen den Verabredungen kaum zum Luftholen. Aber so waren wir von Anfang an: immer unterwegs, kaum Pausen, nur hin und wieder ein Seitenblick, ob der andere noch da ist, bevor wir weiterstürmen.

Es stört mich nicht – ein Mann mit einem so erfüllten Leben kann ja kaum etwas Schlechtes sein –, aber manchmal wünsche ich mir, wir wären nur zu zweit, könnten die Gesellschaft des anderen so genießen wie damals in diesen wunderbaren ersten sechsunddreißig Stunden in Lettland. Denn Finn ist ein Mensch, den man so gern auskosten möchte. Er ist großzügig und wahnsinnig witzig und rechthaberisch und klug, und manchmal habe ich einfach keine Lust, ihn zu teilen. Aber ich weiß, dass das eine Art von Egoismus ist, die Finn nur selten an den Tag legt, und außerdem läuft das Leben eben nicht so.

»Cal«, flüstert Finn jetzt, als wir am Strand ankommen. Instinktiv bücken wir uns, um die Flipflops auszuziehen, lassen unsere braunen Füße in den Sand sinken. »Ich wollte dich was fragen.«

Als ich mich zu ihm umdrehe, sinkt er auf ein Knie und holt ein Schächtelchen aus der Tasche. Ich schlage mir die Hand auf den Mund, irgendwo in der Nähe ist Johlen und Beifall von ein paar Passanten zu vernehmen.

»Ich habe keine Ahnung, wie man das macht«, raunt er. »Deshalb dachte ich mir, die klassische Methode ist wahrscheinlich am besten. Callie, ich liebe dich bis ans Ende dieser verrückten Welt. Willst du mich heiraten?«

»Ja.« Ich möchte, dass die Zeit langsamer und gleichzeitig schneller vergeht. »Ja, ja, ja.«

Und dort, vor den Wolkenkratzern und den Palmen, unter einem spektakulären Gewitterhimmel, einigen Finn und ich uns, für immer zusammenzubleiben.

84

Joel – vier Jahre danach

Ich stehe an einer Tankstelle an der M25, ausgerechnet, als meine Vergangenheit mich einholt.

»Joel?«

Ich drehe mich um und empfinde eine unerwartete Freude, Melissa zu sehen. »Hallo.«

Sie mustert mich kurz, dann stellt sie mir den Adonis neben sich vor. »Leon, das ist Joel.«

Misstrauisch strecke ich ihm die Hand entgegen, warte ab, ob er mich ins Gesicht boxt, statt sie zu schütteln. Aber nein. Er grüßt mich nur mit einem schiefen Lächeln, was ein schiefes Lächeln mehr ist, als ich wahrscheinlich verdiene.

Melissa lacht. Sie trägt einen dieser knallrosa Lippenstifte, die makellose Zähne erfordern. »Schon gut. Ich hab natürlich immer nur sehr positiv von dir gesprochen.«

Ich werfe Leon einen Blick zu, der bedeuten soll: *Du kannst mir ein anderes Mal eine verpassen, versprochen.*

»Vielleicht hole ich mal schnell Kaffee«, sagt er. »Bin gleich wieder da.«

Mitten auf der Tankstelle stehen wir einander gegenüber. Ein Strom von Reisenden hastet lärmend vorbei.

»Wie geht's dir?«

»Gut.« Sie lächelt. »Wir sind gerade auf dem Weg nach Heathrow.«

»Ihr habt es gut. Wohin soll's gehen?«

»Barbados.« Sie streckt die Hand aus, so dass ich ihren Ring sehen kann. »Flitterwochen.«

»Wow, das ist ja ... Glückwunsch.«

Die ehemals langen Haare sind kurz geschnitten, und unter ihrem Mantel und Schal erkenne ich den geblümten Jumpsuit. Bereit für Barbados, typisch Melissa. Es ist schön, sie verliebt und strahlend zu sehen, wie sie es bei mir nie war.

Sie wirkt, als wollte sie etwas sagen, fände aber die passenden Worte nicht. Also, wie immer Gentleman, springe ich ein. »Leon ist in Ordnung, ja?«

»Tja«, sagt sie. »Er ist netter als du.«

»Gut. Das ist ja schon mal was.«

»Das war nur ein Scherz. Er ist super. Richtig super.« Sehnsüchtig sieht sie in Richtung des Kaffeestands, zu dem er spaziert ist. »Und, wo willst du hin?«

»Ach, Cornwall. Nicht ganz so exotisch wie Barbados.«

»Urlaub ist Urlaub.«

»Äh, nein, ich ziehe da hin. Neuanfang.«

»Nein! Ich hätte gedacht, du bleibst in der Wohnung, bis du stirbst. Nicht böse gemeint.«

Ihr unverwechselbarer Mangel an Taktgefühl macht mich fast nostalgisch. »Schon okay.«

»Und wie kommt es dann dazu?«

»Familienkram. Lange Geschichte.«

Sie legt den Kopf schief. »Dann bist du nicht mehr mit der Frau aus dem ersten Stock zusammen?«

Die Frau aus dem ersten Stock.

»Nein. Sie hat jetzt ... einen anderen Freund. Hat geheiratet, glaube ich.« (Besser gesagt weiß ich es. Doug hat es mir erzählt, er hat einen gemeinsamen Bekannten mit Gavin.)

Melissa nickt. Und zum möglicherweise ersten Mal, seit wir uns kennen, verzichtet sie auf eine blöde Bemerkung. »Hast du denn da unten einen Job? In Cornwall?«

»Ja.«

»Wieder als Tierarzt?«

»Genau.«

Erneut nickt sie, langsamer dieses Mal. Sieht mir in die Augen. »Na dann, Glückwunsch.«

Das rührt mich unerwartet. »Danke.«

Einige Sekunden vergehen, dann umarmt sie mich zum Abschied. Es ist seltsam, ihre Hände wieder auf mir zu spüren. Als entdeckte man sein Lieblingskleidungsstück wieder, atmete einen vertrauten Duft ein. »Was werden diese durchgedrehten alten Damen nur ohne dich machen?«

Ich schlucke. Es war kein so tolles Jahr in meiner Straße, sterblichkeitshalber. »Nur noch eine übrig, leider.« (Iris hält weiter durch, zäh wie eh und je.)

Melissa lässt mich los. »Und du hast keine Freundin?« Als könnte sie nicht ganz glauben, dass es einen anderen Grund für mich geben könnte, nach Cornwall zu ziehen.

Ich seufze. »Würde ich ja gern, Melissa, aber du bist in den Flitterwochen.«

Sie lacht kehlig, auf eine Art, die ich vermisst habe. »Weißt du, es ist schade, dass du und ich nie Freunde sein konnten.«

»Ich glaube, wir sind Freunde.«

Sie bleibt noch einen Moment stehen, und ich begreife, dass es ihr schwerfällt, sich zu verabschieden. »Na ja, pass auf dich auf. Versuch, eine nette Frau zu finden.«

»Hab ich. Hat nicht geklappt.«

Ein letztes freches Zwinkern. »Joel, was soll ich sagen? Ich bin jetzt verheiratet.«

Ich habe eine Wohnung zehn Minuten von Warren entfernt in Newquay gemietet, mit einem kleinen Garten und einem Gästezimmer. Unterwegs habe ich an einem Gartencenter angehalten und mir einen Korb voll Topfpflanzen für mein neues Wohnzimmer gekauft. Und auch noch einen Blumenkasten. Denn obwohl ich hier neu anfangen will, kann ich immer noch nicht ohne Andenken an Callie leben.

Am frühen Nachmittag bin ich einigermaßen eingerichtet, also fahre ich zu Warren.

»War der Abschied schwer?«, fragt er.

»Tamsin ist völlig aufgelöst. Sie möchte am nächsten Wochenende kommen, mit den Kindern.«

»Ich freue mich drauf, sie zu sehen. Wie geht es dir damit, hier zu sein?«

»Ich bin aufgeregt. Aber im positiven Sinne.«

»Das klingt gut. Davon hatte ich nicht genug im Leben.« Er lächelt. »Alles bereit für Montag?«

»Ich glaube schon.« Ein gutes Jahr habe ich jetzt halbtags bei Kieran gearbeitet. Der Plan ist, die nächsten sechs Monate in Teilzeit in meiner neuen Praxis in Cornwall zu praktizieren und nebenbei Auffrischungskurse in Bristol zu belegen.

»Ich weiß nicht genau, ob ich das schon gesagt habe, aber ich bin stolz auf dich. Du hast wirklich die Kurve gekriegt.«

»Danke.«

»Und dass du jetzt hier bei mir bist, also, das bedeutet mir wahnsinnig viel. Ehrlich.«

Ich nicke. »Taugen die Wellen was?«
Warren sieht auf die Uhr. »Jetzt gerade?«
»Mhm.«
»Ja.«
»Lust auf eine kleine Session?«
»Immer, mein Freund. Immer.«

In der Nacht träume ich von Callie.

Ich wache auf, als ich ihr gerade wieder sage, dass ich sie liebe.

Mein Gesicht ist tränennass, meine Schultern beben vor Traurigkeit.

85

Callie – vier Jahre danach

Finn und ich haben gleich im Sommer geheiratet, wir waren uns einig, dass eine lange Verlobungszeit nicht so unser Ding ist. Da die Anzahl der Menschen, die uns alles Gute wünschen wollten, unser Budget gesprengt hätte, veranstaltete Finns Schwester Bethany, die auf einem Bauernhof wohnt, die Hochzeitsfeier für uns. Sie spannte Girlanden zwischen Scheunenbalken auf, verstreute Wildblumen auf Heuhaufen, backte uns einen mit essbaren Blüten garnierten Kuchen. Überall waren Tiere, es war warm, und als es dunkel wurde, tanzten und lachten zweihundert Gäste unter Lichterketten, die an den Dachziegeln aufgehängt waren.

Beim Essen war Finns Rede über unsere Begegnung in Lettland und alles, was danach passiert war, wie ein laut vorgelesener Liebesbrief. Er ist der geborene Redner, bewegte die Zuhörer abwechselnd zu Tränen und Gelächter, und die ganze Scheune wogend vor Rührung zu sehen war etwas, das ich nie vergessen werde. Mit meinen beseelten Eltern, Esthers wunderschöner Rede über Grace und Dots betrunkenen Knutschen mit dem Trauzeugen war der Tag Glück in seiner reinsten, vollkommenen Form.

Trotzdem wünsche ich mir manchmal, die Zeit würde

langsamer vergehen. Damit ich Pause machen und die Gegenwart auskosten kann, statt immer das Nächste zu planen. Ich möchte mehr Zeit Hand in Hand am Strand verbringen oder küssend auf dem Sofa oder einfach nur bei einem Spaziergang durch die Stadt. So war es mit Joel, und manchmal macht es mich traurig, dass ich das nie mit Finn habe.

Wir sind in Australien zu unseren verspäteten Flitterwochen. Finn hat Verwandte in Perth, bei denen wir die letzte Woche verbracht haben. Trunken vor Sonnenschein haben wir im Meer gebadet, die Weite und die atemberaubenden Strände genossen. Zu Hause ist gerade Winter, und obwohl diese Jahreszeit nachhaltig einen Reiz auf mich ausübt, kann ich nicht abstreiten, dass der Wechsel zu kurzer Hose und Flipflops die Stimmung gewaltig gehoben hat, besonders da ich meine letzten Arbeitstage in England in Gummistiefeln im Kampf gegen die Elemente verbracht hatte.

Heute Morgen bin ich früh aufgewacht. Finn schlief noch, und ich wollte ihn nicht stören. Er sah so schön und friedlich aus, braun und mit nacktem Oberkörper neben mir auf der Matratze.

Also schlich ich mich allein ins Bad, wo ich fünf Minuten später stille Freudentränen weinte.

Nach dem Frühstück machen wir einen Verdauungsspaziergang am Swan River. Alles hat an diesem Morgen einen fröhlichen Blauton – der Himmel, das Wasser, die Glasfassaden der Hochhäuser. Finn spricht davon, dass er vor unserem Abflug seine Verwandten zum Essen ausführen möchte, als Dankeschön für ihre Gastfreundschaft. Ich höre zu, schweife aber auch ab, blende ein und aus, kann mich schlecht konzentrieren.

»Finn«, sage ich, als wir am Wasser stehen. Er trägt Baseballkappe und Sonnenbrille, grübelt, welche Restaurants für heute Abend in Frage kommen.

Jetzt wendet er sich mir zu. »Ja, du hast Recht. Das wäre vielleicht ein bisschen zu fischlastig. Wie wäre es mit dem Griechen?«

»Finn, ich muss dir was sagen.«

Vielleicht instinktiv nimmt er meine Hand. Ich spüre gern den Ehering an seinem Finger; es kommt mir immer noch etwas fremd vor, Mrs. Callie Peterson zu sein, selbst einen Ring zu tragen.

»Stimmt was nicht?«

»Doch, alles stimmt«, sage ich leise. »Ich bin schwanger.«

Ein kaum zu vernehmendes Keuchen, dann ein liebevoller Kuss mit tränenfeuchten Wangen, ungläubig bebenden Schultern. Er zieht mich fest in die Arme, und so bleiben wir mehrere Minuten stehen, während um uns herum das Leben sich still verwandelt, bunt wird vor neuer Farbe, schimmernd vor Licht.

Sanft entzieht er sich, beugt sich hinunter und setzt die Sonnenbrille ab, damit er mir genau in die Augen sehen kann. »Wann ... wann hast du ...?«

»Heute Morgen. Mir war in letzter Zeit ein bisschen übel.« Ich habe mir zu Hause einen Stapel Schwangerschaftstests in den Koffer gepackt, nur für den Fall der Fälle.

Darüber haben wir von Anfang an gesprochen. Finn kommt aus einer großen herzlichen Familie, und er hat kein Geheimnis daraus gemacht, dass er selbst Kinder möchte. Ich ja auch, aber ich hatte auch Bedenken wegen einiger Dinge, die für ihn kein Problem darstellten. Zum Beispiel wie er damit zurechtkäme, unser Sozialleben einzuschränken, wie wir ein Baby in unserer winzigen Wohnung unterbringen, ob Murphy die Umstellung einigermaßen verkraften würde. Ganz zu schweigen davon, ob ich überhaupt schwanger werden würde, da ich immerhin schon Ende dreißig bin. Ich hatte so viele Horrorgeschichten über die gefürchtete biologische Uhr gelesen. Wir probieren es seit fünf Monaten, deshalb empfinde ich jetzt eine ungeheure Erleichterung und Dankbarkeit. Alles fügt sich. Ich hoffe einfach, dass wir uns auf die bevorstehenden Veränderungen einstellen können, auf den anderen Lebensstil.

»Callie, ich liebe dich so. Das sind großartige Neuigkeiten.«

»Ich liebe dich auch. Und ich bin so aufgeregt.«

»Geht's dir denn gut? Willst du wirklich weiterlaufen? Es ist ganz schön heiß. Wir könnten uns einfach …«

»Mir geht's gut.« Ich muss lachen. »Ehrlich gesagt tut die frische Luft gut.«

»Ich kann nicht fassen, dass mir nichts aufgefallen ist.«

»Es war nur die letzten paar Tage. Ich wollte nicht, dass wir uns vergeblich Hoffnungen machen.«

Er grinst. »Tja, wir sollten planen. Wobei … was denn? Ich habe keine Ahnung, was als Nächstes kommt.«

»Ich auch nicht. Das macht wohl unter anderem den Spaß aus.«

»Sollen wir mit allen skypen? Bescheid sagen?«

Ich möchte es Joel erzählen. Der Gedanke ist drängend und beunruhigend, bis ich plötzlich begreife.

Joel weiß es schon. Seit Jahren.

Ich glaube, für dich kommt das Beste noch.

»Callie?«

Ich schiebe Joel aus meinem Kopf, drücke Finn die Hand.

»Warten wir ab, bis wir zu Hause sind. Ich fände es schön, wenn es unser Geheimnis ist, zumindest ein Weilchen.«

Lächelnd legt er mir den Arm um die Schultern. »Zumindest sollten wir feiern. Was darfst du essen, Kuchen?«

»Ich bin immer noch satt vom Frühstück. Und ehrlich gesagt ist mir nicht so gut.«

»Ist es komisch?«, fragt Finn mich nach einer kurzen Pause. »Ich meine, abgesehen von der Übelkeit, wie fühlst du dich?«

Darüber muss ich gar nicht erst nachdenken. »Euphorisch.«

Und das ist es – die beste und einzige Art für mich, es zu beschreiben.

86

Joel – fünf Jahre danach

»Und zu guter Letzt möchte ich mich bei meinen drei Kindern bedanken. Ihr macht mich jeden Tag stolz. Ihr alle.«
Zustimmendes Gemurmel im Raum. Gläser werden in unsere Richtung erhoben.
Dad wird siebzig, das feiern wir mit ihm in dem trostlosen alten Rugby-Vereinsheim in der Straße. Es gibt alles, was man von einer Party in einem trostlosen alten Rugby-Vereinsheim erwartet: einen verlebten DJ, der sich durch Dougs Beatles-zentrische Musikauswahl arbeitet, ein schlaffes Büfett mit Thunfisch und Hühnchen (garniert mit dem ein oder anderen Cocktailwürstchen), viele steif in Grüppchen herumstehende Gäste, die sich an ihren Getränken festklammern. Ein Blick allein verrät mir, dass der Weißwein warm ist und achtzig Prozent der Gespräche schwer buchhaltungslastig sind. Egal, es ist Dads Party, organisiert von Doug. Es war klar, dass keine preisgekrönten Cocktails und Idris Elba am Plattenteller geboten würden.
Oder vielleicht kommt es mir auch nur vorhersehbar vor, weil ich schon davon geträumt habe. Vor zwei Wochen, in einem Traum, der eine Ewigkeit zu dauern schien.
Nach den Ansprachen finde ich Tamsin mit Harry und

Amber an einem Tisch weiter hinten. Harry, jetzt fast fünf, ist in ein Buch vertieft. Amber, mittlerweile zwölf, hat einen Kopfhörer auf den Ohren.

Kluges Mädchen.

Ich sehe sie an, frage lautlos: »Alles okay?«

Sie zuckt die Achseln. »Langweilig.«

»Bedank dich bei deinem anderen Onkel.« Ich zeige auf Doug. Sie grinst.

Ich lehne mich auf meinem Stuhl zurück und nehme mir eine Handvoll Erdnüsse. »Wie läuft's, Schwesterherz?«

Tamsin beißt sich auf die Lippe, zieht ihr meergrünes Kleid an der Schulter zurecht. »Die Party kommt doch gut an? Er amüsiert sich, oder?«

Ich werfe einen Blick auf Dad. Er erzählt gerade ein paar Badminton-Kollegen eine Geschichte, die sie zu fesseln scheint. Weiß Gott, was das sein kann. Das eine Spiel, bei dem er fast den Federball verloren hätte? »Auf jeden Fall. Sieh ihn dir an. So munter hab ich ihn seit der Haushaltsrede von Darling 2010 nicht mehr erlebt.«

Lächelnd nippt sie an ihrem Wein. Verzieht das Gesicht. »Meine Güte, das Zeug ist ja pipiwarm.«

»Und wie geht's dir, Harry?«, frage ich meinen Neffen.

»Gut«, sagt er brav. (Was sogar stimmt: Harry ist das engelhafteste Kind, das ich je kennenzulernen das Vergnügen hatte. Kein Wunder, dass wir nur halb verwandt sind.) »Fast fertig.« Er hält mir sein Mitmachbuch hin. Es geht um das Weltall und sieht erschreckend wissenschaftlich aus.

»Guter Stoff«, sage ich aufmunternd und ziehe dann an meine Schwester gerichtet die Augenbrauen zusammen. »Großer Gott, Tamsin, das sind ja praktisch Hausaufgaben.«

Sie hebt die Arme. »Ich bin nicht schuld. Er wollte es unbedingt mitnehmen. Legt das blöde Ding nicht aus der Hand.«

»Du hast ein Genie zur Welt gebracht«, flüstere ich. »Können wir ihn nicht ein bisschen auf YouTube ausbeuten und dann in Rente gehen?«

Sie schubst mich sanft. »Schön, dass Kieran und Zoë kommen konnten.«

Ich sehe meinen Freund und seine Frau an, die gerade ein doppelt so altes Paar um den Finger wickeln. Selbst Steve und Hayley sind hier irgendwo (obwohl ich das dumpfe Gefühl habe, dass Steve Kundschaft anwirbt. Vorhin habe ich ihn dabei erwischt, dass er zwei Achtzigjährige instruiert hat, ihre Zehen zu berühren.).

»Hallo, ihr zwei.« Warren setzt sich neben mich, klatscht mir aufs Knie.

Ich freue mich, dass Dad Warren eingeladen hat. Ich dachte, er möchte vielleicht nicht, aber letzten Endes zuckte er nur die Achseln und meinte, okay. Als ginge es nur um einen Bekannten aus alten Zeiten. Weder er noch Warren haben offenbar die Energie, sich um Mum zu duellieren oder um mich. Es ist so anstrengend, immer der Beste sein zu wollen; ehrlich gesagt glaube ich, keiner von beiden hat Bock darauf.

Irgendwann habe ich es Dad und Doug erzählt. Das von den Träumen. Sie erfuhren es als Letzte (nicht dass ihnen das bewusst war oder sie sonderlich kümmerte). Das Gespräch war kurz und verkrampft, und seitdem wurde kein weiteres Wort darüber verloren. Wer weiß, ob sie mir überhaupt glauben? Aber wenigstens war ich ehrlich zu beiden – zum vielleicht ersten Mal überhaupt. Meine Trennung von Callie zu überleben, hat mich in vielerlei Hinsicht furchtlos gemacht, vielleicht sogar eine Spur leichtsinnig. Vieles ist jetzt ein Kinderspiel, stelle ich fest, nachdem ich das durchgestanden habe.

Du musst daran glauben, dass du geliebt wirst, Joel.

Als Warren anfängt, sich mit Harry über das Sonnensystem zu unterhalten, lehnt sich Amber geistesabwesend an mich. Ich lege den Arm um sie, küsse sie auf den Scheitel. Und ausnahmsweise tut sie mal nicht, als müsste sie spucken, oder fordert mich auf, sie in Ruhe zu lassen.

Ich lächle Tamsin an, und sie lächelt zurück. *Es hat sich alles eingerenkt*, sagen wir damit. *Alles ist gut.*

Nach der Feier fährt Warren zurück nach Cornwall. Aber ich bleibe noch ein bisschen. Am nächsten Tag fahre ich ungefähr eine Stunde aufs Land, wo ich mich mit jemandem verabredet habe.

Ich entdecke ihre weißblonden Haare quer durch den Pub. Sie hat den besten Platz ergattert, nah am Kamin.

Als ich näher komme, lächelt sie, und ich bücke mich, um sie zu umarmen. Es fühlt sich zwanglos und richtig an, nicht so unbehaglich, wie ich befürchtet hatte.

»Sorry. Bin ich zu spät?«

Ihre Augen sind arktisblau, aber ihr Lachen ist herzlich und warm. Sie wirkt leger in einem T-Shirt mit Aufdruck, den ich nicht lesen könnte, ohne zu starren, und einer weiten toffeefarbenen Strickjacke. »Gar nicht. Ich war zu früh dran.«

Rose hat sich vor ein paar Monaten über die Tierarztpraxis bei mir gemeldet, gefragt, ob ich mich an sie erinnere. Natürlich erinnerte ich mich. Ich schlug ein Treffen vor, wenn ich das nächste Mal in ihrer Gegend sei.

»Prost.« Wir stoßen an, ihr Weißwein gegen meinen Wodka Lemon.

»Was hat dir das Retreat denn letzten Endes gebracht?«, frage ich. Am Morgen nachdem wir uns kennengelernt hatten, reiste ich noch vor der Dämmerung ab. Ich hatte wieder angefangen, an Callie zu denken, und wollte nach Hause.

»Tja, das Yoga mache ich weiter. Und ich bin runter auf einen Kaffee pro Tag.«

»Das ist ja ziemlich beeindruckend. Obst und Gemüse?«

Sie streicht sich durch die Haare. Es riecht kurz süß nach ihrem Parfüm. »Immer noch erbärmlich. Und bei dir?«

»Ach, bei mir ging es eher um was …« Ich verstumme. Ich merke, dass ich mich Rose gegenüber öffnen möchte, bin aber noch nicht ganz bereit. Was soll ich sagen?

»In deinem Kopf?«

Ich nicke und trinke einen Schluck.

Wir schweigen kurz. Ihre Augen sind bestechend. »Tja, wir waren wohl alle wegen eines irgendwie gearteten Problems da.«

»Stimmt.«

»Oder, in den Worten meines Exmanns, als ich nach Hause kam: *So was ist Therapie, kein Urlaub.*«

Ich verziehe den Mund. »Aua.«

Sie zuckt zusammen und lacht. »Das war meine tollpatschige Art zu sagen, dass ich geschieden bin.«

»Oh, tut mir leid.«

»Nein, nein.« Sie nippt an ihrem Wein. »Lustigerweise war es dieses Retreat, was mir die Augen geöffnet hat.«

Ich ziehe eine Augenbraue hoch. »Die Kraft der Suggestion?«

»Genau! Prost.«

Wieder stoßen wir an.

»Und du bist Tierärztin.«

»Das bin ich. Hat dir mein kleiner Trick gefallen?«

In ihrer E-Mail an die Praxis behauptete sie, wir hätten uns auf einer Konferenz kennengelernt, von der ich noch nie gehört habe. Eine schnelle Google-Suche bestätigte natürlich, dass sie sich die ausgedacht hatte. Und sie ergab auch, dass Rose Jackson Tierärztin war.

Wir unterhalten uns eine Weile über unsere Arbeit. Meine Auszeit und den Wiedereinstieg, ihre Praxis und meine. Das Für und Wider, Bereitschaftsdienste außer Haus zu geben (was ihre Praxis macht, meine nicht). Mitgefühlsmüdigkeit. Behandlung von Wildtieren. An Weihnachten Notdienst zu haben. Mir gefallen Rose' Geradlinigkeit, ihr Sinn für Humor. Dass sie ab und zu meinen Arm anfasst, wenn ich sie zum Lachen gebracht habe. Ihr herzliches Lächeln.

»Also, du weißt, dass ich geschieden bin«, sagt sie, als schließlich eine Gesprächslücke entsteht. »Was ist mit dir?«

»Single, aber …«

Sie schiebt einen Bierdeckel mit den Fingerspitzen auf dem Tisch herum. »Nicht auf der Suche.«

Ich runzle die Stirn. »Tut mir leid. Es ist kompliziert.«

»Jemand anderes?«

Ich denke an Callie. »Nein«, sage ich ehrlich. »Aber ich bin nicht sicher, ob ich schon wieder bereit bin, mich … so auf jemanden einzulassen.«

»Verstehe. Danke, dass du aufrichtig mit mir bist.«

Danach trinken wir aus. Rose erzählt mir, sie habe Karten für einen Comedyabend später, zu dem sie halb vorgehabt habe mich einzuladen. Und vielleicht wäre ich mitgegangen, wenn sie mich nicht so direkt nach meiner Situation gefragt hätte. Jetzt bin ich froh, stelle ich fest, dass wir an dieser Stelle aufhören.

Denn ich mag sie. Ich fühle mich auf eine Art von ihr angezogen, wie es mir seit Callie nicht mehr ging. Und das möchte ich nicht vermasseln, es aus Fahrlässigkeit zu etwas Belanglosem machen.

Wenn das heißt, dass sie dadurch vielleicht weg ist, dann muss ich dieses Risiko eben eingehen.

»Ich würde gern in Kontakt bleiben«, sage ich, als wir gehen wollen.

Rose lächelt. »Wie Brieffreunde?«

Ich verziehe das Gesicht. »Sorry. Das war jetzt echt schwach.«

»Extrem schwach«, pflichtet sie mir bei. »Dein Glück, dass du so charmant bist, was?«

Ich bin nicht sicher, ob ich mich in diesem Moment mit dem Wort *charmant* beschreiben würde, aber da ihr Kompliment überaus nett ist, nehme ich es ohne weitere Widerrede an.

»Ach, hätte ich fast vergessen.« Sie steht auf. »Die gehört dir.«

Sie reicht mir die Jacke, die ich ihr zwei Jahre zuvor in dem Garten umgelegt habe. Sie lag die ganze Zeit zusammengefaltet neben ihr auf dem Stuhl. Das hatte ich gar nicht bemerkt.

»Behalt sie«, sage ich.

Sie blinzelt ein oder zwei Mal, dann streckt sie die Hand aus. Eine förmliche Verabschiedung. »Ist gut. Ruf mich einfach an. Wenn du sie doch mal zurückwillst.«

»Abgemacht.« Ich schüttle ihr die Hand. Sehe ihr in die Augen. Lächle.

87

Callie – fünf Jahre danach

Als die Zwillinge gefüttert sind und Finn zur Arbeit gefahren ist, mache ich mich mit dem Kinderwagen und Murphy zu einem Spaziergang am Meer auf.

Es hat lange gedauert, bis wir das Wunder zustande brachten, dass beide Babys gleichzeitig trinken und schlafen, aber endlich lichtet sich das Chaos der ersten Monate ein wenig. Wir sind vollkommen erschöpft und einigermaßen neben der Spur – ich meine, wir haben uns noch kaum von dem Schock erholt, Zwillinge bekommen zu haben –, aber irgendwie haben wir es unbeschadet überstanden.

Euan und Robyn werden heute fünf Monate alt. Ich kann es immer noch nicht ganz fassen. Noch bin ich in der Phase, dass ich sie ab und zu anfassen muss, mich vergewissern, ob sie wirklich uns gehören.

Als sie auf die Welt kamen, hat sich Finns riesiges soziales Netzwerk wirklich bewährt. Freunde und Verwandte unterstützten uns in Schichten, kochten und sterilisierten und wuschen und führten den Hund aus. Und jetzt, da wir diese erste harte Zeit hinter uns haben, empfinde ich eine solche Fülle an Liebe, einen solchen Überfluss an Glück. Wenn ich meine Kinder an mich drücke, fühlt sich das Heben und

Senken ihrer badewarmen Brust an wie ein Herzschlag außerhalb meines eigenen Körpers.

Die Sackgasse, in der wir wohnen, ist schmal und vollgeparkt, und unter der Woche herrscht auch viel Verkehr, aber sobald ich an der Promenade bin, muss ich nur aufs Meer sehen, um von Ruhe durchflutet zu werden.

Zum Glück ist meine übliche Bank nicht zu klamm. Genau auf dieser Bank saßen Grace und Ben am Morgen, nachdem sie sich beim Ausgehen in Brighton kennenlernten, mit heißem Tee und Schinkensandwichs und aufgeregt schlagendem Herzen. Das weiß ich, weil sie ein paar Monate später ein Selfie auf Facebook postete (*Der Tag, nachdem wir uns begegnet sind!*) und ich mich an das Hotel im Hintergrund erinnere.

Ich lasse mich mit dem entkoffeinierten Kaffee nieder, den Finn mir heute Morgen gekocht hat, bevor er ging. Das macht er jetzt jeden Tag, weil es für mich den Umstand nicht wert ist, den Doppelkinderwagen in das Café am Ende unserer Straße zu manövrieren. Ich habe auch ein Stück Drømmekage dabei, denn wenn man als frischgebackene Mutter keinen Kuchen zum Frühstück essen darf, wann dann? Wir essen ihn oft dieser Tage, seit Finn mein Rezept fand und ihn mir als Überraschung backte, während ich eines Nachmittags spazieren war. Ich brachte es nicht übers Herz, ihm die dazugehörige Geschichte zu erzählen.

Ich schaukle den Wagen mit dem Fuß, ziehe Grimassen für die Babys, zupfe ihre Mützchen und Söckchen zurecht. Ich trinke einen Schluck Kaffee und beiße in meinen Kuchen, breche ein Stückchen für Murphy ab.

Und dann eine Ahnung. Dass er in der Nähe ist, irgendwie. Das Gefühl ist so stark, dass ich erschrecke und den Kopf herumreiße, die Leute auf dem Bürgersteig nach seinem Gesicht absuche.

Ich drehe mich wieder zu den Zwillingen um. *Du spinnst ja. Joel ist nicht hier. Warum um alles in der Welt sollte er?* Seit Wochen habe ich nicht an ihn gedacht, nicht richtig. Vielleicht liegt es am Schlafmangel, der schwarzen Magie, die sie auf meinen Kopf ausübt.

Während meiner Schwangerschaft litt ich unter schrecklicher Schlaflosigkeit, die Nächte waren wie unermessliche Seen unverbrauchter Minuten, durch die ich waten musste. Um nicht unentwegt an die Decke zu starren, stand ich dann auf und drehte, während Finn schlief, im Schlafanzug Runden durch die Wohnung, Murphy auf den Fersen, als wüsste er, dass ich moralische Unterstützung brauchen konnte.

Manchmal setzten wir uns zusammen ans Wohnzimmerfenster, wo ich im Geiste mit Grace sprach. Und manchmal – nur manchmal – stellte ich mir vor, dass Joel ebenfalls wach war, dass wir durch unterschiedliche Fenster dasselbe schwindelerregende Mosaik heißer blauer Sterne betrachteten.

Aber um der Babys willen, die sich in meinen Bauch kuschelten, und Finns wegen, der in unserem Bett lag, durfte ich meine Gedanken nicht allzu weit in die Zukunft schweifen lassen. Wenn die letzten Jahre mich eins gelehrt haben, dann, dass es die Gegenwart ist, die zählt.

Finn und ich haben gestern Abend ein Glas Wein getrunken, zum ersten Mal seit der Geburt der Zwillinge. Er wollte einen besonderen Anlass daraus machen, deshalb goss er einen guten Roten unwissentlich in die Karaffe, die Joel mir vor sechs Jahren zu Weihnachten geschenkt hat. Wir tranken auch aus den dazu passenden Gläsern, und einen kurzen Moment lang gestattete ich mir, Joels Lächeln vor mir zu sehen, als er damals sagte: *Damit du dich immer wie in einem Straßencafé fühlen kannst, irgendwo am Mittelmeer.*

Finn muss gespürt haben, dass ich mit meinen Gedanken woanders war, denn er stupste mich mit dem Fuß an, fragte, ob es mir gut gehe. Und ich bejahte lächelnd, denn es stimmte. Wir hatten es geschafft. Wir hatten die zähen Strapazen der ersten Tage als Eltern überstanden und sahen Licht am Ende des Tunnels. Es fühlte sich an, als tränken wir darauf. Und es schien nur angemessen, mich in dem Moment auch an Joel zu erinnern, im Geiste das Glas auf ihn zu erheben und ihm für alles zu danken, was er mir geschenkt hatte.

88

Joel – sechs Jahre danach

»Gestern Nacht hab ich von Warren geträumt«, sage ich beim Frühstück zu Kieran und Zoë. Sie sind übers Wochenende in Cornwall, die Jungs (mittlerweile Teenager) gut bei Kierans Eltern untergebracht.
»Erzähl«, befiehlt Zoë. Sie macht sich über ein Croissant her, stürzt sich auf die Butter. Sie ist frisch geduscht und perfekt geschminkt, einer dieser nervigen Menschen, die komplett immun gegen Kater sind.
Kieran hingegen sieht geradezu malariakrank aus. »Moment«, sagt er. »War es gut oder schlecht?«
»Gut.« Ich senke die Stimme. »Er lernt jemanden kennen.«
»*Jemanden* – im Sinne von eine Frau?«
»Genau.« Ich grinse. »Sie wirkte nett. Wir waren am Strand. Sie lachte über seine Witze. Und sie haben Händchen…«
»Morgen.« Ein graugesichtiger Warren erscheint. Er hat hier übernachtet, ist lieber auf meinem Sofa umgekippt, als noch den kurzen Fußweg nach Hause anzutreten.
»Joel hat Neuigkeiten«, sagt Zoë. Sie und Warren haben sich gesucht und gefunden, ehrlich wahr. Sie sprechen die

Sätze des anderen zu Ende, haben exakt den gleichen Sinn für Humor. Wobei Zoë lange Nächte weit besser wegsteckt als er.

»Ach ja?«, meint Warren. »Gibt's noch …«

»In der Kanne.« Ich deute auf den Herd. (Ich selbst halte mich inzwischen an grünen Tee. Versuche immer noch, meine Koffeinsucht in den Griff zu kriegen.)

»Sprich weiter«, brummelt er finster. Er gießt sich Kaffee ein, schwarz. Lässt sich neben mich sinken, hält sich den Kopf fest.

»Leidest du etwa?«, fragt Kieran ihn lächelnd.

»Genau deshalb trinke ich nicht mehr.« Die Wörter kleben alle aneinander.

»Ja, für diese Turbojäger müsste es eigentlich eine Altersobergrenze geben«, sage ich. »Oder zumindest eine Mengenobergrenze.«

Warren wedelt mit der Hand, vermutlich, um die Erinnerung an seinen gestrigen Absturz zu verscheuchen. »Was hast du für Neuigkeiten?«

»Eigentlich hast du welche. Ich habe geträumt, dass du jemanden kennenlernst.«

Er sieht auf. »Was?«

»Also, eine Frau. Du hast sechs Monate, um dich in Schuss zu bringen.«

Unwillkürlich ein Lächeln. »Hör mir auf. Wie ist sie so?«

»Sie machte einen netten Eindruck. Immerhin lacht sie schon mal über deine Witze.«

»Hier aus der Gegend?«

»Schwer zu sagen. Aber wir waren am Strand.«

Er ächzt. »Ist ein Weilchen her. Wahrscheinlich hält es nicht lange.«

Ich räuspere mich. Spreche mit ernsterer Stimme. »Da bin ich anderer Ansicht. Ihr habt Händchen gehalten.«

Zoë stößt einen Jubelschrei aus. Warren krümmt sich. »Bist du sicher, dass ich das war?«

»Ja.« Ich esse mein Croissant auf, trinke den letzten Schluck Tee. Angesichts der allgemeinen Verkaterung bin ich hochzufrieden mit mir selbst. Ich habe letzte Nacht länger geschlafen als seit Jahren. »Darauf kannst du dich also freuen, oder? Wunderbar. Kommt jemand mit zum Laufen?«

Sie jagen mich buchstäblich aus dem Raum.

Ich lebe meine Fitnesssucht auf dem Küstenpfad aus. Spüre den Anstieg in Waden und Lunge brennen. Der Wind peitscht durch die Luft, Matsch spritzt unter meinen Füßen auf.

Meine Gedanken wandern zu Callie. Ich male sie mir beim Frühstück aus, die Kinder in ihren Hochstühlen. Sie lacht mit ihrem Mann über etwas, wischt den Zwillingen Brei vom Kinn. Ihr Gesicht leuchtet, wird durch ein Fenster neben ihr von der Sonne gewärmt.

Kurz verkrampft sich mein Magen vor Eifersucht, dass nicht ich der Mann sein kann. Aber dann fallen mir all die Gründe wieder ein. Zumindest ist Callie auf diese Weise jetzt glücklich, und ich habe vorerst ein gewisses Gleichgewicht für mich gefunden.

Letzten Endes, das weiß ich, hätten wir das zusammen nicht geschafft.

Ich atme eisige Atlantikluft ein, laufe weiter.

89

Callie – sechs Jahre danach

Ich starre auf die Einladung in meiner Hand. »Ich kann immer noch nicht fassen, dass Ben heiratet.«

»Wird das komisch für dich sein?«

Ich lächle, lasse einen Anflug von Traurigkeit abklingen. »Bei der Hochzeit wird Grace schon neun Jahre tot sein. Das finde ich vielleicht komischer, falls du verstehst, was ich meine.«

»Ja. Aber Mia ist super.«

»Ich liebe Mia. Und Grace hätte sie auch geliebt.«

Euan und Robyn sind jetzt fast achtzehn Monate alt und sitzen zwischen uns auf dem Sofa, gebannt von CBeebies. Geistesabwesend streichle ich Euan über die Haare.

»Und die Location sieht ziemlich cool aus«, sagt Finn.

Die Hochzeitsfeier findet in einer alten Bahnunterführung in Shoreditch statt. Mia arbeitet in der Werbebranche und verkehrt in furchteinflößend hippen Kreisen.

»Ich könnte die Gelegenheit nutzen, Mum und Dad ein paar Tage zu besuchen, wenn wir schon da oben sind. Damit sie Euan und Robyn mal wieder in Ruhe sehen.« Mum liegt mir immer in den Ohren, dass ich öfter kommen soll, und sie sind in Brighton, sooft sie können.

Finn grinst, setzt sich Robyn aufs Knie und küsst sie auf den Kopf. »Super. Deine Mum wird begeistert sein.«

Erneut werfe ich einen Blick auf die Einladung. »Mich überrascht ein bisschen, dass die Kurzen mitdürfen. Die wissen schon, dass Kinder gesetzlich verpflichtet sind, das Eheversprechen zu stören?«

»Wahrscheinlich hat Esther ein ernstes Wörtchen mit Ben gesprochen.«

Lachend streichle ich Murphy. Er sitzt an meinem Knie, das Kinn an meinen Oberschenkel gelehnt. »Kann gut sein.«

»Aber vergiss mal kurz die Kinder. Ich bin nicht sicher, ob sie uns überhaupt reinlassen. Sind wir cool genug?«

Nichts gibt einem so gründlich das Gefühl, erwachsen zu sein, wie Kinder zu bekommen. Unsere früher halsbrecherische Freizeitgestaltung, unsere Urlaube – diese Charakteristika eines kinderlosen Lebens – kommen mir schon fast nicht mehr wahr vor.

Nicht lange nach der Geburt der Zwillinge blätterte ich manchmal durch unsere alten Fotos, nur um mich zu vergewissern, dass das alles wirklich passiert war. Nachdem ich das Finn gebeichtet hatte, hingen eines Abends, als ich zurück in die Wohnung kam, unsere besten Bilder in Schwarzweiß, großformatig und gerahmt an den Wänden. Unser allererstes Selfie, vor dem Sonnenaufgang geknipst, bevor ich aus Lettland abflog. Wir beide auf einem Steg in einem Naturpark in Florida, braun gebrannt und strahlend die Daumen gereckt. Unser letztes Frühstück in Miami, Omelett und starker Kaffee, am Morgen nach unserer Verlobung. Beim Klettern in der Nähe von Tunbridge Wells. Lachend mit einer Gruppe von Freunden hoch in den Hügeln Südenglands. Aber einen

Ehrenplatz hatte Finn einem Bild gegeben, das aus der Zeit davor stammt: mein Diademregenpfeifer, am Fuße eines chilenischen Vulkans.

»Ich meine, wie zieht man sich für so eine Hochzeit an?«, fragt Finn gerade. »Soll ich einen Anzug tragen, oder kommen alle anderen in Pyjamas oder so?«

Ich hoffe, er zieht einen Anzug an; er hat einen, den er zu Hochzeiten aus dem Schrank holt, in Blaugrau. Normalerweise kombiniert er dazu ein geblümtes Hemd, manchmal eine Sonnenbrille, und er sieht aus … Tja, falls man dem Bräutigam die Schau stehlen könnte, würde Finn das bestimmt jedes Mal.

»Das ist ja das Schöne an so supercoolen Events. Wir könnten wahrscheinlich in Gummistiefeln auftauchen und aussehen wie Trendsetter.«

»Unglaublich, dass wir Bens Hochzeit jetzt schon ›Event‹ nennen«, sagt Finn.

»Da werden Leute mit Ohrstöpseln sein.«

»Sicherheitskontrollen.«

»Eine Social-Media-Sperre.«

»Ich liebe dich«, sagt Finn da über die Köpfe der Zwillinge hinweg.

Ich lächle. »Ich dich auch.«

»Ich weiß nicht …« Er verstummt, senkt den Blick.

»Was denn?« Ich bin angenehm überrascht von diesem plötzlichen Gefühlsansturm. Dafür war in letzter Zeit so wenig Zeit. Meistens reden wir jetzt in hastigen Halbsätzen miteinander (*Hast du schon …, Ich muss nur mal …, Sollen wir schnell …*), und obwohl unser Sexleben sich zaghaft wieder einstellt, ist es ein offenes Geheimnis zwischen uns, dass wir, wenn wir die Wahl haben, lieber die Augen schließen, als uns aufeinander zu stürzen, wenn wir abends endlich im Bett liegen.

»Ich weiß nicht, was ich tun würde, wenn ich dich nicht getroffen hätte, Cal. Du bist das Beste, was mir je passiert ist, du und die Zwillinge.«

Ich beuge mich zur Seite, küsse ihn auf die Lippen. In meinem Inneren flackert etwas auf, und ich denke, vielleicht stürze ich mich heute Abend doch auf ihn.

Später ziehen wir uns aus und führen den Kuss fort, hektisch unter der Decke, mit heißen, feuchten Händen. Ob es daran liegt, dass das letzte Mal ein paar Wochen her ist, oder daran, dass wir derzeit alles mit Vollgas machen müssen, jedenfalls empfinde ich es als lebendig und fieberhaft im positivsten Sinne. Die Hitze und Energie versetzen mich in jene erste Nacht in Lettland zurück.

Hinterher rutsche ich wieder an ihn heran, will ihm gerade zuflüstern, dass wir uns wirklich öfter dazu aufraffen sollten, als ein schrilles Geschrei im Nebenraum ertönt.

Finn bricht in Gelächter aus. »Ah, Kind«, murmelt er immer noch atemlos, die Haut von einem Schweißfilm überzogen. »Ausnahmsweise ist dein Timing mal perfekt.«

90

Joel – sechseinhalb Jahre danach

Ich bin mit Doug auf dem Weg nach Nottingham, um mich mit unserem Cousin Luke und einigen anderen Verwandten zu treffen.

Vor gut zwei Jahren nahm ich wieder Kontakt mit Luke auf. Brücken zu bauen, fühlte sich gut an, und ich wollte es weiterprobieren. Überraschenderweise, für einen geborenen Miesepeter, ging es meinem Bruder genauso.

Luke kehrte nach der Hundeattacke nicht mehr an unsere Schule zurück. Seine Familie zog ungefähr ein Jahr später in die Midlands, um ihm wenigstens ansatzweise die Chance zu geben, den Flashbacks zu entfliehen. Heute ist er ein gefeierter Koch, der zwei Restaurants zu Michelin-Sternen geführt hat. Wir haben schon zweimal in seinem aktuellen gegessen, mehrere Männerabende in der Stadt veranstaltet.

Noch habe ich ihm nicht von meinen Träumen erzählt. Besser gesagt von einem speziellen. Erst mal möchte ich ihn wieder kennenlernen. Eine Beziehung aufbauen, bevor ich meine Seele entblöße.

Aber von heute habe ich vor ungefähr einem Monat geträumt. (Highlights: Luke nimmt uns mit in eine Blues Bar, wo wir wie VIPs behandelt werden; Doug schießt sich total ab.)

Während wir auf unseren Zug warten, wird mein Bruder zappelig. Er trägt seine Wochenenduniform aus Jeans, die verdächtig nach gebügelt aussieht, und einem eine Spur zu engem T-Shirt. »Ich brauche eine Kippe.«

»Sag nicht, dass du immer noch rauchst.«

Er zuckt die Achseln. »Nur in Gesellschaft.«

»Und trotzdem *brauchst* du eine Kippe.«

Doug schnaubt. »Ach, was ich noch sagen wollte. Dad macht sich Sorgen um dich.«

Amüsiert frage ich mich, ob Doug den Rest seines Lebens auf Kritik reagieren wird, indem er sie postwendend zurückschlägt. »Warum?«

»Sagt, du siehst zu dünn aus.« Ein geringschätziger Blick in meine Richtung. »Das finde ich übrigens auch.«

»Ach, alles okay.«

Aber die Wahrheit ist, dass ich in letzter Zeit nicht ich selbst war. Die Zeit rast, die Jahre fliegen vorbei wie Landschaft an einem Zugfenster. Ich denke viel an Callie, geplagt von quälenden Zweifeln. Habe ich das Richtige getan? Sollte ich mich bei ihr melden, einen letzten Versuch machen, sie zu retten?

Seit einiger Zeit habe ich einen Traum, meinen ersten wiederkehrenden überhaupt. Es ist der über Callies Tod, und er wird zunehmend lebensecht. Jedes Mal wache ich schweißgebadet auf und rufe ihren Namen.

Doug wendet sich ab. »Dann ist ja gut. Ich hab erst neulich zu Lou gesagt, dass du dich zum ersten Mal in deinem Leben endlich normal benimmst.«

Ich lächle das Profil meines Halbbruders schwach an. Er

ist so anders als ich. Und doch würde ich ihn, so seltsam das ist, gegen nichts auf der Welt eintauschen. Dass ich mich auf seine Ruppigkeit verlassen kann, ist eigenartig tröstlich. Wenn ich an den ganzen Aufruhr denke, der vor uns liegt.

91

Callie – sechseinhalb Jahre danach

Er steht mit seinem Bruder auf dem gegenüberliegenden Bahnsteig, das Kinn in den Jackenkragen gesenkt, wie so oft früher, die Hände in den Taschen.

Er sieht dünn aus, denke ich. Irgendwie unruhig, nicht wie er selbst.

Oder zumindest nicht so, wie ich ihn als ihn selbst kannte. Es ist jetzt fast sieben Jahre her. Aber schlagartig ist die dazwischenliegende Zeit weggeschmolzen, und ich kann ihn nur so sehen wie beim letzten Mal, mir gegenüber im Restaurant. *Vergiss mich. Tu alles, was du dir wünschst, und noch mehr.*

Völlig gebannt kann ich nur beten, dass er den Kopf hebt und mich sieht.

Ich habe mir für Bens Hochzeit ein paar Tage Urlaub genommen, und Finn arbeitet diese Woche in Ipswich, deshalb fahre ich von meinen Eltern aus allein mit den Zwillingen nach London. Finn holt uns in Blackfriars vom Zug ab, und ich kann es kaum erwarten – nach drei ohne ihn verbrachten Nächten, und wegen des zweiten Paars Hände. Es ist das erste Mal, dass ich allein mit den Kindern verreise, deshalb habe ich Euan auf der Hüfte, und Robyn sitzt in einem Einzelbuggy neben mir.

Ich möchte die beiden – und den Rest des Bahnsteigs – nicht erschrecken, indem ich laut rufe. Joel ist ins Gespräch vertieft, und gerade, als ich denke, dass er vielleicht nie aufsieht, tut er es doch, und wieder erstarre ich unter seinem Satellitenblick.

Ich habe dich nie vergessen, Joel.

Die Welt verschwindet. Geräusche werden zu Echos, meine Umgebung ein Nebel. Ich nehme nur Joel wahr, spüre nur das Kribbeln in meinem Magen, als wir einander betrachten.

Aber innerhalb von Sekunden kommt das hydraulische Rauschen meines einfahrenden Zugs, das Aufblitzen von Lichtern.

Nein, nein, nein. Pünktlich, ausgerechnet heute?

Ich sage lautlos »Joel«, und dann trennen uns die Waggons, und die Menge um mich herum setzt sich in Bewegung. Und ich muss das auch, denn die Züge nach London fahren nur alle halbe Stunde, die Zeit ist ohnehin knapp, und eine Verspätung würde bedeuten, dass Finn warten muss, wir hektisch in ein Taxi springen, in Panik geraten, die Hochzeit zu verpassen, möglicherweise schmachvoll von einem Trupp als Tom-Ford-Models verkleideten Türstehern abgewiesen werden.

Mir bleibt nichts anderes übrig. Wir müssen in den Zug einsteigen.

Es ist stickig in dem Waggon, als wäre die Klimaanlage kaputt. Zum Glück haben wir Sitzplätze an einem Vierertisch, an dem außer uns nur eine freundlich wirkende Rentnerin sitzt, die den Eindruck macht, als würde sie nicht allzu streng reagieren, falls meine Zweijährigen beschließen, Krawall zu machen. Nachdem ich sie gefragt habe, ob es sie stört, stehe ich auf und öffne das obere Fenster, bevor ich Euan auf den Platz neben mir setze und Robyn auf meinen Schoß ziehe.

Aber die ganze Zeit recke ich den Kopf, versuche verzweifelt, Joel draußen zu entdecken. Zuerst landet mein Blick nur auf Fremden, bis er endlich Doug findet, der, wie ich mit einem Ruck feststelle, jetzt allein dasteht.

Und dann ertönt ein leises Klopfen an dem Fenster hinter mir.

Ich drehe mich um, und er ist es. Wunderschön, leuchtend, Joel. Er muss über die Fußgängerbrücke gerannt sein.

Mir schießen Tränen in die Augen, als ich mit den Lippen ein »Hallo« bilde.

Geht's dir gut?, fragt er lautlos.

Ich nicke heftig. *Dir?*

Er bejaht ebenfalls, dann zögert er kurz. *Bist du glücklich?*

Ich schlucke meine Tränen hinunter, halte eine Sekunde den Atem an. Und dann nicke ich wieder.

Denn wie soll ich ihm den großen Zusammenhang erklären, die verschlungenen Wurzeln der Wahrheit, durch ein Fenster, kurz bevor der Pfiff schon die Abfahrt meines Zugs ankündigt? Was kann ich in fünf Sekunden sagen, um alles auszudrücken, was ich empfinde, vor meinen Kindern und einer neugierigen Fremden?

Joel legt eine Handfläche flach auf die Scheibe. Ich tue das Gleiche, und plötzlich sind wir zusammen und doch getrennt, genau wie es immer zu sein schien.

Dann ertönt das Pfeifen, und langsam, quälend lösen sich unsere Hände allmählich voneinander. Joel setzt sich in Trab, versucht mitzulaufen, aber das geht natürlich nicht. Mein Herz ist an ihn gebunden, durch einen Faden, der jede Sekunde reißen kann. Im letzten Moment streckt er den Arm aus und wirft etwas durch das offene Fenster. Es kreiselt in meinen Schoß wie ein Ahornsamen.

Ich greife danach, sehe hastig wieder auf, doch da ist der Bahnhof schon der schmutzigen Fassade der Abstellhalle gewichen. Joel ist fort, vielleicht zum letzten Mal.

Ich sehe Robyn auf meinem Schoß an. Sie reckt mir das Gesichtchen entgegen, als wäre sie unentschlossen, ob sie weinen soll, und mir fällt ein, dass sie ein bisschen Angst gehabt haben muss vor der fremden Gestalt am Fenster mit den eindringlichen Augen. Also ziehe ich sie fester an mich, bedecke ihre winzige Hand mit meiner, drücke sie beruhigend.

»Ich hab dich lieb«, flüstere ich in die glänzenden Löckchen ihres dunklen Haars.

»Geht es Ihnen gut?«, fragt die alte Dame mich halblaut mit mitfühlend gerunzelten Augenwinkeln.

Ich nicke, kann aber nicht sprechen. Sonst, befürchte ich, breche ich in Tränen aus.

»Der, mit dem es nicht ging?«, sagt sie nur hauchzart.

Ich betrachte Euan neben mir. Er starrt in das gegenüberliegende Fenster, völlig vertieft in den Anblick des vorbeirasenden Lebens.

Ach, wie es rast.

Ich blinzle nur einmal, lasse ein paar heiße Tränen rinnen. Und sie nickt sanft, denn wir wissen beide, dass es mehr nicht zu sagen gibt.

Wenige Minuten, bevor wir in Blackfriars halten, falte ich die Serviette auseinander.

Darauf steht in Kuli nur ein Satz.

ICH WERDE DICH IMMER LIEBEN, CALLIE

92

Joel – acht Jahre danach

Ich warte an der Krümmung des Flusses auf sie, neben der schiefen alten Weide, die ich im Traum gesehen habe. Obwohl die Luft heute belebend frisch ist, erscheint mir das Licht prophetisch sanft. Weich gezeichnet vor Mitgefühl, als wüsste es, was bevorsteht.

Ich sehe in die ausladende Baumkrone auf, prachtvoll wie ein Denkmal. Erinnere mich an Callies geschwungenes C in der Rinde und male mir aus, wie es sich im Laufe der Jahre verändern wird. Durchwärmt von Sonnenlicht, von feiner Frostschicht überzogen, bis es schließlich unter Flechten verschwindet.

Ich habe keinem von Callies Verwandten und Freunden von heute erzählt. Das Einzige, worum sie mich damals bat, war, meinen Traum für mich zu behalten, und ich konnte nicht riskieren, dass jemand sich verplappert. Also werde ich, auch wenn es für mich schwer auszuhalten war, ihren Wunsch bis zuletzt respektieren. Sonst waren die vergangenen acht Jahre umsonst.

Ich vermute, dass sie ihre Eltern besucht und die Kinder dort sind. Bestimmt macht sie immer, wenn sie in Eversford ist, einen Abstecher nach Waterfen, davon angelockt wie ein Zugvogel.

Seit ich sie vor eineinhalb Jahren am Bahnhof sah, ist sie immer in meinen Gedanken. Ein Flüstern in der Brise meiner Erinnerung.

Das Wetter wird trübe, während ich warte, die Landschaft sondert Feuchtigkeit ab wie Tränen. Allmählich marmorieren Wolken den Himmel, die Kälte brennt auf meiner Haut. Auf dem gegenüberliegenden Ufer neigen kahle Bäume ihre Köpfe.
So viele Jahre bete ich nun schon, dass mein Traum nicht stimmt. Dass Callie nicht auftauchen wird. Dass ich hier allein stehen werde, bis die Dunkelheit einbricht, mit dem schwindenden Licht immer euphorischer werde.
Denn auch wenn wir getrennt sind, kann ich mir einfach nicht vorstellen, ohne das tröstliche Wissen aufzuwachen, dass es sie gibt. Ohne das Wissen, dass sie irgendwo glücklich ist und ein Leben voll von einer Million Farben führt. Als ich sie an jenem Tag in dem Zug sah, wollte ich das Fenster einschlagen und in den Waggon klettern. Ihr sagen, dass ich sie immer lieben werde, dass eine Welt ohne sie für mich nicht auszumalen ist.
Ich zähle die Minuten auf meiner Uhr herunter. Am liebsten würde ich das Drehen der Erde anhalten, auf die Bremse der Zeit treten.
Bitte lass mich falschliegen. Bitte.
Doch da verändert sich die Atmosphäre, ertönen dumpfe Schritte. Und mir wird das Herz schwer, denn sie ist hier.
Summend umrundet sie die letzte Flusswindung. In die Landschaft versonnen, in Mantel und Schal eingemummelt, als wäre sie eine ganz normale Winterspaziergängerin. Als wäre dies ein ganz normaler Novembertag.

So ist es natürlich nicht. Weil ich schon den Rettungshubschrauber über dem Moor höre, die wie Libellenflügel schwirrenden Rotorblätter. Ich habe vor ein paar Minuten angerufen, damit sie keine Sekunde verliert. Ich musste unbedingt alles Menschenmögliche tun.

Selbst als sie jetzt innehält, sich an der Akrobatik eines Eisvogels erfreut, zittere ich vor Hoffnung. Dass sie sich einfach umdrehen wird, ausatmen und weitergehen.

Dreh dich um, Callie. Noch ist Zeit. Aber es muss jetzt sofort sein.

»Joel?« Sie hat mich entdeckt.

Mein Herz zerbricht, als wir einander ansehen. Und einen Moment lang, der mir wie eine Stunde erscheint, klammere ich mich an ihren Anblick und lasse nicht los.

Aber schon stellen ihre Augen die Frage. So sanft ich kann, nicke ich. *Es tut mir leid, Callie.*

Der Hauch eines Lächelns, ein geflüstertes »Oh«.

Dann streckt sie eine Hand aus.

Sekunden bleiben stehen, als ich zum letzten Mal meine Finger um ihre schließe, die Wärme ihrer Haut durch die Wolle ihres Handschuhs spüre. Den anderen Arm lege ich um ihren Rücken, ziehe sie ruhig an meine Brust. Ohne ein Wort lehnt sie die Wange an meine Schulter, vielleicht zum Trost. Und dann küsse ich sie auf die Haare, sage ihr ein letztes Mal, dass ich sie immer lieben werde.

Danach gibt es keine Worte mehr. In einem anderen Leben aber machen wir kehrt und laufen zusammen Hand in Hand auf einen Sonnenuntergang zu, der uns nach Hause begleitet.

Und jetzt kommt es – das Einknicken in den Knien, das leise Ringen nach Atem, das sich mehr wie ein Husten anfühlt. So behutsam ich kann, lege ich sie auf den Boden, streiche ihr das Haar aus dem Gesicht. Ich lockere den Schal um ihren Hals, und meine Tränen fallen darauf.

Nach all der Zeit bin ich immer noch nicht bereit, mich zu verabschieden.

Zehn.

Mein Herz pocht die Sekunden mit.

Neun.

»Callie«, flüstere ich. »Ich bin noch hier. Ich gehe nicht weg, okay? Bleib bei mir.«

Acht. Sieben.

In meiner Verzweiflung ziehe ich ihr den Handschuh aus, reibe ihre Finger, als könnte ich dadurch verhindern, dass sie mir entgleitet.

Sechs.

Vielleicht kann ich das ja. »Komm schon, Callie. Nicht aufgeben. Ich bin noch da, bleib bei mir.«

Fünf.

Und dann. Vielleicht bilde ich es mir ein, aber ich könnte schwören, dass ich spüre, wie sie meine Hand zu fassen versucht. Als strengte sie sich so sehr an durchzuhalten.

Vier.

Mein Herz macht einen Satz, und die Tränen fließen stärker. Trotzdem flüstere ich weiter, drücke ihre Hand. »Bleib bei mir, Callie. Der Rettungshubschrauber ist unterwegs. Lass nicht los, okay?«

Drei. Zwei. Eins.

Aber schließlich weiß ich es. Sie kann mir nicht antworten, weil sie nicht mehr da ist. Also gebe ich alles, um ihr Herz wieder zum Schlagen zu bringen, während irgendwo in der Nähe der Notarzt landet.

Minuten später wird der Hubschrauber zu einem in den Himmel über den Bäumen aufsteigenden Vogel, der sie fortträgt.

Ich habe getan, was ich konnte. Jetzt bleibt nur noch warten. So sehr hoffen, dass es schmerzt, beten, dass sie durchkommt.

EPILOG

93

Joel

Callie starb an jenem Tag an einem Herzstillstand. In der Obduktion fand man keinen Hinweis auf eine Vorerkrankung, daher wurde als Todesursache plötzlicher Herztod angegeben.

Ich unterdrückte meine Nummer bei dem Notruf und nannte den Sanitätern meinen Namen nicht. Damit niemand wusste, dass ich in Callies letzten Momenten bei ihr war. Aber in mehreren Berichten war die Rede davon, dass sie von einem Passanten gefunden worden war. Ein paar Tage später schickte Kieran mir den Link zu einem Artikel in der lokalen Zeitung. Finn flehte denjenigen, der den Notarzt gerufen hatte, an, sich zu melden, weil er sich persönlich für dessen Bemühungen bedanken wollte.

Ich blieb natürlich anonym. Ich wollte Finn keinen Anlass zu dem Verdacht geben, dass Callie und ich Kontakt gehabt hatten, während sie zusammen waren. Sie war bis zum Ende treu gewesen, selbstverständlich. Sie hat ihn geliebt.

Ich bin nicht sicher, ob jemand merkt, dass ich mich in die Kirche schleiche. Als ich mich in letzter Minute in die hintere Bankreihe setze, lande ich neben Ben und seiner Frau Mia. Sie haben jetzt auch ein Baby und betreiben zusammen eine Werbeagentur in London. Ben und ich umarmen einander mitten in der ersten Hymne, »All Things Bright and Beautiful«.

Ich bemühe mich nach Kräften, den Blick von Finn abzuwenden. Einen netteren Mann hätte ich mir für die Liebe meines Lebens nicht vorstellen können. Er ist natürlich völlig am Boden zerstört. Sitzt die ganze Zeit gebeugt da, den Kopf in den Händen. Neben ihm sind Callies Eltern, gleichermaßen niedergeschmettert.

Finn hat Murphy an der Leine dabei. Er ist jetzt so alt, hat leichte Arthritis. Seine Bewegungen sind steif, und er hat Mühe, sich hinzulegen, aber seine Augen blicken treu wie eh und je.

Ich darf den Hund nicht ansehen, sonst breche ich zusammen.

Irgendwann geht Finn nach vorn, um seine Rede zu halten. Er braucht ein oder zwei Minuten, um sich zu fassen. Seine Worte klingen erstickt, anfangs kann er kaum sprechen. Doch dann durchflutet er die Kirche mit Licht. Er erzählt uns, wie er und Callie sich kennenlernten. Wie viel Spaß sie hatten, was für ein unglaubliches Leben sie miteinander führten. Von ihren wunderbaren Kindern. »Es heißt, für jeden gibt es den einen Menschen«, schließt er mit zittriger Stimme. »Und für mich war dieser Mensch Callie.«

Ich verlasse die Kirche vor dem letzten Lied, ohne jeden Zweifel darüber, wie erfüllt Callies Leben in den vergangenen acht Jahren war. Wie sehr sie geliebt wurde.

Während alle langsam zum Krematorium gehen, drehe ich eine Runde um den Block. Ich möchte vermeiden, Callies Eltern, Dot oder einem ihrer anderen Freunde zu begegnen.

Dann laufe ich nach hinten zu den Eiben, wo Esther mich gebeten hat, mich mit ihr zu treffen.

Sie kommt allein. Ihr Gesicht ist hinter einer riesigen Sonnenbrille verborgen. Wir umarmen uns.

»Es tut mir so leid«, ist das Erste, was ich sage. Und dann: »Es war eine schöne Zeremonie.«

»Danke. Ich glaube, Callie hätte es gefallen.«

Ich sehe die Blumen in der Kirche vor mir. Sie waren in den Korb ihres Sargs geflochten, darauf verstreut. Die Luft war durchdrungen von Duft, süß vor Liebe.

»Du willst nicht zum Krematorium?«, frage ich Esther.

»Nein. Callie hätte das verstanden. Mit solchen Sachen komme ich nicht gut klar.« Ein steifes Ausatmen. »Erst Grace, und jetzt ...«

»Ja, ich weiß«, sage ich leise.

Ich entdecke ein tapferes Lächeln unter den großen Brillengläsern.

»Ich hab was für dich.« Sie zieht einen dicken Umschlag aus ihrer Handtasche und reicht ihn mir. »Callie hat dir Postkarten geschrieben, Joel. Nachdem ihr euch getrennt hattet. Sie ... wollte, dass ich sie aufbewahre. Und hat mich gebeten, sie dir zu geben. Falls sie stirbt.«

Mein Mund bewegt sich lautlos. Der Umschlag fühlt sich schwer wie ein Ziegelstein an.

»Sie wollte, dass du weißt, wie glücklich sie war.«

Ich betaste den Umschlag. Es müssen, was, zwanzig Postkarten darin sein? Dreißig?

»Ich würde alles wieder genauso machen«, sage ich da. »Selbst wenn sich nichts ändern könnte. Ich würde sie ohne jedes Zögern wieder lieben.« Und dann bricht meine Stimme, und ich kann nicht weitersprechen.

Eine lange Stille, unterbrochen nur von Vogelzwitschern.

»Dieser geheimnisvolle Passant hat sich ja nie gemeldet«, sagt Esther nach einer Weile.

Ich reiße mich zusammen. »Nein.«

Sie schiebt sich die Sonnenbrille auf den Kopf. »Aber es ist schön zu wissen, dass jemand bei ihr war. In ihren letzten Momenten, weißt du.«

Ich sehe ihr in die feuchten Augen, nicke einmal. Und das war's.

»Kommst du mit zur Feier?«

Ich schüttle den Kopf. »Ich glaube, hier ist Schluss für mich.«

»Ist gut.« Sie macht eine kurze Pause. »Danke, Joel.«

»Wofür?«

Sie zuckt knapp die Achseln, als hätte sie gehofft, ich wüsste es. »Für das, was du getan hast.«

Nachdem Esther gegangen ist, bleibe ich noch ein paar Minuten auf dem Friedhof. Der Himmel ist in Trauer, bedeckt. Aber gerade, als ich mich umdrehen will, bricht ein Sonnenstrahl schräg durch die Wolken.

Als die Erde zu meinen Füßen erhellt wird, landet ein Rotkehlchen auf dem Grabstein neben mir und legt den Kopf schief.

»Ich werde dich immer lieben, Cal«, flüstere ich. Dann stecke ich mir den Umschlag in die Jacke und gehe nach Hause.

94

Callie

Heute Morgen dachte ich an den Tag, als wir uns zum ersten Mal begegnet sind. Weißt du noch? Als du zu zahlen vergessen hattest und ich dir ein Stück Kuchen geschenkt, dummes Zeug geredet, ganz weiche Knie bekommen habe.

Egal. Wir essen jetzt andauernd Drømmekage, Finn und ich und die Zwillinge – albern, ich weiß, aber ich freue mich, Wege zu finden, um mich an dich zu erinnern.

Du solltest wissen, dass Finn ... Er ist ein wunderbarer Mensch, Joel. Es ist seltsam, dir das zu schreiben. Aber ich sage es nicht, um dich zu verletzen. Du sollst einfach wissen, dass ich glücklich bin und dass ich sicher bin, es war die richtige Entscheidung vor acht Jahren, so unendlich traurig sie auch war und so falsch sie sich damals anfühlte.

Jedenfalls bin ich an diesem Wochenende in Eversford und gehe gleich nach Waterfen. Ich werde an dich denken, wenn ich am Fluss entlangspaziere.

Denn ich liebe dich immer noch, Joel. Ein Teil meines Herzens wird immer dir gehören. Selbst wenn ich nicht mehr da bin, wann auch immer das sein mag.

DANKSAGUNG

Ich möchte mich bei meiner großartigen Agentin Rebecca Ritchie von AM Heath bedanken, für alles, was du für mich getan hast. Jeder Autor könnte sich glücklich schätzen, dich an seiner Seite zu haben. Danke.

Sehr dankbar bin ich allen bei Hodder & Stoughton dafür, dass sie mich so herzlich empfangen und sich so leidenschaftlich für dieses Buch eingesetzt haben. Besonders Kimberley Atkins, für deinen Enthusiasmus, dein kluges Lektorat und dafür, dass du dich genauso um meine Figuren bemüht hast wie ich. Entschuldige die Heulerei! Ein dickes Dankeschön auch an Madeleine Woodfield, außerdem an Natalie Chen, Alice Morley, Maddy Marshall und Becca Mundy. Und an die unglaublich tolle Lizenz-Abteilung, vor allem Rebecca Folland, Melis Dagoglu, Grace McCrum und Hannah Geranio – es hat mich ehrlich umgehauen, was ihr alles unternommen habt, um mein Buch Lesern in aller Welt vorzustellen. Außerdem an Carolyn Mays, Jamie Hodder-Williams, Lucy Hale, Catherine Worsley, Richard Peters, Sarah Clay, Rachel Southey, Ellie Wood, Ellen Tyrell und Ellie Wheeldon. Und an Hazel Orme, für das adleräugige Korrekturlesen.

Bei Putnam möchte ich Tara Singh Carlson und Helen Richard danken, für eure sorgfältige und einfühlsame Redaktion; es war ein absolutes Vergnügen, mit euch beiden zusammenzuarbeiten. Herzlichen Dank auch an Sally Kim, Ivan Held, Christine Ball, Alexis Welby, Ashley McClay, Brennin Cummings, Meredith Dros, Maija Baldauf, Anthony Ramondo, Monica Cordova, Amy Schneider und Janice Kurzius.

Großen Dank schulde ich auch Michelle Kroes bei CAA.

Sehr dankbar bin ich darüber hinaus Emma Rous für das schnelle Lesen und die sachkundigen Auskünfte in allen tierärztlichen Belangen. Eventuelle Fehler stammen natürlich ausschließlich von mir.

Und schließlich danke ich meinen Freunden und meiner Familie, allen voran Mark.